BLED

Espagnol

Grammaire et Conjugaison

Alfredo GONZÁLEZ HERMOSO

María SÁNCHEZ ALFARO

HACHETTE
Éducation

Conception graphique
Couverture : Pascal Plottier
Intérieur : Blanc de Zinc / Médiamax

Composition et mise en page
Alinéa

© HACHETTE LIVRE, 2001, 43 quai de Grenelle, 75905 PARIS Cedex 15.
ISBN : 2.01.168350-5
www.hachette-education.com

Ce *Bled Espagnol* est un ouvrage de référence et un outil d'entraînement conçu pour les collégiens et les lycéens ainsi que pour toute personne désireuse de se perfectionner en espagnol en auto-apprentissage.

● La grammaire

Elle est présentée sous forme de tableaux répartis en chapitres et résumant d'une manière claire et abordable l'essentiel des connaissances pour s'exprimer aisément et correctement en espagnol.

On a préféré multiplier les tableaux pour mettre en évidence une ou quelques règles importantes et permettre une assimilation plus facile et un travail plus précis sur chacune de ces règles.

Les deux premières parties traitent de l'orthographe, de la prononciation et de la grammaire, les deux dernières de la conjugaison et de la phrase complexe.

Chaque point grammatical est traité de manière progressive allant de l'essentiel au particulier, en ne retenant que les règles primordiales et en s'appuyant sur des exemples significatifs traduits en français.

Chaque règle énoncée est suivie de cinq exercices systématiques et diversifiés, destinés à la mettre en application. L'utilisateur peut consulter à tout moment les réponses corrigées à la fin de l'ouvrage.

● La conjugaison

Après avoir étudié la conjugaison des verbes, temps par temps ainsi que les modifications orthographiques, l'ouvrage se consacre à l'étude des modes et des temps employés dans la phase complexe. En annexe sont présentés les tableaux de la conjugaison des trois verbes réguliers et des quarante verbes irréguliers choisis comme modèles. Chaque tableau met en relief les particularités de chaque verbe. Suit un index des principaux verbes irréguliers traduits dans lequel figure le renvoi au verbe modèle correspondant.

● Le lexique

La grammaire et la conjugaison ne prennent vie que dans le discours et c'est pourquoi il nous a paru souhaitable de mettre à la disposition de l'utilisateur un corpus de mots tirés des listes de fréquence des mots espagnols. Ce lexique de base prend en compte les mots les plus courants du registre de la langue usuelle. Nous avons introduit de nouveaux mots nés avec les nouvelles technologies et qui concernent plus particulièrement l'informatique, Internet et le téléphone portable.

Nous avons ajouté une liste de faux amis, c'est-à-dire les mots espagnols ayant une ressemblance de forme avec des mots français mais qui n'ont pas le même sens. Cette partie originale de l'ouvrage permettra à l'utilisateur d'éviter de nombreuses confusions lors de la mise en pratique à l'expression orale et écrite.

Conçu sur un modèle qui a déjà fait ses preuves, le Bled Espagnol offre ainsi un outil d'apprentissage et de référence à tous ceux qui, chaque jour plus nombreux, apprennent l'espagnol et veulent consolider leurs connaissances.

PARTIE III – LA CONJUGAISON

PARTIE IV - LA PHRASE ET LA PHRASE COMPLEXE

ANNEXES

PARTIE I

L'orthographe et la prononciation

1 L'alphabet espagnol

- L'alphabet espagnol comprend vingt-neuf lettres :

a	*a*	j	*jota*	r	*erre, ere*
b	*be*	k	*ka*	s	*ese*
c	*ce*	l	*ele*	t	*te*
ch	*che*	ll	*elle*	u	*u*
d	*de*	m	*eme*	v	*uve*
e	*e*	n	*ene*	w	*uve doble*
f	*efe*	ñ	*eñe*	x	*equis*
g	*ge*	o	*o*	y	*i griega*
h	*hache*	p	*pe*	z	*ceta, zeta*
i	*i*	q	*cu*		

- Toutes les lettres en espagnol sont féminines :
Ex. → *la a, la be, la ce...*

- Les lettres particulières de l'espagnol sont : *ch, ll, ñ*. Ces lettres ne sont pas des consonnes doubles mais des lettres à part entière. Elles se classent dans l'alphabet respectivement après le *c*, le *l*, le *n*.

- Les consonnes ne sont pas redoublées sauf : *c, n, r*.
Ex. → *lección* (leçon), *innumerable* (innombrable), *carro* (charriot)
Le signe « ~ » s'appelle la « *tilde* ». Il est utilisé uniquement pour former la lettre ñ.

Exercices _____ CORRIGÉS P. 234

1 ▶ Épelez les noms suivants.

- **a.** Enrique
- **b.** Juan
- **c.** Pilar
- **d.** Irene
- **e.** Guillermo
- **f.** Elvira
- **g.** Vicente
- **h.** Pedro
- **i.** Ginés
- **j.** Marina

2 ▶ Écrivez les noms de personnes épelés ci-dessous.

- **a.** ge o ene ceta a ele e ceta
- **b.** pe erre i e te o
- **c.** uve a ele e erre a
- **d.** ge i erre o ene e ese
- **e.** ele o pe e ceta
- **f.** eme a e ese te erre e
- **g.** ge a erre ce i a
- **h.** jota i eme e ene e ceta
- **i.** hache e erre ene a ene de e ceta
- **j.** ge u i erre a o

3 ▶ Classez les mots suivants par ordre alphabétique.

sitio – chimenea – habitación – vaso – uniforme – jefe – claridad – llama – zapato – bolígrafo – farmacia – cine – recuerdo – vino – ayudante – cachete – novela – espejo – viña – yate – verdad – chaqueta

4 ▶ Classez les mots dont la partie en gras correspond à l'un des sons proposés ci-dessous.

[g]   [j]   [ñ]   [r]   [rr]   [z]

Si su **h**ijo no es **c**apaz de **c**omportarse correctamente con los otros niños, de ahora en adelante me veré obligada a prescindir de él y le expulsaré del colegio.

5 ▶ Entourez les mots dont les consonnes doubles sont correctes.

a. posessión
b. calle
c. redacción
d. tomatte
e. offrecer

f. innovación
g. immueble
h. grassa
i. croquetta
j. tarro

2 Les coupures de syllabes dans un mot

● La syllabe

● La syllabe est un ensemble d'un ou de plusieurs sons (une voyelle; plusieurs voyelles; une voyelle et une consonne, etc.) qui se prononcent en une seule émission de voix.

● Toutes les lettres se prononcent à l'exception du *h*, toujours muet.

● Le *u* est toujours muet dans les groupements suivants:
Ex. ➤ gue: *guerra* (guerre)   que: *queso* (fromage)
gui: *guitarra* (guitare)   qui: *quince* (quinze)

● Le tréma (la *diéresis*) qui surmonte le *u* indique que les deux voyelles doivent être prononcées séparément.
Ex. ➤ *antigüedad*: an/ti/gü e/dad

● Les diphtongues et les triphtongues

Classement des voyelles

Voyelles fortes: *a, e, o.*
Voyelles faibles: *i, u.*

Les diphtongues

● La diphtongue est l'union de deux voyelles qui se prononcent en une seule syllabe:
– une voyelle forte et une voyelle faible: *baile* (danse);
– une voyelle faible et une voyelle forte: *guapo* (joli);
– deux voyelles faibles: *ciudad* (ville), *cuidado* (soin).

● Les différentes combinaisons des voyelles donnent quatorze diphtongues:
ai → *fraile*, moine
au → *aula*, salle de classe
ei → *veinte*, vingt
eu → *Europa*, Europe
oi → *oigo*, j'entends
ou → *Salou* (seulement dans
les toponymes catalans ou galiciens)
ia → *historia*, histoire

ie → *siesta*, sieste
io → *colegio*, collège
ua → *agua*, eau
ue → *juego*, jeu
uo → *cuota*, cotisation

iu → *viuda*, veuve
ui → *ruina*, ruine

● L'union de deux voyelles fortes forme deux syllabes différentes:
Ex. ➤ *aéreo*: a/é/re/o.

> **Les triphtongues**
>
> La triphtongue est l'union de trois voyelles (une voyelle forte accentuée entre deux voyelles faibles) qui se prononcent en une seule syllabe :
> iais : a/nun/ciáis   uei : a/tes/ti/güéis   uey : *buey*   uay : Pa/ra/guay
> etc.

Exercices

CORRIGÉS P. 234

1 ▶ Découpez les mots suivants en syllabes.

a. próximo
b. semana
c. estación
d. tierra
e. guapo
f. leer

g. euro
h. página
i. temperatura
j. calor
k. libro
l. freír

2 ▶ Soulignez, s'il y a lieu, les diphtongues dans les mots suivants.

a. ruido
b. caer
c. fiesta
d. maullar
e. antiguo

f. viuda
g. caos
h. peine
i. jueves
j. viernes

3 ▶ Chassez l'intrus.

a. aire – Cairo – traidor – arraigar – raíz
b. reina – peinado – reí – deidad – pleito
c. luego – ruego – hueso – queso – rueda
d. boina – mohíno – estoico – conoide – oidor
e. correo – enamoramiento – siento – aliento – ciento

4 ▶ Découpez les mots suivants en syllabes.

a. Uruguay
b. cigüeña
c. etéreo
d. arreglar
e. hueco

f. siempre
g. sucia
h. buey
i. roer
j. aeropuerto

5 ▶ Soulignez les mots dans lesquels apparaît une diphtongue.

a. aceite
b. boa
c. ruina
d. memoria
e. ojear

f. frío
g. caer
h. ansiedad
i. rebeldía
j. piedra

3 L'accent tonique

Tous les mots de plus d'une syllabe comportent, dans leur prononciation, une syllabe qui se distingue des autres par une plus forte émission de voix. C'est l'accent tonique.
Ex. → *agua* (eau), *señor* (monsieur), *papeles* (papiers), *joven* (jeune)

● Place de l'accent tonique

• Lorsqu'un mot est terminé par une **voyelle**, par **n** ou par **s**, l'accent tonique tombe sur l'avant-dernière syllabe.
Ex. → *casa* (maison), *piso* (appartement), *esperan* (ils attendent), *señores* (messieurs)

• Lorsqu'un mot est terminé par une consonne autre que **n** ou **s**, l'accent tonique tombe sur la dernière syllabe.
Ex. → *pared* (mur), *papel* (papier), *terror* (terreur)

• L'accent tonique est souvent accompagné d'un accent écrit. Cet accent écrit indique la place de l'accent tonique et peut servir à différencier les mots.
Ex. → *hábito/habitó*, habitude/il a habité
   término/terminó, terme/il a terminé
   público/publicó, public, publique/il a publié

Exercices
CORRIGÉS P. 234

1 ▶ **Soulignez les syllabes qui portent l'accent tonique.**

ventana – gritar – frase – león – albornoz – árbol – reloj – tubo – palidez – cono – comer – película – apagaban – Madrid – felicidad – restaurante

2 ▶ **Soulignez les syllabes qui portent l'accent tonique.**

escoba   verano – amor – menos – favor – laurel – compañero – fuentes – fantasma – recurrir – personaje – capacidad

3 ▶ **Soulignez les syllabes qui portent l'accent tonique.**

a. acción, acciones
b. pared, paredes
c. carácter, caracteres
d. mujer, mujeres
e. útil, útiles

f. serio, serios
g. difícil, difíciles
h. régimen, regímenes
i. corazón, corazones
j. estatua, estatuas

4 ▶ **Soulignez les syllabes qui portent l'accent tonique.**

a. francés, francesa
b. inglés, inglesa
c. catalán, catalana
d. espontáneo, espontánea
e. bailarín, bailarina

f. traidor, traidora
g. andaluz, andaluza
h. tío, tía
i. español, española
j. embajador, embajadora

5 ▶ **Justifiez la place de l'accent tonique des syllabes en gras.**

correr – **pared** – **sastre** – colegio – **profesor** – cosas – **coged** – revista – **papel** – **manzana** – inteligente

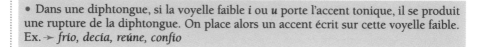

4 L'accentuation écrite (1) : sur la voyelle faible de la diphtongue

> • Dans une diphtongue, si la voyelle faible *i* ou *u* porte l'accent tonique, il se produit une rupture de la diphtongue. On place alors un accent écrit sur cette voyelle faible.
> Ex. ➤ *frío, decía, reúne, confío*

Exercices
CORRIGÉS P. 234

1 ▶ Mettez l'accent sur les voyelles *i* et *u* s'il y a lieu.

frio – oia – nieve – sicologia – viudo – pua – piano – cuidado – rei – huevo – bulerias – ruido – reunete – aire – rio

2 ▶ Mettez les accents écrits qui conviennent.

Mi tio siempre leia novelas fantasticas. Se pasaba los dias enteros ensimismado en sus lecturas. Cuando yo me atrevia a interrumpir su concentracion, me hacia que siguiera yo leyendo en voz alta y despues comentabamos las paginas leidas y dabamos rienda suelta a nuestra imaginacion. ¡Que bien nos lo pasabamos entonces!

3 ▶ Soulignez la forme correcte.

a. grúa / grua
b. ciudad / ciúdad
c. dolia / dolía
d. ruina / ruína
e. cúidado / cuidado

4 ▶ Soulignez les mots dans lesquels il y a rupture de la diphtongue.

a. hierro
b. haría
c. guión
d. tiesto
e. duelo

5 ▶ Soulignez les diphtongues.

a. reina
b. tablao
c. marea
d. ruego
e. aeroplano

5 L'accentuation écrite (2) : sur les autres voyelles

- Lorsqu'un mot est terminé par une **voyelle**, par **n** ou par **s**, l'accent tonique tombe sur l'avant-dernière syllabe.
Ex. ➤ *acento* (accent), *mujeres* (femmes), *cantaban* (ils chantaient)

- Lorsqu'un mot est terminé par une **consonne** autre que **n** ou **s**, l'accent tonique tombe sur la dernière syllabe.
Ex. ➤ *papel* (papier), *pared* (mur), *escribir* (écrire)

- Les mots qui n'obéissent pas à ces règles d'accentuation portent un accent écrit à l'endroit de l'accent tonique.
Ex. ➤ *mamá* (maman), *café* (café), *montón* (tas), *decís* (vous dites)

ATTENTION

- Compte tenu de ces règles, les mots accentués sur l'antépénultième (l'avant-dernière) syllabe portent toujours l'accent écrit.
Ex. ➤ *sílaba* (syllabe), *pájaro* (oiseau), *paréntesis* (parenthèse)

- L'addition d'une syllabe au pluriel ou au féminin d'un mot peut modifier l'emploi de l'accent écrit.
Ex. ➤ *joven* (jeune) → *jóvenes* (jeunes)
francés (français) → *francesa* (française)

Exercices _____ *CORRIGÉS P. 234-235*

1 ▶ Mettez les accents écrits qui conviennent.

maceta – camion – lavabo – Almeria – escribir – parchis – arbol – ingles – lampara – columna – cartera – escalon – siquico – romantico – reves – libreria – matricula – maquina – española – baraja

2 ▶ Mettez les accents écrits qui conviennent.

bombon – trompeta – embriagar – bebe – anis – habito – boligrafo – fidelidad – institucion – abedul – bomba – boletin – circo – hada

3 ▶ Mettez les mots suivants au singulier en mettant les accents écrits nécessaires.

burgueses – lecciones – narices – japoneses – resbalones – caimanes – papeles – ruines – andenes – calcetines

4 ▶ Soulignez la forme correcte.

a. también / tambien
b. cafe / café
c. patatá / patata
d. acción / accion
e. direís / diréis

f. éxito / exito
g. util / útil
h. cadaver / cadáver
i. Luis / Luís
j. país / pais

5 ▶ Soulignez les mots correctement accentués.

oid – huir – día – irás – veintidós – alemán – frances – ultimo – periodico – fácil – arbol

6 L'accentuation écrite (3) : l'accent grammatical

- L'accent écrit est dit grammatical lorsqu'il sert à distinguer deux homonymes qui ont un sens ou une valeur grammaticale différents.

S'écrivent sans accent	S'écrivent avec accent
aquel, aquella, etc., ce (là-bas) (adj. dém.)	*aquél, aquélla,* etc., celui-là (pr. dém.)
aun, même (conj.)	*aún,* encore (adv.)
como, comme (conj.)	*cómo,* comment (adv.)
de, de (prép.)	*dé,* que je donne (verbe)
el, le (article)	*él,* il, lui (pr. pers.)
ese, esa, esos, esas, ce (là), etc. (adj. dém.)	*ése, ésa, ésos, ésas,* celui-là, etc. (pr. dém.)
este, esta, estos, estas, ce, etc. (adj. dém.)	*éste, ésta, éstos, éstas,* celui-ci, etc. (pr. dém.)
mas, mais (conj.)	*más,* plus (adv.)
mi, mon, ma (adj. poss.)	*mí,* moi (pr. pers.)
se, se (pr. réfléchi)	*sé,* je sais (verbe)
si, si (conj.)	*sí,* oui (adv.) ; *sí,* soi (pr. réfléchi)
solo, seul (adj.)	*sólo,* seulement (adv.)
te, te (pr. pers.)	*té,* le thé (nom)
tu, ton, ta (adj. poss.)	*tú,* tu, toi (pr. pers.)

- Les mots interrogatifs et exclamatifs portent également l'accent écrit.

¿Cómo?	Comment ?	*¿Cuánto?*	Combien ?	*¿Por qué?*	Pourquoi ?
¿Cuál?	Lequel ?	*¿Dónde?*	Où ?	*¿Qué?*	Quoi ? Que ?
¿Cuándo?	Quand ?	*¿Para qué?*	Pourquoi ?	*¿Quién?*	Qui ?, etc.

ATTENTION

- Sauf dans le cas des homonymes, les monosyllabes ne portent pas d'accent écrit. Ex. ➤ *fe, pie, fui, fue, ruin, dio, vio, veis, di, dio,* etc.
- Les nouvelles normes d'orthographe permettent d'écrire indifféremment certains mots. Ex. ➤ *hui* ou *huí, fio* ou *fió, rio* ou *rió, guio* ou *guió, riais* ou *riáis,* etc.

Exercices _____ CORRIGÉS P. 235

1 ▶ Mettez les accents écrits s'il y a lieu.

a. No se que hacer.
b. ¿Cuando te casas?
c. ¿Como te llamas?
d. Ese regalo es para mi.
e. Me gusta este vestido.

2 ▶ Soulignez la forme correcte.

a. Te llama [tu / tú] padre.
b. ¿[Aun / Aún] estás aquí?
c. [Solo / Sólo] tengo un hijo.
d. [Se / Sé] alquila ese piso.
e. [Como / Cómo] no viene, me voy.

3 ▶ Complétez la question avec le mot interrogatif qui convient.

a. ¿... vas? Voy en tren.
b. ¿... es Vd.? Soy Emilio Romero.
c. ¿... vives? Vivo en Cuenca.
d. ¿... vale? Vale noventa y tres euros.
e. ¿... prefieres? Prefiero el blanco.

4 ▶ Mettez l'acccent écrit sur les mots interrogatifs et exclamatifs.

a. ¿Como te llamas?
b. ¡Que horror!
c. ¿Donde está?
d. ¿Por que no viene?
e. ¿Para que lo quieres?
f. ¡Que bien!
g. ¿Cuando se va?
h. ¿Que te pasa?

5 ▶ Traduisez en espagnol.

a. Oui, je sais.
b. Est-ce pour moi?
c. Il se lève plus tard que moi.
d. Comment le savoir?
e. Cet enfant est seul.

La grammaire

▼

	Masculin	Féminin	Neutre (voir leçon 11)
Singulier	*el*, le	*la*, la	*lo*
Pluriel	*los*, les	*las*, les	

• L'article est placé avant le nom auquel il s'accorde en genre et en nombre.
Ex. ➤ *el alumno/la alumna*, l'élève
   los alumnos/las alumnas, les élèves

● **Contractions avec les prépositions *a* et *de***

a + el = al   Ex. ➤ *Voy al cine*. Je vais **au** cinéma.
de + el = del Ex. ➤ *Vengo del cine*. Je viens **du** cinéma.

(**ATTENTION**)

On emploie *el* au lieu de *la* devant un nom féminin singulier commençant par *-a*
ou *-ha* si cette syllabe porte l'accent tonique.
Ex. ➤ *el agua*, l'eau
   el hacha, la hache

Mais on dira :
Ex. ➤ *la abeja*, l'abeille

Exercices _____ *CORRIGÉS P. 235*

1 ▶ **Mettez l'article qui convient.**

   a. el primo   ...... prima
   b. el gato   ...... gata
   c. los niños   ...... niñas
   d. los empleados ...... empleadas
   e. el nieto   ...... nieta

2 ▶ **Mettez l'article qui convient.**

   a. la maestra   ...... maestras
   b. el cocinero   ...... cocineros
   c. el chico   ...... chicos
   d. la camarera   ...... camareras
   e. el amigo   ...... amigos

3 ▶ **Écrivez correctement les phrases en employant les formes contractées
   s'il y a lieu.**

   a. Los niños van [a el] campo.
   b. Venimos [de el] restaurante.
   c. Salen [de la] discoteca.
   d. Juegan [a el] baloncesto.
   e. ¿Te llevo [a la] biblioteca?

4 ▶ Traduisez en espagnol.

a. Je viens du marché.
b. Nous allons au théâtre.
c. Marcos est le fils de la voisine.
d. Il rentre de l'école.
e. C'est le meilleur vin du pays.

5 ▶ Mettez l'article qui convient (*el* ou *la*).

a. habla   **b.** águila   **c.** ambulancia   **d.** agricultura   **e.** hambre

8 L'article (2) : emploi général

▼

• Pour exprimer l'heure, on emploie l'article *la* ou *las* directement devant un numéral (les mots *hora*, *horas* étant sous-entendus).
Ex. ➤ *Es la una.* Il est une heure.
    Son las dos. Il est deux heures.
    Son las cuatro y cuarto. Il est quatre heures et quart.
    Son las cinco y media. Il est cinq heures et demie.
    Son las siete menos cuarto. Il est sept heures moins le quart.
    A las ocho. À huit heures.

• On emploie l'article singulier *el* pour exprimer un jour déterminé de la semaine.
Ex. ➤ *Iré a verle el sábado.* J'irai le voir samedi.

• On emploie l'article pluriel *los* :
– Pour marquer la périodicité.
Ex. ➤ *Iremos al cine los lunes.* Nous irons au cinéma le lundi.
– Pour exprimer l'âge, lorsqu'une personne accomplit une action.
Ex. ➤ *Se casó a los treinta.* Il se maria à trente ans.

• On emploie l'article défini devant *señor*, *señora*, *señorita*, sauf quand on s'adresse directement à la personne.
Ex. ➤ *El señor Ramírez no ha venido a trabajar.*
    Monsieur Ramírez n'est pas venu travailler.
    ¡Buenos días, señora Sánchez! Bonjour, madame Sanchez !

Exercices _____ CORRIGÉS P. 235

1 ▶ Ajoutez l'article qui convient à chaque mot.

a. hermano   **c.** botella   **e.** bolígrafos   **g.** sillas   **i.** cartas
b. profesora   **d.** cubo   **f.** discos   **h.** cielo   **j.** campanas

2 ▶ Ajoutez l'article qui convient.

a. libro   **c.** puerta   **e.** amapola   **g.** diez   **i.** nieve
b. suelo   **d.** doctora   **f.** agua   **h.** una   **j.** señor

3 ▶ Choisissez l'article qui convient.

a. Hemos quedado a [el/las] ocho.
b. [Los/Las] domingos como en casa de mis padres.
c. Son [la/las] siete y media.
d. A [los/las] tres años ya hablaba inglés.
e. Pasen, [ø/las] señoras.

4 ▶ Complétez les phrases avec *el* ou *los*.

a. ... lunes no suelo trabajar.
b. ... domingo voy a la playa.
c. Se jubiló a ... sesenta.
d. Estaré aquí hasta ... martes.
e. Suele jugar al tenis ... jueves.

5 ▶ Ajoutez un article s'il y a lieu.

a. ¿Y ... señorita García, no ha venido hoy?
b. ¿Puedo hablar con ... señor director?
c. Encantado de conocerla, ... señora.
d. Siéntense, ... señores.
e. No conozco a ... señora Abril.

9 L'article (3) : omission

On supprime l'article défini :

• Devant les noms de pays ou de provinces s'ils ne sont pas déterminés par un adjectif ou un complément.
Ex. ➤ *Francia, España.* La France, l'Espagne.
Mais on dit : *La España moderna.* L'Espagne moderne.
À l'exception de :
El Ecuador, el Brasil, el Perú, el Japón, el Paraguay, el Uruguay, el Salvador, la China, etc. qui portent l'article.

• Devant le mot *casa* (maison) quand celui-ci signifie « chez ».
Ex. ➤ *Voy a casa de mi tía.* Je vais chez ma tante.

• Devant quelques noms, comme *clase* (classe), *misa* (messe), *caza* (chasse), *pesca* (pêche), s'ils ne sont pas déterminés.
Ex. ➤ *Van de pesca.* Ils vont à la pêche.

• Devant le superlatif placé après le nom.
Ex. ➤ *Es el chico más guapo del pueblo.* C'est le plus beau garçon du village.

Exercices
CORRIGÉS P. 235-236

1 ▶ Barrez l'article lorsqu'il n'est pas nécessaire.

a. Voy a [la] clase de inglés.
b. ¿Has estado alguna vez en [el] Ecuador?
c. Me gusta mucho [el] Portugal.
d. ¿Vienes a [la] casa de Juan?
e. Empiezo a trabajar [el] miércoles que viene.

2 ▶ Corrigez les erreurs.

a. Son los zapatos los más caros que he tenido.
b. Van a misa todos los domingos.
c. La España del Sur es muy turística.
d. Saludan a el cartero.
e. El tren llega a cuatro.

3 ▶ Remplacez les pointillés par l'article défini si nécessaire.

a. Voy de … caza.
b. Me gusta … campo.
c. Pronto iremos a … Italia.
d. Compramos en … supermercado.
e. El domingo salimos de … pesca.
f. Le ves todos los días en … clase.

4 ▶ Mettez l'article *la* ou *las* devant le mot *casa* s'il y a lieu.

a. Ésta es … casa que quiero comprarme.
b. Mi hermano está en … casa de un amigo.
c. En este barrio … casas son caras.
d. … casa de mis abuelos está en ruinas.
e. Todavía vive en … casa de sus padres.

5 ▶ Indiquez l'article s'il y a lieu.

a. Holanda **b.** Francia **c.** China **d.** Alemania **e.** Salvador

10 L'article (4) : l'article indéfini

	Singulier	Pluriel
Masculin	*un*, un	*unos*, des
Féminin	*una*, une	*unas*, des

• Le pluriel *unos, unas* est peu employé.
Ex. ➤ un garçon → *un chico*
　　des garçons → *chicos*

• Le pluriel *unos, unas* a le plus souvent le sens de *quelques*.
Ex. ➤ *Tengo unos libros de ese autor.* J'ai quelques livres de cet auteur.

• On supprime l'article indéfini devant les mots : *otro* (autre), *medio* (demi), *igual* (égal), *doble* (double), *cualquiera* (quelconque), *tan* (aussi), *tal* (tel) et le plus souvent devant *cierto* (certain).
Ex. ➤ un autre jour, *otro día*
　　une demi-heure après, *media hora después*

ATTENTION

Les formes partitives françaises « du, de la » ne se traduisent pas.
Ex. ➤ Je veux **du** pain. *Quiero pan.*
　　J'achète **de la** viande. *Compro carne.*

Exercices

CORRIGÉS P. 235-236

1 ▶ Mettez l'article indéfini qui convient.

a. limones   c. secretos   e. chica   g. cartera   i. serpientes
b. papel   d. profesor   f. consejos   h. mesa   j. carta

2 ▶ Remplacez les pointillés par l'article indéfini qui convient.

a. Seremos … cuarenta.
b. Tiene … hija de diez años.
c. Eran … hombres muy raros.
d. He comprado … cerezas.

3 ▶ Barrez l'article lorsqu'il n'a pas lieu d'être.

a. He estado [una] media hora esperando.
b. Dame [un] otro caramelo.
c. ¿Necesitas [un] lápiz?
d. Déjalo para [un] otro día.

4 ▶ Reliez les éléments des deux colonnes.

a. Me hace falta una   1. iguales.
b. Irán unos   2. cuarto de hora.
c. Bate   3. doce alumnos.
d. Falta un   4. impresora.
e. Los quiero   5. media docena de huevos.

5 ▶ Traduisez en espagnol.

a. Donne-moi de l'eau.
b. Je veux de la musique.
c. Ajoute du sel.
d. J'ai envie de manger du poisson.

11   L'article (5) : l'article neutre

Lo permet de former, avec des adjectifs, des participes passés ou des adverbes, des noms de sens général et abstrait.
Ex. ➤ *Lo inesperado.* Ce qui est inattendu. *Lo romántico.* Ce qui est romantique.

Lo + adjectif + *que* confère à l'adjectif un plus fort degré d'intensité.
Ex. ➤ *¡Lo bonito que es este vestido!* Comme cette robe est jolie !

● Constructions particulières

Lo que (ce que)
Ex. ➤ *No creo lo que dices.* Je ne crois pas ce que tu dis.

Lo de (en ce qui concerne, l'affaire de)
Ex. ➤ *Hablaremos más tarde de lo de tu hermano.*
Nous parlerons plus tard de l'affaire de ton frère.

ATTENTION Ne pas confondre

lo contrario, le contraire	avec	*el contrario*, l'adversaire
lo bueno, ce qui est bon	avec	*el bueno*, l'homme bon
lo justo, ce qui est juste	avec	*el justo*, l'homme juste etc.

Exercices

CORRIGÉS P. 236

1 ▶ Transformez les phrases suivantes d'après le modèle.

Ex. ➤ _Ese bolso es muy caro_ → _¡Lo caro que es ese bolso!_

a. Conduce rápido.
b. Ha llegado tarde.
c. Se levanta pronto.
d. Julián es inteligente.
e. Pedro es simpático.

2 ▶ Complétez les phrases avec _lo que_ ou _lo de_.

a. Cuidado con ... dices.
b. ¿Has visto ... has hecho?
c. ¿Recuerda Vd. ... le dije?
d. Ya he olvidado ... ayer.
e. ... Rafael es muy complicado.

3 ▶ Mettez l'article _el_ ou _lo_ comme il convient.

a. Ancho es ... contrario de estrecho.
b. Andrés es ... más justo de los tres.
c. ... curioso es que nunca conteste al teléfono.
d. Ayudarle sería ... justo.
e. El protagonista no es ... malo.

4 ▶ Mettez les éléments en ordre de manière à former correctement des phrases.

a. dirección/lo/no/su/malo/que/es/sé.
b. que/no/quiere/lo/entiendo.
c. aquí/puestas/bonito/son/lo/las/de/sol.
d. ridículo/vestirse/ella/lo/sería/como.
e. olvides/del/no/lo/pasado/año.

5 ▶ Cochez la bonne case.

a. Tu hermano es **tonto**: me ha roto un disco.
   [□ el/□] lo tonto me ha roto un disco.
b. Es **increíble** que no pida perdón.
   [□ el/□] lo increíble es que no pida perdón.
c. Es **preocupante** que no hayan vuelto aún.
   [□ el/□] lo preocupante es que no hayan vuelto aún.
d. No me cae bien Ignacio: es **antipático**.
   [□ el/□] lo antipático de Ignacio no me cae bien.
e. Nos vamos de vacaciones, **seguro**.
   [□ el/□] lo seguro esque nos vamos de vacaciones.

● Les mots masculins

Les mots masculins se terminent en général :

● par *-o* :
Ex. ➤ *el libro*, le livre
sauf : *la mano*, la main

● par *-or* :
Ex. ➤ *el color*, la couleur ; *el calor*, la chaleur ; *el terror*, la terreur
sauf : *la flor*, la fleur ; *la coliflor*, le chou-fleur ; *la labor*, le travail

● par *-e, -i, -u, -y* :
Ex. ➤ *el coche*, la voiture ; *el jabalí*, le sanglier ;
       el espíritu, l'esprit ; *el convoy*, le convoi
Mais on dit : *la sangre*, le sang ; *la carne*, la chair ; *la noche*, la nuit, etc.

● Les mots féminins

Les mots féminins se terminent en général :

● par *-a* :
Ex. ➤ *la casa*, la maison
sauf : *el día*, le jour ; *el mapa*, la carte

● par *-tad, -dad* et *-tud* :
Ex. ➤ *la libertad*, la liberté ; *la bondad*, la bonté ; *la juventud*, la jeunesse, etc.

● par *-ción, -sión* et *-zón* :
Ex. ➤ *la nación*, la nation ; *la profesión*, la profession ; *la razón*, la raison, etc.

> **ATTENTION**

Les mots d'origine grecque se terminent par *-a* mais restent masculins :
Ex. ➤ *el problema*, le problème ; *el teorema*, le théorème ; *el planeta*, la planète, etc.

Exercices _____ *CORRIGÉS P. 236*

1 ▶ **Indiquez le genre des noms suivants : masculin (M) ou féminin (F).**
  a. el vuelo   **b.** la tempestad   **c.** el ímpetu   **d.** la dama   **e.** el dolor

2 ▶ **Complétez avec *el* ou *la*.**
  a. … amor   **b.** … alegría   **c.** … fuerte   **d.** … flor   **e.** … noche

3 ▶ **Chassez l'intrus.**
  a. paja – cama – vaca – día – laca
  b. furor – calor – labor – horror – candor
  c. tejado – arado – mano – teléfono – cuadro
  d. noche – gente – sangre – sobre – carne
  e. amistad – conversación – verdad – pasión – ardor

4 ▶ Choisissez la forme correcte.

a. Hace [mucha/mucho] calor.
b. Me gusta [ese/esa] coche.
c. ¿[Cuál/Cuála] es la verdad?
d. Está en [la/el] flor de la vida.
e. [La/El] inquietud no es buena.

5 ▶ Soulignez l'article qui convient.

a. [la/el] canción
b. [la/el] alhelí
c. [las/los] corazones
d. [las/los] días
e. [el/la] coliflor

---

13 Le genre du nom (2) : formation du féminin

▼

● Modification de la terminaison

Noms terminés par	Transformation	Exemple
-o	o devient a	el gato, le chat la gata, la chatte
-e	e devient a	el presidente, le président la presidenta, la présidente
une consonne	ajouter un a	el director, le directeur la directora, la directrice

● Formes différentes pour les deux genres

Certains noms ont au féminin un autre mot.

el caballo	le cheval	→	la yegua	la jument
el emperador	l'empereur	→	la emperatriz	l'impératrice
el gallo	le coq	→	la gallina	la poule
el hombre	l'homme	→	la mujer	la femme
el macho	le mâle	→	la hembra	la femelle
el padre	le père	→	la madre	la mère
el papá	le papa	→	la mamá	la maman
el príncipe	le prince	→	la princesa	la princesse
el rey	le roi	→	la reina	la reine
el toro	le taureau	→	la vaca	la vache
el yerno	le gendre	→	la nuera	la bru
etc.				

Exercices

CORRIGÉS P. 236

1 ▶ Mettez au féminin.

a. el niño b. el perro c. el dependiente d. el profesor e. el suegro

2 ▶ Mettez au masculin.

a. la jardinera b. la lectora c. la chica d. la clienta e. la inventora

3 ▶ Reliez les éléments des deux colonnes.

a. macho	1. nuera
b. yerno	2. vaca
c. toro	3. yegua
d. hombre	4. hembra
e. caballo	5. mujer

4 ▶ Indiquez le féminin des noms suivants.

a. el rey b. el carnero c. el gallo d. el príncipe e. el padre

5 ▶ Indiquez le masculin des noms suivants.

a. la mamá b. la emperatriz c. la vicepresidenta d. la actriz e. la locutora

14   Le genre du nom (3) : quelques noms usuels de genre différent en français et en espagnol

▼

Masculin	Féminin	Masculin	Féminin
el ambiente	l'ambiance	el labio	la lèvre
el análisis	l'analyse	el mapa	la carte
el anuncio	l'annonce	el matiz	la nuance
el armario	l'armoire	el minuto	la minute
el ataque	l'attaque	el muslo	la cuisse
el bolsillo	la poche	el origen	l'origine
el calor	la chaleur	el par	la paire
el cartel	l'affiche	el paréntesis	la parenthèse
el coche	la voiture	el pecho	la poitrine
el cohete	la fusée	el pedido	la commande
el color	la couleur	el planeta	la planète
el cometa	la comète	el recado	la commission
el dictado	la dictée	el reloj	la montre, l'horloge
el diente	la dent	el rigor	la rigueur
el dolor	la douleur	el sobre	l'enveloppe
el ejército	l'armée	el terror	la terreur
el equipo	l'équipe	el tobillo	la cheville
el fin	la fin	el tomate	la tomate
el hombro	l'épaule	el valor	la valeur
el horror	l'horreur	etc.	

Féminin	Masculin	Féminin	Masculin
la acera	le trottoir	*la nariz*	le nez
la bandeja	le plateau	*la necesidad*	le besoin
la bandera	le drapeau	*la novela*	le roman
la calma	le calme	*la nube*	le nuage
la cama	le lit	*la pantorrilla*	le mollet
la cebolla	l'oignon	*la parada*	l'arrêt
la coliflor	le chou-fleur	*la pared*	le mur
la corriente	le courant	*la pareja*	le couple
la duda	le doute	*la pizarra*	le tableau
la espalda	le dos	*la rata*	le rat
la estratagema	le stratagème	*la sal*	le sel
la flema	le flegme	*la sangre*	le sang
la frente	le front	*la señal*	le signal
la hamburguesa	le hamburger	*la serpiente*	le serpent
la labor	le travail	*la sigla*	le sigle
la leche	le lait	*la suerte*	le sort
la legumbre	le légume	*la uña*	l'ongle
la liebre	le lièvre	*la uva*	le raisin
la masacre	le massacre	*la ventaja*	l'avantage
la miel	le miel	*etc.*	

Exercices

_____ *CORRIGÉS P. 236*

1 ▶ Trouvez, dans le précédent tableau, cinq noms féminins désignant des parties du corps humain.

a. la …   **b.** la …   **c.** la …   **d.** la …   **e.** la …

2 ▶ Trouvez, dans le précédent tableau, six noms masculins désignant des parties du corps humain.

a. el …   **b.** el …   **c.** el …   **d.** el …   **e.** el …   **f.** el …

3 ▶ Reliez les éléments des deux colonnes.

a. la pareja   **1.** le sang
b. el hombro   **2.** l'arrêt
c. el bolsillo   **3.** le couple
d. la parada   **4.** l'épaule
e. la sangre   **5.** la poche

4 ▶ Mettez l'article défini qui convient.

a. … legumbre   **d.** … serpiente
b. … análisis   **e.** … dolor
c. … origen

5 ▶ Traduisez en espagnol.

a. le besoin
b. le lait
c. l'équipe
d. la carte
e. la chaleur

PARTIE II. La grammaire

- Certains noms peuvent être masculins ou féminins suivant l'article qui les précède.
Ex. → *el intérprete/la intérprete*, l'interprète
  el idiota/la idiota, l'idiot/l'idiote
  etc.

- Les mots se terminant en -*ista* peuvent être masculins ou féminins.
Ex. → *el artista/la artista*, l'artiste
  el dentista/la dentista, le/la dentiste
  el socialista/la socialista, le/la socialiste
  etc.

- Lorsque le mot commence par *a*- ou *ha*- accentué, certains noms féminins s'emploient au singulier avec l'article défini *el*.
Ex. → *el agua*, l'eau   *el águila*, l'aigle   *el hacha*, la hache
  el alma, l'âme   *el aula*, la salle de classe   etc.

Mais on dira au pluriel : *las aguas, las águilas, las almas, las aulas, las hachas*, etc.

- Certains noms changent de sens selon le genre

el capital	le capital	*la capital*	la capitale
el cólera	le choléra	*la cólera*	la colère
el cometa	la comète	*la cometa*	le cerf-volant
el corte	la coupe	*la corte*	la cour (royale)
el cura	le curé	*la cura*	la guérison
el espada	le matador	*la espada*	l'épée
el frente	le front (guerre)	*la frente*	le front (visage)
el guía	le guide	*la guía*	le guide (livre)
el orden	l'ordre, le rangement	*la orden*	l'ordre, le commandement
el pendiente	la boucle d'oreille	*la pendiente*	la pente
el policía	l'agent de police	*la policía*	la police
el vocal	le membre d'un conseil	*la vocal*	la voyelle
etc.			

Exercices
CORRIGÉS P. 236

1 ▶ **Complétez avec l'article indéfini qui convient.**

a. Isabel es … joven muy guapa.
b. Jaime es … artista.
c. Ese chico es … idiota.
d. Ha venido … intérprete que se llama Rosa.
e. Ese hombre es … socialista de los de antes.

2 ▶ **Complétez avec *el* ou *la*.**

a. … hambre   **b.** … avaricia   **c.** … anilla   **d.** … alma   **e.** … ámbar

3 ▶ **Mettez au singulier.**

a. las aguas   **b.** las abadesas   **c.** las habas   **d.** las hablas   **e.** las amas

4 ▶ Traduisez en français.

a. Me he comprado una guía de Italia.
b. La policía detuvo al ladrón.
c. Es un gran capital.
d. Tiene la frente muy caliente.
e. Se me ha perdido un pendiente.

5 ▶ Traduisez en espagnol.

a. la coupe
b. la colère
c. l'ordre (commandement)
d. le cerf-volant
e. la guérison

16 Le nombre du nom (1) : formation du pluriel

Noms terminés par	Terminaisons au pluriel	Singulier	Pluriel
Voyelle sauf í ou y	-s	*la casa*, la maison *el papá*, le papa	*las casas*, les maisons *los papás*, les papas
Consonne (sauf s), í ou y	-es	*el papel*, le papier *el jabalí*, le sanglier *la ley*, la loi	*los papeles*, les papiers *los jabalíes*, les sangliers *las leyes*, les lois
s dernière syllabe accentuée	-es	*el gas*, le gaz *el interés*, l'intérêt	*los gases*, les gaz *los intereses*, les intérêts
s dernière syllabe non accentuée	invariable	*el lunes*, le lundi *la crisis*, la crise	*los lunes*, les lundis *las crisis*, les crises
z	-ces	*el pez*, le poisson	*los peces*, les poissons

Exercices

CORRIGÉS P. 237

1 ▶ Mettez les noms suivants au pluriel.

a. el piso   **b.** la calle   **c.** la cocina   **d.** el puente   **e.** el cuadro

2 ▶ Mettez les noms suivants au pluriel.

a. el alhelí   **b.** el tiempo   **c.** el martes   **d.** el jarrón   **e.** la cartera

PARTIE II. La grammaire

3 ▶ **Corrigez les formes incorrectes.**

a. Son nuevas leyes.
b. Viene a casa todos los jueveses.
c. No rompas esos papels.
d. Esos caballoes son preciosos.
e. Nunca he estado en esos país.

4 ▶ **Mettez les noms suivants au singulier.**

a. los leones
b. los domingos
c. los viernes
d. los juegos
e. los alemanes
f. las opiniones
g. los esquíes
h. los árboles
i. las razones
j. los reyes

5 ▶ **Précisez si les noms suivants sont au singulier ou/et au pluriel.**

a. revés   **b.** pies   **c.** peces   **d.** crisis   **e.** miércoles

17 Le nombre du nom (2) : remarques d'usage

▼

• Certains noms s'utilisent généralement au pluriel.
Ex. ➤ *las tijeras*, les ciseaux
     las gafas, les lunettes

• Certains noms au singulier ont un sens pluriel.
Ex. ➤ *la gente*, les gens

• Dans les cas de parenté, le masculin pluriel englobe les deux genres à la fois.
Ex. ➤ *los padres*, les parents   → *la madre y el padre* (la mère et le père)
     los tíos, les oncles et tantes → *el tío y la tía* (l'oncle et la tante)

• Certains noms voient la place de leur accent modifiée en changeant de nombre.
Ex. ➤ *el régimen*, le régime   → *los regímenes*
     el carácter, le caractère   → *los caracteres*
     el espécimen, le spécimen   → *los especímenes*

• Certains noms prennent un autre sens en changeant de nombre.
Ex. ➤ *la esposa*, l'épouse → *las esposas*, les épouses, mais aussi les menottes

• Si le nom composé s'écrit en un seul mot, on doit appliquer la règle générale de la formation du pluriel.
Ex. ➤ *el girasol*, le tournesol   → *los girasoles*, les tournesols
     el parabrisas, le pare-brise   → *los parabrisas*, les pare-brise

Exercices _____ *CORRIGÉS P. 237*

1 ▶ **Traduisez en français.**

a. Quítale las esposas.
b. ¿Has visto mis gafas?
c. Estas tijeras no cortan.
d. Conoces a mucha gente.
e. Andrés ha tenido ya dos esposas.

2 ▶ **Désignez les deux personnes par un seul nom.**

a. el primo y la prima
b. el nieto y la nieta
c. el hermano y la hermana
d. el sobrino y la sobrina
e. el novio y la novia

3 ▶ **Mettez au singulier.**

a. interacciones   b. caracteres   c. paredes   d. regímenes   e. carmines

4 ▶ **Mettez les articles définis qui conviennent.**

a. … lavavajillas
b. … posavasos
c. … archiduque
d. … gafas
e. … contracorriente

5 ▶ **Mettez au pluriel.**

a. el quitamanchas
b. la lavadora
c. el sacacorchos
d. la contradicción
e. el interfono

18   Les cardinaux

0	cero	10	diez	20	veinte
1	uno	11	once	21	veintiuno
2	dos	12	doce	22	veintidós
3	tres	13	trece	23	veintitrés
4	cuatro	14	catorce	24	veinticuatro
5	cinco	15	quince	25	veinticinco
6	seis	16	dieciséis	26	veintiséis
7	siete	17	diecisiete	27	veintisiete
8	ocho	18	dieciocho	28	veintiocho
9	nueve	19	diecinueve	29	veintinueve

30	treinta	200	doscientos, -as
31	treinta y uno, etc.	300	trescientos, -as
		400	cuatrocientos, -as
40	cuarenta	500	quinientos, -as
41	cuarenta y uno, etc.	600	seiscientos, -as
		700	setecientos, -as
50	cincuenta	800	ochocientos, -as
60	sesenta	900	novecientos, -as
70	setenta	1000	mil
80	ochenta	100 000	cien mil
90	noventa	1 000 000	un millón
100	cien	1 000 000 000	mil millones
101	ciento uno, etc.	1 000 000 000 000	un billón

● Écriture des cardinaux

● Jusqu'à *veintinueve*, les cardinaux composés s'écrivent en un seul mot. À partir de *treinta y uno*, ils s'écrivent séparés.

● Les centaines s'écrivent en un seul mot et au pluriel.

● Y se place entre les dizaines et les unités. Il n'y a pas de y si les dizaines manquent.
Ex. ➤ 532: *quinientos treinta y dos.* 501: *quinientos uno.*

● Le nom des centaines s'accorde en genre avec le nom qui les accompagne.
Ex. ➤ *Doscientas veinte pesetas.* Deux cent vingt pesetas.
    Doscientos euros. Deux cents euros.

● *Ciento* devient *cien* devant *mil, millones* ou devant un nom, mais pas devant les autres cardinaux (voir l'apocope p. 46).
Ex. ➤ *Cien mil pesetas.* Cent mille pesetas.
Mais on dira : *Ciento cinco mil pesetas.* Cent cinq mille pesetas.

● *Uno* devient *un* devant un nom masculin singulier (voir l'apocope p. 46).
Ex. ➤ *No tengo más que un billete de mil pesetas.* Je n'ai qu'un billet de mille pesetas.

Exercices _____ CORRIGÉS P. 237

1 ▶ Écrivez les dates en toutes lettres.

a. Velázquez pintó *Las Meninas* en 1556.
b. Almodóvar recibió en el año 2000 un óscar por su película *Todo sobre mi madre*, de 1999.
c. García Lorca murió en 1936.
d. Cervantes vivió de 1547 a 1616.
e. La Constitución española fue aprobada en 1978.

2 ▶ Ajoutez y si nécessaire.

a. seiscientos … cuarenta … cuatro
b. setecientos… veinte
c. cuatro … mil … doscientos … sesenta … cinco
d. setenta … ocho
e. ciento … doce

3 ▶ Reliez les éléments des deux colonnes.

a. Tengo cien   **1.** un disco de ese cantante.
b. Se han reunido   **2.** euros.
c. Me queda   **3.** noventa dólares.
d. Faltan quince mil pesetas **4.** para novecientas mil.
e. En Boston vale quinientos **5.** cuarenta maestras.

4 ▶ Complétez les phrases avec uno/un/unos.

a. Sólo pasamos … día con ellos.
b. ¿Cuántos hermanos tienes? – No tengo más que … .
c. Son … antipáticos.
d. Con … paquete no hay bastante para todos.
e. Póngame … kilo de manzanas, por favor.

5 ▶ Écrivez les chiffres en lettres.

a. Tiene 33 años.   **d.** La velocidad está limitada a 90.
b. Hay 124 fotos.   **e.** Este coche tiene ya 110 000 kilómetros.
c. Me ha rebajado 700 pesetas.

19 Les ordinaux

1°	primero, a	6°	sexto, a
2°	segundo, a	7°	séptimo, a
3°	tercero, a	8°	octavo, a
4°	cuarto, a	9°	noveno, a
5°	quinto, a	10°	décimo, a

• Seuls les dix premiers sont d'un usage courant.
Ex. ➤ *el quinto capítulo*, le cinquième chapitre

• À partir du onzième, on utilise le cardinal placé derrière le nom.
Ex. ➤ *el siglo veintiuno*, le vingt et unième siècle

• Ils s'accordent en genre et en nombre avec le nom qu'ils déterminent.
Ex. ➤ *la cuarta dimensión*, la quatrième dimension

ATTENTION

Primero et *tercero* subissent l'apocope, c'est-à-dire qu'ils perdent le *-o* final devant un nom masculin singulier (voir l'apocope p. 46).
Ex. ➤ *el primer alumno del tercer banco*, le premier élève du troisième banc

Exercices _____ *CORRIGÉS P. 237*

1 ▶ **Indiquez les ordinaux correspondant à ces chiffres.**

a. dos **b.** siete **c.** cinco **d.** nueve **e.** tres

2 ▶ **Écrivez les chiffres en toutes lettres.**

a. Tapear es una tradición que data del siglo XIII.
b. Carlos I de España y V de Alemania.
c. Vivimos en el 8° piso.
d. América se descubrió en el siglo XV, en 1492.
e. La semana 27 tendré vacaciones.

3 ▶ **Remplacez les chiffres entre parenthèses par les ordinaux correspondants.**

a. Mi hijo está en (4) de arquitectura.
b. Junio es el (6) mes del año.
c. Hoy es el día (15) del mes.
d. Paco es el (10) de la clase.
e. Es el libro n° 37 de la colección.

4 ▶ **Complétez avec *primero* à la forme voulue.**

a. Siempre es el ... en llegar.
b. Le quise desde la ... vez que le vi.
c. El ... coche que tuve fue un Seat.
d. Los ... serán los últimos.
e. Hoy es el ... día del mes.

5 ▶ **Choisissez la forme correcte.**

a. Es el [tercero/tercer] pastel que te comes.
b. A la [tercera/tercer] va la vencida.
c. Hay dos delante de ti: tú eres el [tercero/tercer].
d. Ya es la [tercera/tercer] vez que te lo digo.
e. Es su [tercero/tercer] marido.

▼

● Les fractions

1/2	une moitié, *una mitad*	1/5	un cinquième, *un quinto*
1/3	un tiers, *un tercio*	1/8	un huitième, *un octavo*
1/4	un quart, *un cuarto*	3/4	trois-quart, *tres cuartos*

Du 6ᵉ au 10ᵉ, on emploie l'ordinal au féminin suivi de *parte.*
Ex. ➤ *la sexta parte,* le sixième

une demi-heure, *media hora*
un demi-kilo, *medio kilo*

● Les collectifs

une dizaine, *una decena*
une douzaine, *una docena*
une demi-douzaine, *media docena*

une centaine, *una centena*
un millier, *un millar*
les deux, l'un et l'autre, *ambos, ambas*

● Les règles de calcul

Additionner: *sumar*

$2 + 2 = 4$: *dos y dos son cuatro / dos más dos son cuatro*

Soustraire: *restar*

$5 - 3 = 2$: *cinco menos tres son dos*

Multiplier: *multiplicar*

$6 \times 2 = 12$: *seis (multiplicado) por dos son doce*

Diviser: *dividir*

$8 : 4 = 2$: *ocho (dividido) entre / (dividido) por cuatro son dos*

● Le pourcentage

dix pour cent, *diez por ciento*
cent pour cent, *cien por cien*

ATTENTION

8,45 se lit: *ocho coma cuarenta y cinco*
Le signe = se lit: *igual a*

Exercices

CORRIGÉS P. 237-238

1 ▶ Exprimez ces poids en fractions de kilo.
 a. 125 gramos = ...
 b. 250 gramos = ...
 c. 500 gramos = ...
 d. 750 gramos = ...
 e. 1 000 gramos = ...

2 ▶ Complétez avec le collectif qui convient.

a. Doce huevos son … .
b. Diez mejillones son … .
c. Cien personas son … .
d. Si me refiero a mis dos hijos, puedo decir … .
e. Seis melones son … .

3 ▶ Écrivez ces opérations en toutes lettres.

a. $195 - 77 = 118$
b. $268\ 404 : 516 = 520,16$
c. $28,82 \times 100 = 2\ 882$
d. $791 + 42,9 = 833,9$
e. $933 \times 122 = 113\ 826$

4 ▶ Écrivez les chiffres en toutes lettres.

a. En estas elecciones ha participado el 60% de la población.
b. Se gasta el 10% del sueldo en bares.
c. La mayor Comunidad Autónoma de España es Castilla y León, con una superficie de 94 200 km^2.
d. Madrid es la ciudad más poblada de España: tiene 3 100 000 habitantes.
e. Toledo sólo tiene 63 500 habitantes.

5 ▶ Écrivez les chiffres en toutes lettres.

a. 400 pesetas
b. 122 dólares
c. 70,50 francos
d. 1 600 liras
e. 100 pesos

21 Expression de la date et de l'heure

● La date *(la fecha)*

¿Qué día es hoy? Quel jour sommes-nous?

Ex. ➤ *Hoy es lunes (martes, miércoles, jueves, viernes, sábado, domingo).*
Aujourd'hui nous sommes lundi (mardi, mercredi, jeudi, vendredi, samedi, dimanche).

¿A cuántos estamos (hoy)? Quelle est la date?

Ex. ➤ *Estamos a 22 de enero (febrero, marzo, abril, mayo, junio, julio, agosto, septiembre, octubre, noviembre, diciembre) del año 2002 o de 2002.*
Nous sommes le 22 janvier (février, mars, avril, mai, juin, juillet, août, septembre, octobre, novembre, décembre) de l'an 2002.

● L'heure *(la hora)*

¿Qué hora es? Quelle heure est-il?

Pour désigner l'heure, on emploie le verbe *ser*. Le chiffre est précédé de l'article défini féminin.

Ex. → *Es la una.* Il est une heure.
Son las dos (tres, cuatro, etc.). Il est deux (trois, quatre, etc.) heures.
Es la una y cuarto. Il est une heure et quart.
Son las dos (tres, cuatro, etc.) y cuarto.
Il est deux (trois, quatre, etc.) heures et quart.
Es la una menos cuarto. Il est une heure moins le quart.
Son las dos (tres, cuatro, etc.) menos cuarto.
Il est deux (trois, quatre, etc.) heures moins le quart.
Es la una y media. Il est une heure et demie.
Son las dos (tres, cuatro, etc.) y media.
Il est deux (trois, quatre, etc.) heures et demie.

Exercices
CORRIGÉS P. 238

1 ▶ Trouvez le jour de la semaine qui convient.

a. Si ayer fue lunes, hoy es … .
b. El … es día de fiesta y no se trabaja.
c. Los … por la noche se acuesta tarde porque al día siguiente no se trabaja.
d. Va al gimnasio cada dos días, los lunes, los … y los … .
e. Los fines de semana, … y …, vamos al campo.

2 ▶ Écrivez les chiffres en toutes lettres.

a. El 21.09 ya es otoño.
b. El 06.01 es el día de los Reyes Magos.
c. La reunión fue el 16.05.01.
d. El 19.03 es el día principal de las Fallas de Valencia.
e. Nos escribió desde Nerja el 31.10.00.

3 ▶ Complétez avec une préposition *(en, de, a)*, un article *(el, del)* ou une conjonction *(y)*.

a. Hoy estamos … doce … diciembre … dos mil.
b. Mañana estaremos … trece … diciembre … año dos mil.
c. Ayer fue jueves … uno … febrero.
d. Saldremos … nueve … agosto … año próximo.
e. Cervantes nació … mil quinientos … cuarenta … siete.

4 ▶ Répondez à la question en écrivant l'heure en toutes lettres.

a. ¿Qué hora es? 14:45
b. ¿Qué hora es? 16:05
c. ¿Qué hora es? 23:30
d. ¿Qué hora es? 9:15
e. ¿Qué hora es? 12:40

5 ▶ Complétez avec *es* ou *son*.

a. … las siete y veinte.
b. … la una y veinticinco.
c. Ya … hora de levantarse.
d. ¿… ya las tres?
e. … las doce menos diez.

22 L'adjectif (1) : formation du féminin

Adjectifs terminés par	Formation du féminin	Exemple	Féminin
-o	o devient a	*bueno*, bon	*buena*, bonne
-án, -ín, -ón, -or	ajoutent a	*holgazán*, paresseux *trabajador*, travailleur	*holgazana*, paresseuse *trabajadora*, travailleuse
-ete, -ote	e devient a	*regordete*, grassouillet	*regordeta*, grassouillette
Autres terminaisons	pas de changement	*interesante*, intéressant	*interesante*, intéressante

• Les comparatifs *mayor* (plus grand), *menor* (plus petit), *mejor* (meilleur), *peor* (pire), et les mots adjectifs terminés par -ior comme *inferior* (inférieur), *interior* (intérieur), etc., ne changent pas au féminin.

• L'adjectif se place normalement après le nom et s'accorde en genre et en nombre avec celui-ci.
Ex. ⇒ *una ciudad bonita*, une jolie ville

• Lorsque l'adjectif est placé devant le nom, sa valeur s'en trouve renforcée.
Ex. ⇒ *un fuerte abrazo*, une chaleureuse embrassade

• Quelques adjectifs : *bueno*, *malo*, etc., perdent le -o final quand ils sont placés devant un nom masculin singulier (voir l'apocope page 46).
Ex. ⇒ *un buen chico*, *un chico bueno*, un bon garçon

Exercices

CORRIGÉS P. 238

1 ▶ Mettez au féminin.

  a. alto   **c.** hablador   **e.** grandote
  b. criticón   **d.** caro

2 ▶ Mettez au masculin.

  a. flaca   **c.** devoradora   **e.** cabezona
  b. inteligente **d.** parlanchina

3 ▶ Soulignez la forme de l'adjectif qui convient.

  a. Una cuenta [cabala/cabal].
  b. Es una mujer muy [caluroso/calurosa].
  c. Esta tarta está demasiado [dulce/dulca].
  d. Andrés siempre está comiendo: es muy [glotón/glotona].
  e. ¡Qué [agrio/agria] está esta naranja!

4 ▶ Indiquez le genre de ces adjectifs : masculin (M), féminin (F), invariable (I).

  a. luchador   **c.** guapa   **e.** débil   **g.** machote   **i.** acogedora
  b. fuerte   **d.** idiota   **f.** bonachona **h.** verde   **j.** amable

PARTIE II. La grammaire

5 ▷ Mettez au féminin.

a. Un buen hijo.
b. Es mi hermano mayor.
c. Un abuelo joven.
d. Un hombre feliz.
e. Su anterior marido.

23 L'adjectif (2) : indiquer la nationalité

• Les adjectifs qui indiquent la nationalité prennent un *a* au féminin. Mais ceux qui se terminent par -*a*, -*e* ou -*i* sont invariables.
• Ils sont également souvent employés comme noms.

Masculin	Féminin	Traduction
alemán	*alemana*	allemand, allemande
americano	*americana*	américain, américaine
árabe	*árabe*	arabe
argelino	*argelina*	algérien, algérienne
argentino	*argentina*	argentin, argentine
australiano	*australiana*	australien, australienne
austríaco	*austríaca*	autrichien, autrichienne
belga	*belga*	belge
boliviano	*boliviana*	bolivien, bolivienne
brasileño	*brasileña*	brésilien, brésilienne
canadiense	*canadiense*	canadien, canadienne
chileno	*chilena*	chilien, chilienne
chino	*china*	chinois, chinoise
colombiano	*colombiana*	colombien, colombienne
costarricense	*costarricense*	costaricain, costaricaine
ou *costarriqueño*	ou *costarriqueña*	
danés	*danesa*	danois, danoise
dominicano	*dominicana*	dominicain, dominicaine
ecuatoriano	*ecuatoriana*	équatorien, équatorienne
escocés	*escocesa*	écossais, écossaise
español	*española*	espagnol, espagnole
estadounidense	*estadounidense*	des États-Unis
europeo	*europea*	européen, européenne
finlandés	*finlandesa*	finlandais, finlandaise
francés	*francesa*	français, française
griego	*griega*	grec, grecque
holandés	*holandesa*	hollandais, hollandaise
hondureño	*hondureña*	hondurien, hondurienne
inglés	*inglesa*	anglais, anglaise
irlandés	*irlandesa*	irlandais, irlandaise
italiano	*italiana*	italien, italienne
japonés	*japonesa*	japonais, japonaise

Masculin	Féminin	Traduction
marroquí	*marroquí*	marocain, marocaine
mejicano	*mejicana*	mexicain, mexicaine
nicaragüense	*nicaragüense*	nicaraguayen, nicaraguayenne
norteamericano	*norteamericana*	nord-américain, nord-américaine
noruego	*noruega*	norvégien, norvégienne
panameño	*panameña*	panaméen, panaméenne
paraguayo	*paraguaya*	paraguayen, paraguayenne
peruano	*peruana*	péruvien, péruvienne
polonés ou *polaco*	*polonesa* ou *polaca*	polonais, polonaise
portugués	*portuguesa*	portugais, portugaise
ruso	*rusa*	russe
sueco	*sueca*	suédois, suédoise
sudamericano	*sudamericana*	sud-américain, sud-américaine
suramericano	*suramericana*	sud-américain, sud-américaine
suizo	*suiza*	suisse
tunecino	*tunecina*	tunisien, tunisienne
turco	*turca*	turc, turque
uruguayo	*uruguaya*	uruguayen, uruguayenne
venezolano	*venezolana*	vénézuélien, vénézuélienne
etc.	…	…

Exercices

1 ▶ Mettez au féminin.

a. un suizo
b. un argentino
c. un alemán
d. un belga
e. un estadounidense

2 ▶ Indiquez l'adjectif de nationalité correspondant aux pays suivants.

a. Venezuela   b. Brasil   c. Costa Rica   d. Francia   e. Europa

3 ▶ Reliez les éléments des deux colonnes.

a. sueco
b. suizo
c. griego
d. marroquí
e. inglés

1. Suiza
2. Inglaterra
3. Grecia
4. Suecia
5. Marruecos

4 ▶ Trouvez dans le précédent tableau dix adjectifs de nationalité se terminant par *-és* et mettez-les au féminin.

a. …
b. …
c. …
d. …
e. …
f. …
g. …
h. …
i. …
j. …

5 ▶ Mettez au masculin.

a. una canadiense
b. una turca
c. una panameña
d. una nicaragüense
e. una española

24 L'adjectif (3) : formation du pluriel

Adjectifs terminés par	Modification	Exemple	Pluriel
voyelle non accentuée	ajouter -s	*egoísta*, égoïste	*egoístas*, égoïstes
voyelle accentuée ou consonne	ajouter -es	*iraní*, iranien *trabajador*, travailleur	*iraníes*, iraniens *trabajadores*, travailleurs
z	-z devient -ces	*feliz*, heureux	*felices*, heureux

Exercices

CORRIGÉS P. 239

1 ▸ Mettez au pluriel.

a. Es un infeliz.
b. Es un buen decorador.
c. Es una mujer muy hábil.
d. Es una reunión importante.
e. Es un chico joven.

2 ▸ Mettez au pluriel.

a. El ejercicio está claro.
b. ¿Es un turista finlandés?
c. No, es noruego.
d. Ése es todavía peor.
e. Es un desastre.

3 ▸ Mettez au singulier.

a. precoces **b.** interiores **c.** patriarcales **d.** agrícolas **e.** indulgentes

4 ▸ Mettez au pluriel.

a. ¿Es feliz?
b. Esa caja es muy pequeña.
c. Ha venido un alemán.
d. Es portugués.
e. Es muy independiente.

5 ▸ Soulignez la forme correcte.

a. No me gustan los [gandúls/gandules].
b. Son personas [interesantes/interesantas].
c. Son unas mujeres [encantadores/encantadoras].
d. Unos abrigos [grises/gris].
e. ¡Qué [agradables/agradablas] son tus amigas!

25 L'adjectif (4) : les comparatifs

Comparatif	Forme	Exemple
de supériorité	*más ... que* plus ... que	*Es más inteligente que tú.* Il est plus intelligent que toi.
d'infériorité	*menos ... que* moins ... que	*Es menos inteligente que tú.* Il est moins intelligent que toi.
d'égalité	*tan ... como* aussi ... que	*Es tan inteligente como tú.* Il est aussi intelligent que toi.

● Comparatifs irréguliers

Mayor	plus grand que	*Es mayor que tú.* Il est plus grand (ou plus âgé) que toi.
Menor	plus petit que	*Es menor que tú.* Il est plus petit (ou plus jeune) que toi.
Mejor	meilleur, mieux	*Es mejor que el otro programa.* C'est mieux que l'autre programme. *He tenido una idea mejor.* J'ai eu une meilleure idée.
Peor	pire, moins bon	*Es peor que el otro programa.* C'est pire que l'autre programme.

Exercices _____ *CORRIGÉS P. 239*

1 ▶ Transformez les phrases en utilisant des comparatifs.

Ex : *Luis tiene 5 millones en el banco. Paco también/ (Paco, rico)*
→ *Paco es tan rico como Luis.*

a. María juega al tenis todos los días.
Cristina no hace deporte/(Cristina, deportista). → ...
b. Josefina tiene 50 años. Encarna 30/(Encarna, joven). → ...
c. Manolo sólo piensa en él. Jaime también/(Jaime, egoísta). → ...
d. El traje cuesta 80 000 pts. El vestido, 100 000/(vestido, caro). → ...
e. Javier se ha comido 15 caramelos. Eduardo, 4/(Eduardo, goloso). → ...

2 ▶ Reliez les éléments des deux colonnes.

a. más grande   **1.** menor
b. más pequeño   **2.** peor
c. de más calidad   **3.** mayor
d. de menos calidad   **4.** mejor

3 ▶ Complétez avec la partie manquante du comparatif.

a. Es ... guapo como su padre.
b. Son más aplicados ... los otros.
c. Es menos simpática ... Marta.
d. Se ha vuelto ... egoísta como ella.
e. Parece tan preocupado ... ayer.

4 ▶ **Mettez les éléments en ordre.**

a. este/mejor/el/que/colchón/es/nuestro.
b. alto/como/David/tan/es.
c. más/feo/último/es/que/su/novio.
d. mi/fue/peor/el/día/vida/de.
e. menor/hermano/que/es/su.

5 ▶ **Traduisez en français.**

a. Es su mayor problema.
b. Es tan orgulloso como antes.
c. La película es peor que el libro.
d. No es más listo que tú.
e. Ricardo es el mayor de la clase.

26 L'adjectif (5) : les superlatifs

● Formation du superlatif absolu

Muy + adjectif

Ex. ► *Es una chica muy atenta.* C'est une fille **très** attentive/attentionnée.

Adjectif + suffixe -*ísimo*

Ex. ► *Es una chica atentísima.* C'est une fille **très** attentive/attentionnée.

Le premier procédé est plus courant.
Le suffixe en -*ísimo* exprime davantage de force.

● Formation du superlatif relatif

Article + adjectif comparatif

Ex. ► *Es el más inteligente de la clase.* C'est **le plus** intelligent de la classe.

(ATTENTION)

- Lorsque le superlatif est placé après un nom, il s'emploie sans article.
Ex. ► *Es el alumno más inteligente de la clase.*
     C'est l'élève **le plus** intelligent de la classe.

- Le verbe qui suit le superlatif se met à l'indicatif.
Ex. ► *Es el alumno más inteligente que conozco.*
     C'est l'élève le plus intelligent que je **connaisse**.

● Tableaux des comparatifs et des superlatifs particuliers

Adjectif	Comparatif	Superlatif
bueno, bon	*mejor*, meilleur	*óptimo*, excellent
malo, mauvais	*peor*, pire	*pésimo*, très mauvais
pequeño, petit	*menor*, plus petit	*mínimo*, très petit
grande, grand	*mayor*, plus grand	*máximo*, très grand

Exercices

CORRIGÉS P. 239

1 ▶ **Traduisez en espagnol.**

  a. C'est un tableau très cher.
  b. Leur maison est très sale.
  c. Le directeur est très occupé.
  d. C'est un garçon très timide.
  e. C'est une très longue lettre.

2 ▶ **Indiquez la forme du superlatif en *-ísimo*.**

  a. muy cansados
  b. muy estropeada
  c. muy raro
  d. muy baratas
  e. muy antipático

3 ▶ **Traduisez en espagnol.**

  a. C'est la chanson la plus populaire de France.
  b. C'est le travail le plus ennuyeux qui puisse exister.
  c. C'est la nappe la plus chère du magasin.
  d. C'est le voisin le plus désagréable du quartier.
  e. C'est la loi la plus stupide que je connaisse.

4 ▶ **Indiquez trois formes de superlatifs possibles pour ces adjectifs.**

  a. bueno **b.** grande **c.** malo **d.** pequeño

5 ▶ **Chassez l'intrus.**

  a. óptimo – grande – mejor – bueno
  b. menor – mínimo – peor – pequeño
  c. máximo – grande – mejor – mayor
  d. pésimo – malo – peor – mínimo

• L'apocope est la suppression d'une ou de plusieurs lettres à la fin d'un mot.
En espagnol, ce phénomène se produit avec des adjectifs placés devant un nom.

Adjectifs	Apocope	Situation	Exemple
bueno	buen		Es un **buen** chico.
			C'est un **bon** garçon.
malo	mal		Es un **mal** momento.
			C'est un **mauvais** moment.
primero	primer		Fue el **primer** alumno de la clase.
		Devant un nom	Il a été le **premier** élève de la classe.
tercero	tercer	masculin singulier	Sacó el **tercer** puesto.
			Il a obtenu la **troisième** place.
uno	un		Es un sitio muy bueno.
			C'est **un** très bon endroit.
alguno	algún		**Algún** día lo sabré.
			Un beau jour je le saurai.
ninguno	ningún		**Ningún** chico lleva eso.
			Aucun garçon ne porte cela.
cualquiera	cualquier	Devant un nom	**Cualquier** persona puede hacerlo.
		masculin ou féminin	**N'importe** qui peut le faire.
grande	gran		Es un **gran** día. C'est un **grand** jour.
ciento	cien	Devant un nom	Han llegado **cien** personas.
		masculin ou féminin	**Cent** personnes sont arrivées.
		Devant le chiffre *mil*	**Cien** mil habitantes.
		et *millón*	**Cent** mille habitants.
santo	san	Devant un nom	El día de **San** José es fiesta en Valencia.
		de saint masculin,	Le jour de la **Saint**-Joseph,
		sauf Domingo, Tomás,	c'est la fête à Valence.
		Tomé, Toribio	

Exercices
CORRIGÉS P. 239

1 ▶ **Mettez l'adjectif entre parenthèses à la forme qui convient.**

a. Me ha dicho … veces lo mismo. (*ciento*)
b. Es una … mujer. (*bueno*)
c. Lo … es lo … . (*primero*)
d. Hay … restaurante argentino en mi barrio. (*uno*)
e. ¿Has visto … periódico por aquí? (*alguno*)

2 ▶ **Complétez les phrases avec *primero* à la forme voulue.**

a. ¿Quién es el …?
b. Es la … vez que voy a Australia.
c. Es mi … día de vacaciones.
d. Los últimos serán los … .
e. Mi … amor fue Juan.

3 ▶ **Choisissez les formes correctes.**

a. Hubo [doscien/doscientos] invitados en la boda.
b. Es una [mala/mal] costumbre.
c. ¡Eso lo sabe [cualquier/cualquiera]!
d. El día de [Santo/San] Pedro es el 29 de junio.
e. Es el [tercero/tercer] coche que tengo.

4 ▶ **Reliez les éléments des deux colonnes.**

a. Me deben cien   **1.** de personas.
b. No hay ningún   **2.** por aquí.
c. Llegó tercero   **3.** mensaje para ti.
d. Asistieron cientos   **4.** mil pesetas.
e. No hay ninguno   **5.** a la meta.

5 ▶ **Traduisez en espagnol.**

a. Je vais te donner un bon conseil.
b. Je n'ai aucun problème.
c. C'est une grande expérience.
d. C'est un mauvais exemple.
e. Cette glace n'est pas bonne.

▼

• L'adjectif espagnol est parfois suivi d'une préposition différente de celle qui suit l'adjectif français correspondant. Le choix de la préposition dépend de l'adjectif et du contexte de son emploi.

Voici quelques exemples caractéristiques :

aficionado a los toros	→	amateur **de** corridas / de taureaux
amante de la paz	→	qui aime la paix / amoureux **de** la paix
apasionado por la música	→	passionné **de** musique / **par** la musique
apto para el empleo	→	apte **à, au** travail
basado en la realidad	→	basé **sur** la réalité
cercano a la ciudad	→	proche **de** la ville
ciego de ira	→	aveuglé **par** la colère
cómodo de hacer	→	facile à faire
conforme con lo dicho	→	conforme **à** ce qui a été dit
contento con el éxito	→	content **du** succès
curioso por / de saber	→	curieux **de** savoir
descontento con el fracaso	→	mécontent **de** l'échec
dichoso con su suerte	→	heureux **de** son sort
difícil de entender	→	difficile **à** comprendre
duro para con / con los demás	→	dur **envers / avec** les autres
exigente con / en el trabajo	→	exigent **dans** le travail / **au** travail
fácil de hacer	→	facile **à** faire
generoso con / para con los pobres	→	généreux **envers** les pauvres
imposible de abrir	→	impossible **à** ouvrir
increíble para la gente	→	incroyable **pour** les gens
infatigable en / para el trabajo	→	infatigable **au** travail
ingrato con / para con los padres	→	ingrat **avec / envers** les parents
largo de hacer	→	long **à** faire
lento en el trabajo	→	lent **au** travail
listo para usar	→	prêt **à** l'emploi
loco por la vida	→	fou **de** la vie
necesario para / a la salud	→	nécessaire **à** la santé
pronto en las respuestas	→	rapide **dans** les réponses
próximo a la calle	→	proche **de** la rue
rápido en calcular	→	rapide **à** calculer / rapide **en** calcul
satisfecho con lo que tiene	→	satisfait **de** ce qu'il a
útil para todo	→	utile **à** tout

Exercices

CORRIGÉS P. 239-240

1 ▶ Complétez avec la préposition nécessaire.

  a. Es un piso cercano … metro.
  b. Eso es muy difícil … creer.
  c. Jorge está loco … Elvira.
  d. Están conformes … lo propuesto.
  e. Es muy ingrato … sus amigos.

2 ▶ **Traduisez en français.**

a. Es una calle fácil de encontrar.
b. Esta caja puede ser útil para algo.
c. Es aficionado al fútbol.
d. Hay una parada próxima a la Facultad.
e. Están muy contentos con las notas de su hijo.

3 ▶ **Choisissez la forme correcte.**

a. Es muy atento [con/de] sus invitados.
b. Está cansada [por/de] repetir siempre lo mismo.
c. Estoy enfadado [con/de] mi novia.
d. Está loco [de/por] ella.
e. Andrés es muy rápido [en/a] entender.

4 ▶ **Formez toutes les phrases possibles avec les éléments des deux colonnes.**

a. Es muy cariñoso   1. en su primera novela.
b. La película está basada   2. con los demás.
c. Es muy agradable   3. de entender.
d. Es imposible   4. con los niños.
e. Es muy exigente   5. de hacer.

5 ▶ **Traduisez en espagnol.**

a. Il est mécontent du résultat.
b. C'est un problème impossible à résoudre.
c. Les vitamines sont nécessaires à la santé.
d. Ana est satisfaite de son travail.
e. Beaucoup de passionnés de peinture abstraite sont venus voir l'exposition.

29 L'adjectif (8) : les démonstratifs

▼

Situation dans l'espace		Adjectifs démonstratifs			
Adverbes	Distance	Masculin		Féminin	
aquí ici	proche du locuteur	*este* *estos*	ce, cet ces	*esta* *estas*	cette ces
ahí là	à peu de distance du locuteur	*ese* *esos*	ce, cet ces	*esa* *esas*	cette ces
allí, allá là-bas	loin du locuteur	*aquel* *aquellos*	ce, cet ces	*aquella* *aquellas*	cette ces

• Les adjectifs démonstratifs s'accordent en genre et en nombre avec le nom qu'ils déterminent et sont généralement placés devant ce nom.
Ex. ➙ *Esta señora es de Valladolid.* **Cette** dame est de Valladolid.

● Emploi des démonstratifs

Les démonstratifs établissent une relation d'éloignement dans l'espace par rapport à celui qui parle.

• *Este, esta,* etc., désignent une personne ou une chose qui est proche de celui qui parle.

• *Ese, esa,* etc., désignent une personne ou une chose qui est plus éloignée de celui qui parle.

• *Aquel, aquella,* etc., indiquent un éloignement plus important.

Ex. ➤ *Este chico se llama Pedro, ese niño se llama Juan y aquella chica es Irene.*
Ce garçon(-ci) s'appelle Pedro, cet enfant(-là) s'appelle Juan et cette fille (là-bas) c'est Irène.

Ils établissent une relation d'éloignement dans le temps.

• *Este* indique un temps proche et actuel.

Ex. ➤ *Esta tarde va a llover.* Cet après-midi, il va pleuvoir.

• *Ese* marque un temps plus éloigné.

Ex. ➤ *Ese día no estaba allí.* Ce jour-là, je n'étais pas là.

• *Aquel* désigne une époque lointaine.

Ex. ➤ *En aquel tiempo las cosas eran diferentes.* En ce temps-là, les choses étaient différentes.

Exercices

1 ▶ Complétez avec l'adjectif démonstratif qui convient.

a. Aquí hay un hombre. No conozco a … hombre.
b. Allí hay unas chicas. ¿Quiénes son … chicas?
c. … mañana se ha levantado de mal humor.
d. Allí hay unos dibujos. … dibujos son de Pablo.
e. Ahí hay una falda. No me gusta nada … falda.

2 ▶ Reliez les éléments des deux colonnes.

a. Esta noche   1. llegué muy tarde.
b. Aquel día   2. voy a la disco.
c. Esa casa   3. venden postales.
d. En aquella tienda   4. de ahí me gustan.
e. Esos zapatos   5. es la mía.

3 ▶ Choisissez la forme correcte.

a. [Esa/Esta] mañana he ido al médico.
b. [Este/Ese] coche de allí hace mucho ruido.
c. En [ese/este] bar de ahí hacen muy buenas tapas.
d. Siéntate en [aquella/esta] silla de aquí.
e. [Esas/Estas] mujeres de ahí siempre están criticando.

4 ▶ Traduisez en espagnol.

a. Cette fille(-ci) est mon amie.
b. Ce monument (là-bas) est la cathédrale.
c. Cet homme(-là) est bizarre.
d. Ce manteau(-là) est beau.
e. Ce problème(-ci) n'est pas grave.

5 **Complétez avec l'adjectif démonstratif qui convient.**

a. Toma, ponte ... zapatos.
b. Llama a ... abogado que conociste ayer.
c. No molestes a ... vecinos de enfrente.
d. ¿Has visto ... pájaros? Con ... prismáticos los verás mejor.
e. ... personas de ayer no eran de aquí.

30 L'adjectif (9) : les possessifs

Il existe deux formes d'adjectifs possessifs selon leur position : les adjectifs placés devant le nom et les adjectifs placés après le nom.

● Adjectif placé devant le nom

Un possesseur		Plusieurs possesseurs	
Un objet	Plusieurs objets	Un objet	Plusieurs objets
mi mon, ma	*mis* mes	*nuestro, -a* notre	*nuestros, -as* nos
tu ton, ta	*tus* tes	*vuestro, -a* votre	*vuestros, -as* vos
su son, sa votre	*sus* ses vos	*su* leur votre	*sus* leurs vos

Ex. ➤ *mi libro de clase,* mon livre de classe
mis hermanos, mes frères
nuestra casa, notre maison

● Adjectif placé après le nom

Un possesseur		Plusieurs possesseurs	
Un objet	Plusieurs objets	Un objet	Plusieurs objets
mío, mía mon, ma	*míos, -as* mes	*nuestro, -a* notre	*nuestros, -as* nos
tuyo, tuya ton, ta	*tuyos, -as* tes	*vuestro, -a* votre	*vuestros, -as* vos
suyo, suya son, sa votre	*suyos, -as* ses vos	*suyo, -a* leur votre	*suyos, -as* leurs vos

Ex. ➤ *la ciudad mía,* ma ville
las cosas nuestras, nos affaires

Les possessifs de troisième personne présentent quelques difficultés de traduction :
Su peut signifier **son**, **leur** et **votre** (quand on dit *usted* à quelqu'un).
Ex. ➤ *Juan ha olvidado su cartera.* Jean a oublié **son** portefeuille.
  Los chicos han perdido su paraguas. Les garçons ont perdu **leur** parapluie.
  Usted ha estropeado su vida. Vous avez gâché **votre** vie.

Exercices
CORRIGÉS P. 240

1 ▶ Complétez le dialogue avec *mi, tu* ou *su*.

a. María: Ana, te presento a … madre. Se llama Encarna.
b. Ana: ¿Y este niño es … hermano?
c. María: Sí, es … hermano Ricardo.
d. Ana: Encarna, … hijo es muy guapo.
e. Encarna: Como … hija, ¿verdad?

2 ▶ Mettez au pluriel.

a. Ese sombrero es suyo.
b. No me gusta su forma de vestir.
c. No conocemos a tu invitado.
d. Ha sido idea tuya.
e. Vuestra comida está servida.

3 ▶ Transformez d'après le modèle, en utilisant l'adjectif possessif *su, sus* qui convient.

  Ex.: *Este balón es de mi vecino.* → *Es su balón.*

a. Estas cosas son de Andrés.
b. Estos bancos son para los alumnos.
c. Esta bici es de la maestra.
d. Ese disco es de mi primo.
e. Esas gallinas son de Juan.

4 ▶ Transformez d'après le modèle.

  Ex.: *Es su reloj.* → *Es suyo.*

a. Son mis fotos.
b. Son sus zapatos.
c. Es nuestro dinero.
d. Son tus opiniones.
e. Es mi cuaderno.

5 ▶ Traduisez les phrases.

a. Ils écoutent leur professeur.
b. Vos enfants sont dehors.
c. Monsieur, votre voiture est prête.
d. Je connais son mari.
e. Manolo est leur petit frère.

31 Le pronom (1) : les démonstratifs

Situation dans l'espace		Pronoms démonstratifs					
Adverbes	Distance	Masculin		Féminin		Neutre	
aquí ici	proche du locuteur	*éste* *éstos*	celui-ci ceux-ci	*ésta* *éstas*	celle-ci celles-ci	*esto*	ceci
ahí là	à peu de distance du locuteur	*ése* *ésos*	celui-là ceux-là	*ésa* *ésas*	celle-là celles-là	*eso*	cela
allí, allá là-bas	loin du locuteur	*aquél* *aquéllos*	celui-là ceux-là	*aquélla* *aquéllas*	celle-là. celles-là	*aquello*	cela

• Les pronoms démonstratifs établissent, comme les adjectifs démonstratifs, une relation d'éloignement dans l'espace ou dans le temps.
Ex. → *Vamos a poner las sillas de otro modo: ésta aquí, aquélla allí.*
    Nous allons mettre les chaises d'une autre manière : celle-ci, ici, celle-là, là-bas.

• Ce qui différencie les pronoms des adjectifs démonstratifs est l'accent écrit qu'ils peuvent porter sur la syllabe tonique. Mais cet accent n'est obligatoire qu'en cas de confusion possible entre l'adjectif et le pronom.

• Les formes neutres *esto, eso, aquello* sont invariables et uniquement pronoms. Elles ne portent jamais l'accent écrit.
Ex. → *Eso no me gusta.* Cela ne me plaît pas.

Traduction de *celui qui* et *celui de*

celui qui, celui que, *el que*   celles qui, celles que, *las que*
ceux qui, ceux que, *los que*   ce qui, ce que, *lo que*
celle qui, celle que, *la que*   celui de, celle de, etc., *el de, la de*, etc.

Exercices

_____ *CORRIGÉS P. 240*

1 ▷ Transformez selon le modèle.

Ex. : *Prefiero esta pluma.* → *Prefiero ésta.*

a. Me han regalado este cuadro.
b. No me viene esa chaqueta.
c. No confío en aquellas personas.
d. Viven en ese edificio.
e. Buscáis aquel museo.

2 ▷ Soulignez la forme correcte.

a. [Este/Éste] despacho es muy pequeño.
b. Con [ese/ése] oficio se gana muy poco.
c. [Esta/Ésta] es la tercera vez que le veo hoy.
d. [Estos/Éstos] pantalones no me sientan bien. Me llevo [aquellos/aquéllos].
e. [Esas/Ésas] cosas no se dicen.

PARTIE II. La grammaire

53

3 ▶ **Traduisez en français.**

a. ¿Qué es eso?
b. ¿Quién es éste?
c. ¿Quiénes son aquéllos?
d. Eso no lo sé.
e. Eso es.

4 ▶ **Complétez les phrases avec le pronom démonstratif qui convient.**

a. Este periódico es … ayer.
b. Eso es … quiero.
c. Estas flores son … jardín.
d. Aquellas playas son … conocemos.
e. ¿No sabes … Silvia?

5 ▶ **Même exercice.**

a. Estos alumnos están aprobados y … otros suspensos.
b. Estas botas me están pequeñas, ¿no serán más grandes … del escaparate?
c. ¿Y … por qué?
d. Estos calcetines están rotos: me pondré … que me compré la semana pasada.
e. … es el primer cumpleaños que celebro.

32 Le pronom (2) : les possessifs

• Les pronoms possessifs n'ont pas de formes particulières.
Ils s'obtiennent en mettant l'article défini devant les formes *mío, tuyo*, etc.

• Le pronom possessif s'accorde en genre et en nombre avec le nom qu'il remplace.
Ex. ➤ *Mi casa tiene más habitaciones que la tuya.*
    Ma maison a plus de chambres que la tienne.

Un possesseur		Plusieurs possesseurs	
Un objet	Plusieurs objets	Un objet	Plusieurs objets
(el) mío le mien *(la) mía* la mienne	*(los) míos* les miens *(las) mías* les miennes	*(el) nuestro* le nôtre *(la) nuestra* la nôtre	*(los) nuestros* les nôtres *(las) nuestras* les nôtres
(el) tuyo le tien *(la) tuya* la tienne	*(los) tuyos* les tiens *(las) tuyas* les tiennes	*(el) vuestro* le vôtre *(la) vuestra* la vôtre	*(los) vuestros* les vôtres *(las) vuestras* les vôtres
(el) suyo le sien *(la) suya* la sienne	*(los) suyos* les siens *(las) suyas* les siennes	*(el) suyo* le vôtre *(la) suya* le leur la vôtre la leur	*(los) suyos* les vôtres *(las) suyas* les leurs les vôtres les leurs

Exercices

CORRIGÉS P. 240-241

1 ▶ **Remplacez l'adjectif possessif par le pronom possessif correspondant.**

Ex.: *Mi hermana es muy alta.* → *La mía es muy alta.*

a. Tus pantalones están estropeados.
b. Vuestro hotel es muy caro.
c. Su hijo tiene malas notas.
d. Nuestros padres quieren venir a vernos.
e. Mis amigos están esperando.

2 ▶ **Reliez les éléments des deux colonnes.**

a. tus gafas	**1.** la mía
b. su examen	**2.** el nuestro
c. mi carta	**3.** la vuestra
d. vuestra dirección	**4.** las tuyas
e. nuestro jardín	**5.** el suyo

3 ▶ **Complétez les phrases avec le pronom possessif qui convient**

el mío – el tuyo – el suyo – la suya – las nuestras

a. ¿Este libro es …?
b. Sí, es …
c. ¿Estas llaves son …?
d. ¡Mira qué coche tienen! ¿De verdad es …?
e. Esa voz no es … .

4 ▶ **Choisissez la forme correcte.**

a. La mía es blanca. El suyo es [negra/negro].
b. No te lleves la tarjeta. Ya llevo yo [la mía/el mío].
c. ¿Has cogido [las nuestros/las nuestras]?
d. Estas maletas no son [las suyas/la suya].
e. Esos billetes no son [las mías/los míos].

5 ▶ **Traduisez en espagnol (le cas échéant, indiquez les deux traductions possibles).**

a. Ce n'est pas la vôtre.
b. Je préfère les miennes.
c. Des défauts? Ils ont les leurs.
d. Les nôtres sont plus grands.
e. Le tien est très beau.

33 Le pronom personnel (3) : les pronoms sujets

● Les pronoms sujets

Personne	Pronoms sujets	Personne	Pronoms sujets
1re sing. je	*yo*	1re plur. nous	*nosotros, -as*
2e sing. tu	*tú*	2e plur. vous	*vosotros, -as*
3e sing. il, elle, vous	*él, ella, usted*	3e plur. ils, elles, vous	*ellos, ellas, ustedes*

• En espagnol, les terminaisons du verbe indiquent la personne, ce qui rend souvent inutile l'emploi du pronom personnel sujet.
• On utilise les pronoms sujets pour insister sur la personne ou pour éviter les confusions entre plusieurs personnes qui parlent.

● Le vouvoiement et le tutoiement pluriel

• Pour vouvoyer en espagnol, on utilise la troisième personne du singulier (vouvoiement singulier) et la troisième personne du pluriel (vouvoiement pluriel).
Ex. ➤ *(Señor) Usted habla español.* Vous parlez espagnol.
  (Señores) Ustedes hablan español. Vous parlez espagnol.
• La deuxième personne du pluriel correspond au tutoiement pluriel.
Ex. ➤ *(Chicos) Vosotros habláis español.* Vous parlez espagnol.

Vous
(pronom sujet)

Usted
(vouvoiement singulier)

Vosotros
(tutoiement pluriel)

Ustedes
(vouvoiement pluriel)

ATTENTION
Usted s'abrège en *Vd.* et *Ustedes* s'abrège en *Vds.*

Exercices
CORRIGÉS P. 241

1 ▷ Complétez avec le pronom personnel sujet qui convient.
a. ... coméis
b. ... corres
c. ... ganan
d. ... podemos
e. ... juego

2 ▶ Conjuguez les verbes en tutoyant au singulier.

a. ¿(Salir) tarde del trabajo?
b. ¿(Venir) a tomar algo?
c. ¿(Tomar) café?
d. ¿(Estar) bien?
e. ¿(Creer) que está equivocado?

3 ▶ Utilisez le vouvoiement singulier pour traduire ces phrases.

a. Êtes-vous le professeur ?
b. Allez-vous le lui dire ?
c. Restez-vous avec nous ?
d. Connaissez-vous la nouvelle ?
e. Parlez-vous italien ?

4 ▶ Transformez ces phrases en utilisant le vouvoiement pluriel.

a. ¿Oye ese ruido?
b. ¿Llegará pronto?
c. ¿Está Vd. matriculado?
d. ¿Sabe lo que ha pasado?
e. ¿Se va ya?

5 ▶ Transformez ces phrases en utilisant le tutoiement pluriel.

a. No tienen sitio.
b. Estudian tres idiomas.
c. Van de veraneo a Marbella.
d. Leen mucho en español.
e. Abren a las nueve.

34 Le pronom personnel (4) : les pronoms compléments

Personne	Pronoms sujets	Pronoms compléments		Pronoms réfléchis
		sans préposition		
		Direct	Indirect	
1re sing.	yo / je	me / me		me / me
2e sing.	tú / tu	te / te		te / te
3e sing.	él, ella, usted / il, elle, vous	lo, le, la / le, la	le (se) / lui, vous	se / se
1re plur.	nosotros, -as / nous	nos / nous		nos / nous
2e plur.	vosotros, -as / vous	os / vous		os / vous
3e plur.	ellos, ellas, ustedes / ils, elles, vous	los, las / les	les (se) / leur, vous	se / se

• Quand le complément d'objet direct représente une personne, l'espagnol peut utiliser *le* au lieu de *lo*. Les deux formes sont correctes au masculin.
Ex. ⇢ *A Pedro le vi cerca de aquí.* ou *A Pedro lo vi cerca de aquí.* J'ai vu Pierre près d'ici.

• Lorsque les deux pronoms compléments sont de la troisième personne, le complément d'objet indirect *le* ou *les* devient *se*.

le lui, le leur → *se lo*   les lui, les leur → *se los* ou *se las*
la lui, la leur → *se la*   vous le, vous la → *se lo* ou *se la*

• Lorsque deux pronoms compléments se suivent, le complément d'objet indirect se place toujours devant le complément d'objet direct.
Ex. ⇢ *Te lo digo.* Je te le dis.
     Os lo digo. Je vous le dis. (tutoiement pluriel)
     Se lo digo. Je vous le dis. (vouvoiement)

• À l'infinitif, à l'impératif et au gérondif, les pronoms compléments deviennent enclitiques, c'est-à-dire qu'ils se placent après le verbe et se soudent à lui (voir page 61).
Ex. ⇢ *Voy a decírtelo.* Je vais te le dire.
     Díselo. Dis-le-lui.
     Diciéndoselo, te sentirás mejor. En le lui disant, tu te sentiras mieux.

Exercices ————————————————————————— *CORRIGÉS P. 241*

1 ▶ Reliez les éléments des deux colonnes.

a. nosotros		**1.** me
b. yo		**2.** os
c. vosotros		**3.** te
d. ustedes		**4.** les
e. tú		**5.** nos

2 ▶ Mettez les pronoms compléments au pluriel.

a. No le he entendido bien.
b. Me alegro de conocerle.
c. Te llaman por teléfono.
d. Me parece muy buena idea.
e. Lo vio él.

3 ▶ Trouvez les pronoms qui manquent.

a. El médico … ha dicho (a ella) que no fume.
b. ¿No … dicen la verdad (a nosotros)?
c. Chicos, ¿… quedáis aquí?
d. A tu madre ya … lo dije.
e. Señores, ¿… atienden ya?

4 ▶ Traduisez en français.

a. Regálaselo.   **c.** Fírmalo.   **e.** Concentrándote, aprenderás más pronto.
b. Póntelas.   **d.** Voy a verlo.

5 ▶ Transformez d'après le modèle.

Ex.: *Dile que venga.* → *Díselo.*
a. Prepárales el desayuno.
b. Cómprale la muñeca.
c. Llena el baño.
d. Apaga la luz.
e. Ordena tus cosas.

35 Le pronom personnel (5) : les pronoms compléments employés avec une préposition

Personne	Pronoms sujets	Pronoms compléments	
		avec préposition	avec la préposition *con*
1re sing.	*yo* / je	*mí* / moi	*conmigo* / avec moi
2e sing.	*tú* / tu	*ti* / toi	*contigo* / avec toi
3e sing.	*él, ella, usted* / il, elle, vous	*él, ella, usted* / lui, elle, vous	*con él, con ella, con usted* / *avec lui, avec elle, avec vous*
1re plur.	*nosotros, -as* / nous	*nosotros, -as* / nous	*con nosotros, -as* / avec nous
2e plur.	*vosotros, -as* / vous	*vosotros, -as* / vous	*con vosotros, -as* / avec vous
3e plur.	*ellos, ellas, ustedes* / ils, elles, vous	*ellos, ellas, ustedes* / eux, elles, vous	*con ellos, con ellas,* / avec eux, avec elles, / *con ustedes* / avec vous
		réfléchi : / *sí*, soi	réfléchi : / *consigo*, avec soi

• Après *excepto* (excepté), *salvo* (sauf) et *según* (selon), on emploie toujours les formes du pronom sujet *yo* et *tú*.
Ex. ➤ *En esta clase, salvo tú, los demás valen poco.*
    Dans cette classe, à part toi, les autres ne valent pas grand-chose.

• Après *entre* (entre), on emploie les pronoms sujets si les pronoms indiquent qu'il s'agit de deux personnes différentes.
Ex. ➤ *Entre tú y yo las cosas son diferentes.* Entre toi et moi les choses sont différentes.

• Emploi du réfléchi *sí*
Chaque fois que les pronoms compléments lui, eux, elle, elles désignent la même personne que le sujet, on emploie *sí*.
Ex. ➤ *María siempre está hablando de sí.*
    Marie est toujours en train de parler d'elle.

Exercices _____ CORRIGÉS P. 241

1 ▶ Complétez les phrases avec le pronom complément qui convient.

a. Antonio me cae muy bien. Excepto …, los demás son todos unos hipócritas.
b. ¿Esto es para …? Muchas gracias, me gusta mucho.
c. Estáis todos aprobados, salvo …, Felipe, que estás suspenso.
d. ¿El señor Morales? – Sí, soy yo. – Traigo una carta para … .
e. Según …, no deberías confiar en él. Ésa es mi opinión.

2 ▶ **Reliez les éléments des deux colonnes.**

a. Entre   **1.** tú, todos vendrán.
b. No quiero que vengas   **2.** sí.
c. No puedo vivir sin   **3.** ellos no hay nada.
d. Excepto   **4.** conmigo.
e. Lo guarda todo para   **5.** ti.

3 ▶ **Traduisez en espagnol.**

a. Je le fais pour toi.   **d.** Je crois en toi.
b. Reste avec moi.   **e.** Est-elle avec toi ?
c. Nous irons avec vous. (*vouvoiement singulier*)

4 ▶ **Traduisez en français.**

a. Jorge habla mucho de ti.   **d.** Según ustedes, los negocios prosperan.
b. Se enfada consigo mismo.   **e.** Está muy orgulloso de sí.
c. El niño se queda con usted.

5 ▶ **Mettez les éléments de la phrase en ordre.**

a. quiero / contigo / no / ver / los.   **d.** hago / ellos / por / lo.
b. nosotros / tú / vienen / con / según.   **e.** mal / todo / tú / entre / ella / va / y.
c. hay / no / ustedes / quien / con / hable.

---

36   Le pronom personnel (6) : tableau récapitulatif des pronoms personnels

▼

Personne	Pronoms sujets	Compléments sans préposition		Compléments avec préposition	Compléments avec la préposition *con*	Réfléchis
1re sing.	*yo* je	*me* me		*mí* moi	*conmigo* avec moi	*me* me
2e sing.	*tú* tu	*te* te		*ti* toi	*contigo* avec toi	*te* te
3e sing.	*él, ella, usted* il, elle, vous	Direct *lo, le, la* le, la	Indirect *le (se)* lui, vous	*él, ella, usted* il, elle, vous	*con él, con ella,* *con usted* avec lui, avec elle, avec vous	*se* se
1re plur.	*nosotros, -as* nous	*nos* nous		*nosotros, -as* nous	*con nosotros, -as* avec nous	*nos* nous
2e plur.	*vosotros, -as* vous	*os* vous		*vosotros, -as* vous	*con vosotros, -as* avec vous	*os* vous
3e plur.	*ellos, ellas,* *ustedes* ils, elles, vous	*los, las* les	*les (se)* leur, vous	*ellos, ellas,* *ustedes* eux, elles, vous	*con ellos, con* *ellas, con ustedes* avec eux, avec elles, avec vous	*se* se
				réfléchi : *sí*, soi	réfléchi : *consigo*, avec soi	

▼

● L'enclise

À l'infinitif, à l'impératif et au gérondif, le pronom complément se place après le verbe et se soude à lui. Cette particularité de l'espagnol s'appelle l'**enclise**.
Ex. → *Voy a verle.* Je vais le voir.
¡Vete! Va-t-en!
Esforzándote, lo conseguirás. En faisant des efforts, tu y arriveras.

ATTENTION

Le complément d'objet indirect se place toujours avant le complément d'objet direct.
Ex. → *Dímelo.* Dis-le-moi.

● Modifications dues à l'enclise

Suppression de lettres

À l'impératif affirmatif, pour les verbes pronominaux, l'enclise entraîne la suppression d'une lettre à certaines personnes.
• Suppression du *-s* final à la première personne du pluriel :
Ex. → *Sentemos + nos: ¡Sentémonos!* Asseyons-nous !
• Suppression du *-d* final à la deuxième personne du pluriel :
Ex. → *Esperad + os: ¡Esperaos!* Attendez !
¡Deteneos! Arrêtez-vous !
¡Subíos! Montez !

Place de l'accent écrit

L'accent tonique conserve la place qu'il occupe dans la forme conjuguée, mais l'ajout d'un ou de plusieurs pronoms oblige à mettre un accent écrit pour respecter les règles d'orthographe :
Ex. → *¡Da!* Donne ! – *¡Dame!* Donne-moi ! – *¡Dámelo!* Donne-le-moi !

ATTENTION

À l'impératif négatif, l'enclise n'a pas lieu.
Ex. → *No me lo digas.* Ne me le dis pas.
Contrairement à : Ex. → *Dímelo.* Dis-le-moi.

Exercices _____ *CORRIGÉS P. 241*

1▶ Traduisez en français.
a. cómetelo   b. siéntate   c. vístete   d. cállate   e. súbelo

2▶ Traduisez en espagnol.
a. Fais-le-moi.
b. Je pense le faire.
c. Réparez-la. *(vouvoiement singulier)*
d. Nous allons la changer.
e. Viens nous voir.

3 ▶ **Mettez les pronoms dans l'ordre en mettant l'accent écrit sur les verbes s'il y a lieu.**

a. te/lo/comiendo.
b. lo/dejar/se.
c. impidiendo/lo/nos.

d. se/preguntando/lo.
e. lo/se/comunica.

4 ▶ **Choisissez les formes correctes.**

a. [Lavados/Lavaos] las manos.
b. Concentrémosnos/Concentrémonos.
c. [Dejádsela/Dejadse] a ella.
d. [Ponedos/Poneos] el pijama.
e. [Calentemos/Calentamos] la comida.

5 ▶ **Mettez à la forme négative.**

a. Quiero saberlo.
b. Vete.
c. Decídselo.
d. Puedo comprarlo.

e. Decídete.
f. Está preparándose.
g. Escríbesela.
h. Cómpraselo.

38 Le pronom (8) : les indéfinis

Les indéfinis sont une catégorie de mots de type pronom ou adverbe, avec une valeur d'adjectif, qui expriment d'une manière plus ou moins précise une idée de quantité.

Indéfinis	Traduction	Exemple
algo	quelque chose	*dame algo*, donne-moi quelque chose
alguien	quelqu'un	*alguien llega*, quelqu'un arrive
algún (alguno), alguna, algunos, algunas	quelque, quelqu'un, etc.	*alguna ciudad*, quelque ville
ambos, ambas	tous/toutes les deux	*ambas casas*, les deux maisons
bastante, bastantes	assez	*bastantes problemas*, assez de problèmes
cada	chaque	*cada día*, chaque jour
cada uno, cada una	chacun, chacune	*cada uno de ellos*, chacun d'eux
cierto, cierta, ciertos, ciertas	certain, etc.	*ciertas semanas*, certaines semaines
cualquier(a), cualesquiera	quelconque, n'importe qui, etc.	*cualquier persona*, n'importe qui
demasiado, demasiada, demasiados, demasiadas	trop	*demasiado trabajo*, trop de travail
más	plus, davantage	*más chicos que chicas*, davantage de garçons que de filles

Indéfinis	Traduction	Exemple
menos	moins	*tengo menos dinero,* j'ai moins d'argent
mucho, mucha, muchos, muchas	beaucoup	*había mucha gente,* il y avait beaucoup de monde
nada	rien	*no tengo nada que decir,* je n'ai rien à dire
nadie	personne	*nadie lo sabe,* personne ne le sait
ningún (ninguno), ninguna	aucun, aucune	*ninguna semana,* aucune semaine
otro, otra, otros, otras	autre	*otra persona,* une autre personne
poco, poca, pocos, pocas	peu	*pocas veces,* peu de fois
tanto, tanta, tantos, tantas	tant de, autant de, tellement de…	*había tantas personas,* il y avait tant de gens
todo, toda, todos, todas	tout, etc.	*todos lo saben,* tout le monde le sait
un(o), una, unos, unas	un, une, quelques	*han venido unas personas,* quelques personnes sont venues
varios, varias	plusieurs	*varias ciudades,* plusieurs villes
etc.	…	…

Exercices _____ *CORRIGÉS P. 241*

1 ▶ Traduisez en espagnol.
  a. Il est trop fier.
  b. Il me faut davantage de farine.
  c. Ils étaient d'accord tous les deux.
  d. Quelqu'un est venu.
  e. Fais quelque chose.

2 ▶ Complétez les phrases avec l'indéfini qui convient.
  cada – varios – nada – otro – tanto
  a. Está afónica de … hablar.
  b. … oveja con su pareja.
  c. No estudia … .
  d. Necesito … pantalón.
  e. Hace … meses que vino.

3 ▶ Choisissez les formes correctes.
  a. [Alguno/Aún no] lo saben.
  b. Tenían [mucho/muchos] dinero.
  c. No le viene bien [ninguno/ningún] sitio.
  d. Ya quedan [pocos/pocas] días.
  e. En [cualquiera/cualquier] tienda te lo cambian.

4 ▶ Reliez l'indéfini à sa traduction.
  a. unos
  b. nadie
  c. cada
  d. ambas
  e. bastante
  1. toutes les deux
  2. assez
  3. personne
  4. chaque
  5. quelques

5 ▶ Traduisez en français.
  a. Escribe cada dos meses.
  b. Hay cierto olor que me gusta.
  c. No tengo tanta suerte como tú.
  d. Se ríe menos que antes.
  e. Os lo digo a todos y a cada uno de vosotros.

● **Les indéfinis qui s'opposent**

algo, quelque chose   *alguien*, quelqu'un   *alguno, alguna*, quelque
nada, rien   *nadie*, personne   *ninguno, ninguna*, aucun, aucune

• Avec les indéfinis *nada, nadie, ninguno*, deux constructions sont possibles :
– en tête de phrase et sans mot négatif : **indéfini + verbe**.
Ex. ➤ *Nadie escucha*. Personne n'écoute.
– après le verbe dans une phrase négative commençant par *no* : **no + verbe + indéfini**.
Ex. ➤ *No escucha nadie*. Personne n'écoute.

● **Les indéfinis qui subissent l'apocope** (c'est-à-dire qui perdent la voyelle finale)

Uno, alguno, ninguno perdent le *o* devant un nom masculin singulier.
Cualquiera perd le *a* final devant un nom masculin ou féminin.
Ex. ➤ *Cualquier día me voy de casa*. Un de ces jours je m'en irai de chez moi.

● **Emploi négatif de *alguno***

Alguno placé après le nom dans une phrase négative signifie **aucun**.
Ex. ➤ *No oigo música alguna*. Je n'entends aucune musique.

● **Le sens de *unos, unas***

Devant un nom de nombre, *unos, unas* indiquent une approximation et se traduisent par **environ**.
Ex. ➤ *Tendrá unos treinta años*. Il doit avoir environ trente ans.

● ***Otro, otra, otros, otras*, un autre, une autre**, etc., s'emploient sans article indéfini.
Ex. ➤ *Mañana será otro día*. Demain sera un autre jour.

Exercices _____ *CORRIGÉS P. 241*

1 ▶ Indiquez le contraire.

a. alguno ≠ …   **b.** algo ≠ …   **c.** alguien ≠ …   **d.** algunas ≠ …   **e.** algún ≠ …

2 ▶ Transformez d'après le modèle.

Ex. : *No quiere a nadie.* → *A nadie quiere.*

a. No puede decirnos nada.   **d.** No le teme nadie.
b. No ha venido nadie.   **e.** No he comprado nada.
c. No tengo ninguno.

3 ▶ Mettez l'indéfini entre parenthèses à la forme qui convient.

Ex. : *Cualquier día me voy a Argentina. (cualquiera)*

a. Tengo … / Tengo … perro. *(uno)*
b. ¡… lo diría! / Me conformo con … coche. *(cualquiera)*
c. ¿Lo sabe … alumno? / ¿… lo sabe? *(alguno)*
d. ¿No ha entrado … mosquito? / No, no ha entrado … . *(ninguno)*
e. …, dos, tres, etc. ¡Tengo … billete! *(uno - veintiuno)*

4 ▶ Traduisez en français.

a. Se oye algo.

b. No he hecho regalo alguno.

c. No se lo digas a nadie.

d. No me pasa nada.

e. No hay fiesta alguna.

5 ▶ Traduisez en espagnol.

a. Il viendra un autre jour.

b. J'ai des enfants.

c. Ils ont quelques timbres.

d. Fais-moi une autre photo.

e. Il doit y avoir environ 1 000 kilomètres.

40 Le pronom (10) : les relatifs

▼

Les relatifs en espagnol se présentent sous différentes formes.
que, qui / que
quien, quienes, qui / lequel, lesquels
el que, la que, los que, las que, celui qui, celle qui, ceux qui, celles qui
el cual, la cual, los cuales, las cuales, lequel, laquelle, lesquels, lesquelles
donde, où
cuyo, cuya, cuyos, cuyas, dont le, dont la, dont les, etc.

● **Quien, quienes** ne s'emploient que pour les personnes et s'accordent en nombre avec l'antécédent.
Ex. ➤ *Es la persona con **quien** me fui a París.*
C'est la personne avec **qui** je suis parti à Paris.

● **El cual, la cual,** etc., se rapportent à des personnes ou à des choses. Ils s'emploient aussi avec les prépositions *ante* (devant), *bajo* (sous), *contra* (contre), *hacia* (vers), *sobre* (sur), etc.
Ex. ➤ *Se fueron al lugar en **el cual** habían quedado.*
Ils se rendirent à l'endroit dans **lequel** ils s'étaient donné rendez-vous.

● **Cuyo** est à la fois relatif et possessif et ne peut être suivi d'article. Il établit une relation de possession entre l'antécédent et le nom qu'il détermine. Il s'accorde en genre et en nombre avec le nom qu'il détermine.
Ex. ➤ *La casa **cuyas** ventanas son azules.* La maison **dont** les fenêtres sont bleues.

● **Que** peut traduire souvent tous les pronoms relatifs français. Il s'emploie pour les choses et pour les personnes.
Ex. ➤ **qui** : Les enfants **qui** crient. → *Los niños **que** gritan.*
　　　que : Je te donnerai l'argent **que** tu mérites. → *Te daré el dinero **que** mereces.*
　　　quoi : Je ne sais pas **quoi** penser. → *No sé **qué** pensar.*
　　　dont : C'est le garçon **dont** je t'ai parlé l'autre jour. → *Es el chico de (del) **que** te hablé el otro día.*
　　　où : Le jour **où** il est venu me voir, je n'étais pas là. → *El día (en) **que** vino a verme, no estaba.*
　　　lequel, laquelle, etc. : La rue dans **laquelle** je l'ai trouvé. → *La calle en (la) **que** lo encontré.*

Exercices

CORRIGÉS P. 241-242

1 ▶ Complétez avec le relatif qui convient.

a. Es la mujer a ... quiero.
b. Tengo la parte ... te faltaba.
c. Necesito que me den el préstamo, sin ... no podré comprarme la casa.
d. Ese hombre fue ... vino el otro día.
e. Es la chica ... madre trabaja en la Universidad.

2 ▶ Choisissez le relatif qui convient.

las que – que – donde – cuya – quien

a. Fue la única vez ... quedamos.
b. Mi hijo va a un colegio ... directora es inglesa.
c. No fui yo ... lo dijo.
d. Esta película y la de la semana pasada son ... más me gustan.
e. Podéis descansar ... queráis.

3 ▶ Reliez les éléments des deux colonnes.

a. Es el director	**1.** a quien quieren ver.
b. Fueron ellos	**2.** lo cual le llevó a una expulsión.
c. Es a tu hermana	**3.** los que tomaron la iniciativa.
d. Insultó al profesor,	**4.** de cuya película hablan todos.
e. La niña,	**5.** la cual no sabía nada, se lo creyó.

4 ▶ Traduisez en espagnol.

a. C'est l'école dont les élèves ont un très bon niveau.
b. L'arbre dont les branches sont cassées.
c. Il s'agit de quelque chose qui ne m'intéresse pas.
d. Est-ce vous qui avez frappé à la porte? (*vosotros*)
e. Isabel est celle qui a les cheveux longs.

5 ▶ Transformez selon le modèle.

Ex.: *Ese es el hotel. Allí durmieron.* → *Ese es el hotel en el que durmieron.*

a. Hemos visto una pulsera. Era muy cara.
b. Cambió la cama. Las sábanas estaban sucias.
c. Llamó el vecino. Su balcón está encima del nuestro.
d. Es el padre de Alejandro. Trabaja en un banco.
e. Ha sido Elvira. Ella lo ha contado todo.

La forme interrogative se marque à l'écrit par un point d'interrogation à l'envers là où commence l'interrogation et un point d'interrogation à l'endroit où elle se termine. Les mots interrogatifs portent toujours l'accent écrit, même si l'interrogation est indirecte.

Interrogatifs	Exemple
¿Qué...?, Que...?, Quoi...?, Quel...?	*¿Qué pasa?* Qu'est-ce qui arrive?
¿Quién...?, Qui...?	*¿Quién es él?* Qui est-il?
¿Cuál...? ¿Cuáles...?, Quel...?, Lequel...?, etc.	*¿Cuál prefieres?* Lequel préfères-tu?
¿Cuánto...? ¿Cuánta...? ¿Cuántos...? ¿Cuántas...?, Combien...?	*¿Cuántos somos?* Combien sommes-nous?

De nombreux mots peuvent prendre la forme interrogative :

¿Dónde? ¿Adónde? Où ?
Ex. → *¿Adónde vas?* Où vas-tu ?

¿Cuándo? Quand ?
Ex. → *¿Cuándo vienes?* Quand viens-tu ?

¿Cómo? Comment ?
Ex. → *¿Cómo te llamas?* Comment t'appelles-tu ?

¿Por qué? Pourquoi ?
Ex. → *¿Por qué no viene?* Pourquoi ne vient-il pas ?

Exercices
CORRIGÉS P. 242

1 ▶ **Transformez en interrogation directe.**

Ex. : *No sé quién es ese hombre.* → *¿Quién es ese hombre?*

a. Me pregunto de qué color será el vestido.
b. Estamos pensando adónde iremos de vacaciones este año.
c. Ignoro dónde vive.
d. No sé cuándo empiezan las clases.
e. Nadie sabe para qué ha venido.

2 ▶ **Choisissez la forme correcte.**

a. ¿[Qué / Quién] es ese profesor?
b. ¿[Qué / Quién] quiere Vd.?
c. ¿[La cuál / Cuál] te compras?
d. ¿[Cómos / Cómo] son?
e. ¡[Cuánta / Cuánto] problema!

3 ▶ Complétez avec *cuánto* à la forme voulue.

a. ¿ ... años tienes?
b. ¿... gana Vd.?
c. ¿... veces a la semana tienes clase de inglés?
d. ¿... gente ha visto ya esa película?
e. No sabes ... te quiero.

4 ▶ Complétez avec *cuál/ cuáles*.

a. Elige un disco, ¿... te gusta?
b. Te voy a comprar una cartera, ¿... prefieres?
c. Aquí hay muchas clases de galletas, ¿... compramos?
d. ¿De ... de los dos hablas?
e. No puedes invitar a las dos, ¿a ... invitas?

5 ▶ Traduisez en espagnol.

a. Comment es-tu arrivée ?
b. Quand as-tu rendez-vous ?
c. Pourquoi lui as-tu parlé ?
d. Où vont-ils ?
e. Qui t'a dit cela ?

42 Les exclamatifs et la phrase exclamative

Les points d'exclamation ¡ ...! encadrent la phrase exclamative et les mots exclamatifs portent un accent écrit.

¡Qué...!, Quel... !, Quelle... !, Comme... !	*¡Qué ciudad tan bonita!*	Quelle jolie ville !
¡Quién...!, Qui... !, Si seulement... !	*¡Quién lo hubiera creído!*	Qui l'eût cru !
¡Cuánto...!, ¡Cuánta...!, *¡Cuántos...!, ¡Cuántas...!,* Combien... !, Comme... !, Que de... !	*¡Cuánta gente!*	Que de gens !

De nombreux mots peuvent prendre la forme exclamative :

¡Cómo...!, Comme... !, Combien... !
Ex. ▸ *¡Cómo viven!* Comme ils vivent !

¡Menudo, a...!, Quel... !
Ex. ▸ *¡Menudo trabajo!* Quel (sacré) travail !

¡Vaya...!, Quel... ! Ex. ▸ *¡Vaya frío!* Quel froid ! etc.

• **Construction de la phrase exclamative sans verbe**
¡Qué + nom + *tan* ou *más* + adjectif !
Ex. ▸ *¡Qué día más bonito!* Quelle belle journée !

• **Construction de la phrase exclamative avec verbe**
¡Qué + adjectif + verbe !
Ex. ▸ *¡Qué simpático eres!* Que tu es sympathique !

Exercices
_____ CORRIGÉS P. 242

1 ▶ **Transformez selon le modèle.**

Ex. : *Es un restaurante muy bueno.* → *¡Qué restaurante tan (más) bueno!*

a. Es una mujer muy guapa.
b. Son unos niños muy revoltosos.
c. Es un alumno muy aplicado.
d. Es un tema muy interesante.
e. Es una música muy relajante.

2 ▶ **Complétez avec l'exclamatif qui convient.**

qué – cuánto – cómo – quién – qué

a. ¡… come! **b.** ¡… horror! **c.** ¡… tráfico! **d.** ¡… lo viera! **e.** ¡… lío!

3 ▶ **Trouvez les éléments manquants.**

a. ¡… escena tan conmovedora!
b. ¡Qué profesor … paciente!
c. ¡Qué tomates … verdes!
d. ¡… sonrisa más bonita!
e. ¡Qué manos … largas!

4 ▶ **Reliez les éléments des deux colonnes.**

a. ¡Vaya
b. ¡Cuánta
c. ¡Cómo
d. ¡Menudo
e. ¡Quién

1. jardín!
2. fuera rico!
3. problema!
4. chica guapa!
5. ronca!

5 ▶ **Mettez les mots dans l'ordre si nécessaire.**

a. ¡Qué más día caluroso!
b. ¡Qué cara más colorada!
c. ¡Qué tan regalo inesperado!
d. ¡Qué tan altos techos!

---

43 L'adverbe (1) : les adverbes de manière

▼

• Les adverbes sont des mots invariables dont le rôle consiste à modifier le sens de l'adjectif, du verbe, d'autres mots ou d'une phrase entière.
Ex. → *Me lo he pasado muy bien.* Je me suis beaucoup amusé.

• Contrairement au français, dans les temps composés, l'adverbe ne peut se mettre entre le verbe et le participe passé. Ex. → *He comido muy bien.* J'ai **très** bien mangé.

• Les adverbes de manière sont, pour l'essentiel, ceux qui se terminent en *-mente*. On ajoute *-mente* à la forme féminine de l'adjectif, s'il en a une, ou à sa forme unique.
Ex. → *lento*, lent → *lenta* → *lentamente*, lentement
    fácil, facile → *fácilmente*, facilement

• Lorsque plusieurs adverbes se suivent, seul le dernier prend la terminaison en *-mente*. Les autres gardent la forme féminine de l'adjectif.
Ex. → *Habla clara y correctamente.* Il parle clairement et correctement.

• D'autres adverbes de manière : *despacio*, lentement ; *mal*, mal ; *adrede*, à dessein, exprès ; *así*, ainsi ; *bien*, bien ; *aprisa, a prisa, deprisa, de prisa*, vite ; etc.

PARTIE II. La grammaire

1 ▶ Traduisez en espagnol.

a. Il a mal dormi.
b. Nous avons beaucoup parlé.
c. Ils ont très bien compris.
d. Je suis bien arrivé.
e. Elle marche lentement.

2 ▶ Transformez les adjectifs suivants en adverbes avec le suffixe *-mente*.

a. triste   **b.** rápido   **c.** discreto   **d.** suave   **e.** dulce

3 ▶ Choisissez les formes correctes.

a. Siempre participa [discretamente y tímidamente/discreta y tímidamente].
b. Viene por el pueblo muy [raramente/raromente].
c. Todavía anda [difícilamente/difícilmente].
d. [Ciertomente/Ciertamente] se trata de la misma persona.
e. Contó lo que pasó [exacta y detalladamente/exactamente y detalladamente].

4 ▶ Reliez les contraires.

a. adrede	**1.** rápidamente
b. despacio	**2.** sin querer
c. bien	**3.** peor
d. lentamente	**4.** mal
e. mejor	**5.** deprisa

5 ▶ Traduisez en français.

a. ¿Por qué lo has hecho así?
b. Lo he hecho adrede.
c. Se adapta fácilmente.
d. Vive alegre y despreocupadamente.
e. Le conozco bien.

44 L'adverbe (2) : les adverbes de quantité

▼

además	en plus	*menos*	moins
algo	un peu	*mucho*	beaucoup
apenas	à peine	*muy*	très
bastante	assez	*nada*	rien
casi	presque	*poco*	peu
cuan/cuanto	si, combien, tellement	*sólo*	seulement
demasiado	trop	*tan/tanto*	si, aussi, autant
más	davantage, plus	*únicamente*	uniquement
etc.			

● *Muy* et *mucho*

En général, *muy* se traduit par **très** et *mucho* par **beaucoup**.

• *Muy* s'emploie devant les adjectifs, les participes et les autres adverbes.
Ex. ➤ *Es muy listo*. Il est **très** intelligent.

• *Mucho* s'emploie après les verbes ou devant les noms.
Ex. ➤ *Te quiero mucho*. Je t'aime **beaucoup**.
Tiene mucho dinero. Il a **beaucoup** d'argent.

ATTENTION

Veillez à la traduction de certaines expressions telles que :
Il fait **très** chaud. *Hace mucho calor.*
Il fait **très** froid. *Hace mucho frío.*
Il a **très** faim. *Tiene mucha hambre.*
Il a **très** mal à la tête. *Le duele mucho la cabeza.*
Il fait **très** humide. *Hay mucha humedad.*
Il a **très** soif. *Tiene mucha sed.*
Il a **très** peur. *Tiene mucho miedo.*

● *Tan, tanto* et *sólo*

• *Tan* s'emploie devant les adjectifs, les participes ou les adverbes.
Ex. ➤ *No te pongas tan delante*. Ne te mets pas si en avant.

• *Tanto* s'emploie après les verbes.
Ex. ➤ *Me lo dice tanto*. Il me le dit tellement.

• *Sólo*
Sólo, seulement = *no más que, no … sino, solamente*.
Ex. ➤ *Estudia sólo por las noches.*
No estudia más que por las noches. ⎫ Il étudie seulement la nuit.
Solamente estudia por las noches. ⎭

ATTENTION

Ne pas confondre *sólo* et *solo* (sans accent).
Solo peut être adjectif et ne porte pas d'accent écrit. Il signifie **seul**.
Ex. ➤ *Él estudia solo*. Il étudie tout **seul**.

Exercices _____ *CORRIGÉS P. 242*

1 ▶ Trouvez le contraire.

a. poco ≠ …   **b.** más ≠ …   **c.** nada ≠ …   **d.** apenas ≠ …   **e.** tanto ≠ …

2 ▶ Traduisez en espagnol.

a. Il est très tard.
b. Et en plus nous sommes très fatigués.
c. Nous avons très soif.
d. Ils dorment beaucoup.
e. Ils ont très mal au cou.

3 ▶ Traduisez en français.

a. Ya son casi las siete.
b. Vino solo desde Madrid.
c. Eran sólo tres.

d. Solamente comen verdura.
e. No necesito tanto.

4 ▶ **Transformez selon le modèle.**

Ex. : *No le gusta **más que** ver la tele.* → *Le gusta **sólo/solamente** ver la tele.*

a. No piensan más que en divertirse.
b. No se preocupa más que por su hijo.
c. No sale más que para ir al trabajo.
d. No conoce más que a sus vecinos.
e. No vienen más que una vez al año.

5 ▶ **Complétez les phrases avec *tan/tanto*.**

a. ¡Están … cansados!
b. ¡No comas … deprisa!
c. ¡No comas …!
d. Si corres …, te vas a caer.
e. Nunca he tenido alumnos … listos.

45 L'adverbe (3) : les adverbes de lieu

▼

abajo	en bas	*atrás*	en arrière
adelante	en avant	*cerca*	près
adentro	dedans	*debajo*	dessous, sous
afuera	dehors	*delante*	devant
ahí	là	*dentro*	dedans
allí	là-bas	*detrás*	derrière
allá	là-bas	*encima*	dessus, sur
alrededor	autour	*enfrente*	en face
aquí/acá	ici	*fuera*	dehors
arriba	en haut	*lejos*	loin etc.

• *Aquí, ahí, allí, allá* expriment une idée de proximité ou d'éloignement par rapport à la personne qui parle. Ils sont étroitement liés aux démonstratifs et ils situent dans l'espace et dans le temps.

Adverbes	Emploi	Exemple
aquí, acá, ici	Désignent un lieu proche de celui qui parle.	*Siéntate **aquí**.* Assieds-toi **ici**.
ahí, là	Désigne un lieu intermédiaire.	*Siéntate **ahí**.* Assieds-toi **là**.
allí, allá, là-bas	Désignent un lieu éloigné de celui qui parle.	*Siéntate **allí**.* Assieds-toi **là-bas**.

Exercices _____ *CORRIGÉS P. 242-243*

1 ▶ **Trouvez le contraire.**

a. arriba ≠ …   **b.** delante ≠ …   **c.** fuera ≠ …   **d.** cerca ≠ …   **e.** adelante ≠ …

2 ▶ **Traduisez en espagnol.**

a. Les arbres sont autour de la maison.
b. Je vois une colline là-bas.
c. Ne te mets pas sous l'échafaudage.
d. Tes vêtements sont là-dedans.
e. Viens ici, près de moi.

3 ▶ **Traduisez en français.**

a. Los dormitorios están arriba.
b. Vivimos bastante lejos del centro.
c. Correos están enfrente de la farmacia.

d. ¿Has mirado debajo de la cama?
e. El cuaderno está encima del pupitre.

4 ▶ **Complétez avec les mots proposés.**

alrededor – adelante – detrás – encima – abajo

a. ¡Quítame las manos de …!
b. Dio la vuelta … de la plaza.
c. Guárdalo …, en el sótano.

d. El segundo va … del primero.
e. Siga recto, encontrará el estanco un poco más … .

5 ▶ **Complétez avec aquí/ ahí/ allí.**

a. Quita esa caja de … .
b. Cómete este plátano de … .
c. No vayas a aquella tienda de … .

d. Pruébate ese vestido de … .
e. Vamos a esta zapatería de … .

46 L'adverbe (4) : les adverbes de temps

▼

ahora	maintenant	*entretanto/*	entre-temps
anoche	hier soir	*mientras tanto*	
antaño	jadis	*hoy*	aujourd'hui
anteanoche	avant-hier soir	*luego*	puis, plus tard
anteayer	avant-hier	*nunca/jamás*	jamais
antes	avant	*pronto*	bientôt, vite
aún	encore	*siempre*	toujours
después	après, ensuite	*tarde*	tard
enseguida	aussitôt, tout de suite	*temprano*	tôt, de bonne heure
entonces	alors	*todavía*	encore
etc.		*ya*	déjà, à présent

● *Nunca* et *jamás,* jamais

On les emploie indifféremment. *Nunca* est plus fréquent.
Ils ont une double construction : ils se construisent sans la négation *no* quand ils précèdent le verbe et avec la négation quand ils le suivent.
Ex. ➤ *Nunca viene.* ou *No viene nunca.* Il ne vient **jamais.**
Nunca jamás signifie **jamais de la vie, au grand jamais.**

● *Ya,* déjà, bien

L'adverbe *ya* se traduit normalement par **déjà,** mais il peut se traduire également par **bien, maintenant, bientôt,** etc., selon les cas.
Ex. ➤ ¿*Ha venido ya?* Est-il **déjà** arrivé ?
    Ya me siento más tranquilo. Je me sens plus calme **maintenant.**

Ya no ou *no … ya* = ne … plus
Ex. ➤ *Ya no están aquí.* ou *No están ya aquí.* Ils ne sont **plus** là.

Exercices

1 ▶ Reliez chaque adverbe à son contraire.

a. ayer   1. temprano
b. antes   2. nunca
c. tarde   3. mañana
d. siempre   4. ahora
e. antaño   5. después

2 ▶ Traduisez en français.

a. Ahora vamos a dar una vuelta.
b. Acabo de colgar ahora mismo.
c. Un momento, enseguida te ayudo.
d. Nos vemos a las tres, ¡hasta ahora!
e. Lo siento, ahora no puedo atenderle.

3 ▶ Traduisez en espagnol.

a. Ils n'écrivent jamais.
b. Je ne te croirai plus jamais.
c. Jamais de la vie elle ne ferait cela.
d. Il n'écoute jamais de musique.
e. Jamais je ne le lui dirai.

4 ▶ Complétez avec l'adverbe qui convient.

mientras – anoche – hoy – pronto – todavía – anteayer

a. … cené demasiado y he dormido muy mal.
b. Ya son las nueve y … no ha empezado la película.
c. Si … fue treinta de mayo, … es uno de junio.
d. En abril es todavía muy … para bañarse.
e. Poned la mesa … preparo la comida.

5 ▶ Traduisez en espagnol.

a. Il ne vient plus nous voir.
b. As-tu déjà fini ?
c. Il ne reste plus de pain.
d. Je ne sais plus ce que je voulais dire.
e. Nous n'avons plus d'essence !

---

47 L'adverbe (5) : les adverbes d'affirmation, de négation et de doute

▼

● **Adverbes d'affirmation**

claro	bien sûr	*sí*	oui
efectivamente	bien sûr, en effet	*también*	aussi
por supuesto	bien entendu	*sin duda*	sans doute
seguro	sûrement	etc.	

● **Adverbes de négation**

jamás	jamais	*nunca*	jamais
no	non	*tampoco*	non plus
etc.			

● Renforcement de l'affirmation et de la négation

Claro que sí, mais si, bien sûr que oui – *Claro que no,* mais non, bien sûr que non
Que sí, mais si – *Que no,* mais non – *Sí que* + verbe, bien sûr que...
Ex. ➤ *Sí que lo haré.* Bien sûr que je le ferai.

● Adverbes de doute

a lo mejor	peut-être	*quizá/quizás*	peut-être
acaso	peut-être	*tal vez*	peut-être
más bien	plutôt		
etc.			

(ATTENTION)

Le doute s'exprime avec les adverbes *tal vez, acaso, quizás, a lo mejor* qui signifient
peut-être et que l'on peut utiliser indifféremment.
A lo mejor est toujours suivi de l'indicatif.
Ex. ➤ *A lo mejor viene.* Il vient peut-être.

Exercices _____ _____ *CORRIGÉS P. 243*

1 ▶ Complétez en utilisant *también* ou *tampoco*.

a. Miguel viene con nosotros, Tomás ... .
b. Me gusta mucho el cine. – A mí ... .
c. Gloria no tiene ordenador. Y Marta ... .
d. Hemos invitado a los Abellán. A los Pérez ... .
e. No me gusta la comida china. A mis hijos ...

2 ▶ Complétez avec l'adverbe qui convient.

a. A las dos no puedo, ven ... a las tres. *(doute)*
b. Me pregunta que si me interesa, ¡pues ...! *(affirmation)*
c. ... me compro un coche. *(doute)*
d. ... estudie arquitectura cuando sea mayor. *(doute)*
e. ..., ya te he dicho mil veces que no. *(négation)*

3 ▶ Traduisez en espagnol.

a. Ils achèteront peut-être une maison.   **d.** C'est possible.
b. Bien sûr que nous viendrons.   **e.** Il a sûrement râté son train.
c. Nous déménagerons peut-être cet été.

4 ▶ Choisissez les formes correctes.

a. No tiene moto ni [también/tampoco] bici.
b. A lo mejor [abran/abren] a las cinco.
c. [Puede que/A lo mejor] no quiera venir.
d. Habla italiano, inglés y [tampoco/también] español.
e. [Tal vez/Puede ser] tenga razón.

5 ▶ Chassez l'intrus.

a. a lo mejor – tal vez – acaso – jamás – quizá
b. sí – sin duda – también – temprano – seguro
c. no – nunca – que no – aún – tampoco
d. mucho – poco – encima – nada – más
e. ya – fuera – abajo – lejos – dentro

48 Les prépositions

Les prépositions sont des mots invariables qui mettent en relation plusieurs éléments d'une proposition : un nom, un verbe, un adjectif, un adverbe, avec leur complément correspondant
Ex. ➤ *Voy a Valladolid.* Je vais à Valladolid.

● Les prépositions simples

a	à	*excepto*	sauf
ante	devant, face à	*hacia*	vers
bajo	sous	*hasta*	jusqu'à
con	avec	*mediante*	moyennant
contra	contre	*para*	pour
de	de	*por*	par
desde	dès, depuis	*salvo*	sauf
durante	pendant	*según*	selon
en	en	*sin*	sans
entre	entre	*sobre*	sur
		tras	derrière, après

● Emploi des principales prépositions

La préposition *a*

• L'emploi de la préposition a est obligatoire devant un complément d'objet direct représentant une personne ou un animal déterminé.
Ex. ➤ *He visto a Juan.* J'ai vu Juan.

• On emploie obligatoirement la préposition a après un verbe qui indique le mouvement.
Ex. ➤ *Voy al cine.* Je vais au cinéma.

La préposition *de*

• Elle exprime l'origine et la provenance :
Ex. ➤ *Es de Madrid.* Il est de Madrid.

• Elle exprime la propriété et l'appartenance :
Ex. ➤ *Este disco es de Pedro.* Ce disque est à Pierre.

• Elle indique la matière d'une chose :
Ex. ➤ *La regla es de metal.* La règle est en métal.

• Elle exprime la fonction :
Ex. ➤ *Trabaja de camarero.* Il travaille comme barman.

• Elle exprime le temps :
Ex. ➤ *Es de día.* C'est le jour.

La préposition *en*

• Elle indique un lieu, une situation :
Ex. ➤ *El museo está en el centro de la ciudad.* Le musée est au centre-ville.

• Elle situe dans le temps :
Ex. ➤ *En aquella época éramos muy amigos.* En ce temps-là, nous étions très amis.

La préposition *para*

• Elle exprime le but, l'usage, la destination :
Ex. ⇒ *Este regalo es para ti.* Ce cadeau est pour toi.

• Elle exprime un point de vue, une opinion :
Ex. ⇒ *Para mí, es la mejor novela.* Pour moi, c'est le meilleur roman.

• Elle indique la direction que l'on prend :
Ex. ⇒ *Se fue para Cuba.* Il est parti à Cuba.

La préposition *por*

• Elle indique le lieu par où l'on passe :
Ex. ⇒ *Anda por la calle.* Il marche dans la rue.

• Elle sert à exprimer la cause :
Ex. ⇒ *Se cayó por distraído.* Il est tombé parce qu'il était distrait.

• Elle exprime une idée d'échange :
Ex. ⇒ *Te lo doy por un euro.* Je te le donne pour un euro.

• Elle exprime la finalité d'une action :
Ex. ⇒ *Todo eso por no ir al colegio.* Tout cela pour ne pas aller à l'école.

● Les prépositions composées

Beaucoup d'adverbes, notamment de lieu, suivis d'une préposition, forment une préposition composée : *alrededor de*, autour de, *debajo de*, en dessous de, *encima de*, au-dessus de, etc.
Ex. ⇒ *Alfredo siempre aparca delante de casa.*
Alfredo se gare toujours devant la maison.

Exercices _____ *CORRIGÉS P. 243*

1 ▶ Complétez avec la préposition *a* si nécessaire.

  a. He llamado … Andrés.
  b. Hemos visto … Ramón en el zoo.
  c. Anoche fui … el cine a ver … una película.
  d. Casi todos los jueves veo … tus padres en el mercado.
  e. ¿Han aprobado … tu hermano?

2 ▶ Complétez avec les prépositions *a* ou *de*.

  a. Esa pulsera no parece … oro.
  b. Paco es primo … Elena.
  c. Este abrigo es … Marta.
  d. Es enfermera y siempre trabaja … noche.
  e. Acompaña … la señora … la puerta.

3 ▶ Complétez avec les prépositions *de* ou *en*.

  a. Vivimos … las afueras.
  b. Ahora estamos … casa.
  c. Le conocí … verano.
  d. Aurora trabaja … Madrid.
  e. Cuando no está su madre hace … niñera.

4 ▶ Complétez avec les prépositions *por* ou *para*.

  a. Se pasean … el parque.
  b. Eso no lo haría yo … nadie.
  c. Estas cartas son … tu marido.
  d. Me alegro … él.
  e. Este regalo es … ti.

5 ▶ Traduisez en espagnol en employant la préposition composée qui convient.

  a. Les chaussons sont sous le lit.
  b. Il y a un livre sur la chaise.
  c. Ne te mets pas devant la télé.
  d. Il y a des arbres autour de la place.
  e. Le couteau est tombé derrière le réfrigérateur.

49 Traduction de *on*

Construction	Sens	Exemple	Traduction
On rendu par *se* + verbe à la 3ᵉ personne (sing. ou pl.)	Présente une réflexion d'ordre général, habituelle.	Ici **on mange** bien. **On vend** des timbres.	*Aquí se come bien. Se venden sellos.*
On rendu par la 3ᵉ personne du pluriel.	Présente un fait anonyme. On = les gens.	**On dit** (**les gens** disent) que le gouvernement va changer.	*Dicen que el gobierno va a cambiar.*
On rendu par *uno, una* + 3ᵉ personne du singulier.	Présente un fait où le locuteur s'engage sous couvert de on. On = je.	– Tu ne vas pas en ville ? – Non, **on** (= je) doit travailler.	– *¿No vas a la ciudad?* – *No, uno tiene que trabajar.*
On rendu par la 1ʳᵉ personne du pluriel.	On = nous.	**On** (= nous) va à la plage.	*Vamos a la playa*

Exercices

CORRIGÉS P. 243

1 ▷ Traduisez en espagnol.

a. On parle français.
b. On ouvre à 9 heures.
c. On écoute vos messages.
d. On solde la dernière armoire.
e. On vend des meubles anciens.

2 ▷ Traduisez en français.

a. Llaman a la puerta.
b. Nos vamos a Egipto el viernes.
c. Uno debe ser razonable.
d. Cuanto más duermes, más quieres.
e. En este restaurante hacen muy buen gazpacho.

3 ▷ Soulignez la forme la plus correcte.

a. *¿Qué dice en el anuncio?:* Se venden casas./Venden casas.
b. *¿Qué dice la madre en casa?:* Vamos a comer./Uno va a comer.
c. *¿Qué dicen en la tele?:* Hablan de la subida de la gasolina./ Hablamos de la subida de la gasolina.
d. *¿Qué dice el chico al volver a casa?:* Vuelves temprano y encima se enfadan./ Se vuelve temprano y encima se enfadan.
e. *¿Qué pone en la puerta de la librería?:* Uno hace fotocopias./Se hacen fotocopias.

4 ▷ Complétez avec *uno* ou *se*.

a. ... ríen de ti si eres demasiado bueno.
b. ... busca chica para compartir piso.
c. No ... puede fiar ... de esa gente.
d. ... no se puede concentrar con tanto ruido.
e. ... rumorea que van a cerrar ese colegio.

Reliez les éléments des deux colonnes.

a. Cerramos   1. se vive bien.
b. En esta ciudad   2. que van a abrir otra clínica.
c. Uno   3. hacen copias de llaves.
d. Dicen   4. los sábados.
e. Se   5. no puede con tanto trabajo.

50 Les différents aspects de l'action

Aspect de l'action	Construction verbale	Exemple
Commencement de l'action	*empezar a, comenzar a, ponerse a* + infinitif se mettre à, commencer à	*Por fin se puso a estudiar.* Enfin il s'est mis à étudier.
Durée dans l'action	*estar* + gérondif être en train de + infinitif	*Estamos comiendo.* Nous sommes en train de manger.
Progression dans l'action	*ir* + gérondif aller en + participe présent	*Las cosas van mejorando.* Les choses vont en s'améliorant (s'améliorent peu à peu).
Continuité dans l'action	*seguir* + gérondif continuer à + infinitif	*Sigue haciendo frío.* Il continue à faire froid.
Habitude dans l'action	*soler* + infinitif avoir l'habitude de + infinitif	*Suele llegar pronto.* Il a l'habitude d'arriver tôt.
Répétition de l'action	*volver a* + infinitif de nouveau, encore	*Ha vuelto a comprar otro libro.* Il a encore acheté un livre.
Action qui vient de s'achever	*acabar de* + infinitif venir de, finir de	*Acaba de llegar.* Il vient d'arriver.
Fin de l'action	*dejar de* + infinitif arrêter de + infinitif	*Ha dejado de fumar.* Il a arrêté de fumer.

Exercices

CORRIGÉS P. 243-244

1▶ **Remplacez les verbes par *estar* + gérondif à la forme voulue.**

Ex.: *Suena el teléfono.* → *Está sonando el teléfono.*

a. Llueve.
b. Hacéis los deberes.
c. Escriben una carta.
d. Llega el tren.
e. Salimos del colegio.

2 ▶ Complétez les phrases avec la construction verbale conjuguée qui convient.

volver a – ir gustando – ponerse a – acabar de – soler

a. Pablo, en cuanto llega, … comer.
b. A Antonio ya le … hacer deporte.
c. Mis padres … salir de casa.
d. ¿… Vd. comer en este restaurante?
e. Nosotros … invitar a los Martínez esta noche.

3 ▶ Traduisez en espagnol.

a. Ils continuent à se voir.
b. J'ai arrêté de travailler pour eux.
c. Il est en train d'écouter de la musique.
d. Nous venons de lui parler.
e. Petit à petit, il s'habitue à vivre dans cette ville.

4 ▶ Complétez les phrases avec le verbe qui convient au présent.

estar – empezar – soler – dejar – estar

a. El tiempo … empeorando.
b. Ya … a llover.
c. Isabel … comprando en aquella tienda.
d. Vosotros no … de pensar en ello.
e. Mis amigos … irse de vacaciones en agosto.

5 ▶ Traduisez en français.

a. Suele venir por aquí.
b. Pedro empieza a preocuparse.
c. No ha dejado nunca de escribirme.
d. Ahora se ha puesto a pintar.
e. ¿Has vuelto a enfadarte con ella?

51 L'expression de l'obligation

● L'obligation impersonnelle

Hay que + infinitif = Il faut + infinitif
Ex. ➤ *Hay que trabajar.* Il faut travailler.

Autres constructions

Es necesario (es preciso, hace falta) + infinitif = Il faut + infinitif
Ex. ➤ *Es necesario (es preciso, hace falta) hacer ejercicios.* Il faut faire des exercices.

● L'obligation personnelle

Tengo que, tienes que, etc. + infinitif = Je dois, tu dois, etc. + infinitif
Ex. ➤ *Tengo que ir a la ciudad.* Je dois aller en ville.

Autres constructions

• *Haber de* (conjugué) + infinitif = Devoir + infinitif
Ex. ➤ *He de saberlo antes de hacerlo.* Je dois savoir avant de le faire.

• *Deber* (conjugué) + infinitif = Devoir + infinitif
Ex. ➤ *Debemos marcharnos.* Nous devons partir.

• *Es preciso que (es necesario que, hace falta que)* + subjonctif = Il faut que je/tu, etc., + subjonctif
Ex. ➤ *Es preciso (es necesario, hace falta) que le vea.* Il faut que je le voie.

> **ATTENTION**
>
> Ne pas confondre
>
> **Deber + infinitif** qui exprime l'obligation.
> Ex. ➤ *Debo hacerlo.* Je dois le faire.
> et
> **Deber de + infinitif** qui exprime la probabilité.
> Ex. ➤ *Debe de estar enfermo.* Il doit être malade.

Exercices _____ CORRIGÉS P. 244

1 ▶ **Mettez les éléments dans l'ordre.**

a. preciso / no / me / ayudes / es / que.
b. tía / ir / que / mi / casa / tengo / a / de.
c. mal / portarte / has / tan / no / de.
d. que / fontanero / hace / venga / un / falta.
e. comprender / su / debes / situación.

2 ▶ **Mettez les verbes entre parenthèses au subjonctif quand c'est nécessaire.**

a. No hace falta que tú (*ayudarme*).
b. Es preciso (*hacer*) una nueva carretera.
c. Esta noche tengo que (*quedarme*) en casa.
d. Es necesario que ellos (*venir*) con nosotros.
e. Debo (*hacer*) los deberes al salir de clase.

3 ▶ **Traduisez les phrases en français.**

a. Tengo que hablarte.
b. No debes hacerlo.
c. Es preciso que la escuches.
d. Deben de estar enfadados.
e. Carmen debe irse.

4 ▶ **Ajoutez *de* ou *que* quand c'est nécessaire.**

a. Es preciso ... hagas un esfuerzo.
b. Tienes ... reservar antes de ir.
c. Hemos ... trabajar hasta muy tarde.
d. Es necesario ... echarle gasolina al coche.
e. Hace falta ... vayas de compras.

5 ▶ **Complétez avec *deber* ou *deber de* au présent.**

a. – ¿Qué hora será? No sé, ... ser las dos.
b. Miguel ... pedirme perdón.
c. Tú ... comer menos.
d. Su padre ... pensar que estamos locos.
e. Vosotros ... decírselo ahora.

PARTIE II. La grammaire

Ser exprime l'idée d'existence d'une personne ou d'une chose et définit donc ses caractéristiques essentielles.

Aspect de l'action	Construction verbale	Exemple
Il s'emploie pour indiquer l'origine d'une personne.	*Soy de Madrid.*	Je **suis** de Madrid.
Il s'emploie pour indiquer la profession, la nationalité, la religion, la classe sociale, etc.	*Es médico.* *Es inglés y protestante.* *Es un burgués.*	Il **est** médecin. Il **est** anglais et protestant. **C'est** un bourgeois.
Il sert à définir une personne ou une chose.	*Es una mujer joven.* *Dos y dos son cuatro.*	**C'est** une femme jeune. Deux et deux **font** quatre.
Il exprime l'existence d'un événement qui se déroule en un lieu.	*La fiesta es en la plaza.*	La fête **a** lieu sur la place.
Il exprime un jugement sur la réalité.	*Es verdad.* *Es malo.*	**C'est** vrai. **C'est** une mauvaise chose.
Il s'emploie pour demander et exprimer le prix.	*¿Cuánto es?*	**C'est** combien?
Il s'emploie pour exprimer l'heure, le jour de la semaine, la saison de l'année, etc.	*¿Qué hora es?* *¿Qué día es hoy?*	Quelle heure **est**-il? Quel jour **sommes**-nous? etc.

Exercices _____ *CORRIGÉS P. 244*

1 ▶ **Complétez avec le verbe *ser* à la forme qui convient.**

a. Marisa y Javier … sevillanos.
b. Pilar … mi profesora.
c. … las tres y cuarto.
d. ¿Cuánto …?
e. … 125 euros.

2 ▶ **Traduisez en espagnol.**

a. Juan est mon frère aîné.
b. Le défilé a lieu une fois par an.
c. Il veut être architecte.
d. Ce film est très mauvais.
e. Ce n'est pas vrai.

3 ▶ **Reliez les éléments des deux colonnes.**

a. ¿Quién
b. El 29 de junio
c. Andar
d. Las camisetas de ese equipo
e. 14 y 15

1. es bueno para la salud.
2. son 29.
3. es ese hombre?
4. son blancas.
5. es mi santo.

4 ▶ **Soulignez la forme correcte.**

a. Mis alumnos [están/son] muy inteligentes.
b. ¿No [está/es] esa chica Aurora?
c. [Son/Están] muy ricos.
d. [Es/Está] de Zaragoza.
e. ¡Hola! [Estoy/Soy] María.

5 ▶ **Soulignez les mots qui s'utilisent avec *ser*.**

Es…

a. azul.   b. mal.   c. sentado.   d. su tío.   e. de día.

53 Emploi de *estar*

▼

Estar exprime l'état et les circonstances dans lesquels se trouve une personne ou une chose et les situe dans l'espace et dans le temps.

Aspect de l'action	Construction verbale	Exemple
Il exprime une attitude, une activité, une fonction occupée par quelqu'un.	*Está atento.* *Está de viaje.* *Está de profesor en Madrid.*	Il **est** attentif. Il **est** en voyage. Il **est** professeur à Madrid.
Il exprime un état, un comportement, un état de santé.	*Está muy contento.* *Está muy bien.*	Il **est** très content. Il **va** très bien.
Il situe dans l'espace et dans le temps.	*Está aquí.* *Está de pie.* *Está muy lejos.*	Il **est** ici. Il **est** debout. Il **est** très loin.
Il exprime une opinion, une intention.	*Está a favor.* *Está en contra.*	Il **est** pour. Il **est** contre.
Il exprime avec précision la date, le mois, la saison de l'année.	*Estamos a tres de julio.* *Estamos en verano.*	Nous **sommes** le 3 juillet. Nous **sommes** en été. etc.

Exercices _____ *CORRIGÉS P. 244*

1 ▶ **Traduisez en espagnol.**

a. Nous sommes en Espagne.
b. Nous sommes le 25 septembre.
c. Nous sommes en automne.
d. Nous sommes seize.
e. Nous sommes d'accord.

2 ▶ **Complétez avec *ser* ou *estar* à la 3ᵉ personne du singulier.**

a. ¿… Juana contigo?
b. No sé dónde … .
c. … durmiendo.
d. … cansada.
e. ¿No … bien?

3 ▶ Reliez les éléments des colonnes et trouvez toutes les combinaisons possibles.

a. Están	**1.** mayores que tú.
b. Son	**2.** en su casa.
c. Es	**3.** un sombrero de paja.
d. Está	**4.** muy guapo.
e. Eres	**5.** en contra de lo que dices.

4 ▶ Complétez avec *ser* ou *estar* à la 3ᵉ personne du pluriel.

a. … enfadados.

b. … bastante antipáticos.

c. … en el cine.

d. … allí, en aquel bar.

e. … de carteros durante las vacaciones.

5 ▶ Soulignez la forme correcte.

a. Hoy [está/es] día de fiesta.

b. Ayer [fue/estuvo] viernes.

c. Miguel [está/es] estudiando medicina.

d. [Estamos/Somos] buenos amigos.

e. [Somos/Estamos] bastante cerca del mar.

54 Emploi de *ser* et *estar*

▼

Le même adjectif utilisé avec *ser* ou *estar* peut changer de sens et exprimer soit un fait essentiel, soit un fait accidentel, c'est-à-dire lié aux circonstances.

ser claro, être clair (lumineux)	*estar claro*, être clair (compréhensible)
ser cojo, être boiteux (par handicap)	*estar cojo*, boiter (provisoirement)
ser difícil, être difficile (par nature)	*estar difícil*, être difficile (dans une circonstance donnée)
ser distraído, être distrait (par nature)	*estar distraído*, être distrait (occasionnellement)
ser frío, être froid (par nature)	*estar frío*, être froid (occasionnellement)
ser guapo, être joli (par nature)	*estar guapo*, être joli (d'aspect et ponctuellement)
ser joven, être jeune (d'âge)	*estar joven*, être jeune (d'esprit, d'allure)
ser loco, être fou (par maladie)	*estar loco*, être extravagant
ser mudo, être muet (par handicap)	*estar mudo*, être muet (ne pas vouloir parler)
ser nervioso, être nerveux (par nature)	*estar nervioso*, être énervé
ser nuevo, être neuf (récent)	*estar nuevo*, être neuf (paraître neuf)
ser pobre, être pauvre (condition sociale)	*estar pobre*, être pauvre (n'avoir plus d'argent)
ser sordo, être sourd (maladie)	*estar sordo*, être sourd (ne pas vouloir entendre)
ser sucio, être sale (par nature)	*estar sucio*, être sale (accidentellement)
ser verde, être vert (de couleur)	*estar verde*, être vert (pas mûr)
ser viejo, être vieux (d'âge)	*estar viejo*, être vieux (d'esprit, d'allure)
etc.	etc.

Exercices
CORRIGÉS P. 244

1 ▶ **Barrez le verbe qui ne convient pas.**

a. [Eres/Estás] muy guapo con ese traje.
b. Ese niño [es/está] muy sucio, ¿has visto cómo come?
c. La lima [es/está] verde.
d. A finales de mes siempre [estoy/soy] pobre.
e. Este café [es/está] frío.

2 ▶ **Choisissez l'adjectif qui convient.**

distraído – difícil – mudo – nervioso – joven

a. Estaba … y no vio que se iban.
b. Cuando se casó tenía sólo 20 años, era muy … .
c. Está … porque su hija todavía no ha llegado.
d. Este ejercicio es muy … .
e. No esperes que te hable, el pobre es … .

3 ▶ **Traduisez en français.**

a. Está claro que está enamorada de él.
b. Mi coche es nuevo.
c. La mesa está muy sucia.
d. ¡Qué guapo es tu hermano!
e. Estos tomates están muy verdes.

4 ▶ **Traduisez en espagnol.**

a. C'est une maison très lumineuse.
b. Il est difficile de trouver un hôtel maintenant.
c. Mon grand-père est très vieux.
d. La glace est froide.
e. Je boite depuis lundi.

5 ▶ **Complétez avec *ser* ou *estar*.**

a. Siempre … moviéndose, … muy nervioso.
b. … tan pobre que … pidiendo en la calle.
c. Tus padres … muy jóvenes, parece que tienen 20 años menos.
d. Corre mucho al volante, … loco.
e. Puedes utilizar el cuaderno del año pasado, … nuevo.

55 *Ser* et *estar* : changement de sens

Certains adjectifs changent radicalement de sens selon qu'ils sont utilisés avec *ser* ou avec *estar*.

ser bueno, être bon	*estar bueno*, être bon (au goût)
ser delicado, être délicat	*estar delicado*, être souffrant
ser grave, être grave	*estar grave*, être gravement malade
ser listo, être intelligent	*estar listo*, être prêt
ser malo, être méchant	*estar malo*, être malade
ser moreno, être brun	*estar moreno*, être bronzé
ser rico, être riche	*estar rico*, être exquis, avoir provisoirement de l'argent
ser vivo, être vif d'esprit	*estar vivo*, être vivant, etc.

PARTIE II. La grammaire

Exercices

1 ▶ Reliez les éléments des deux colonnes.

a. ¡Qué listo	**1.** están ricos.
b. Tomás	**2.** de tanto tomar el sol.
c. Está morena	**3.** está listo.
d. Lo que has hecho	**4.** es muy grave.
e. Les ha tocado la lotería,	**5.** es Pedro!

2 ▶ Traduisez en espagnol.

a. Cette viande est très bonne avec cette sauce.
b. Victor, ne sois pas vilain !
c. Tu as vu ? Les crabes sont vivants.
d. En général, les Espagnols sont bruns.
e. Maman, es-tu prête ?

3 ▶ Traduisez en français.

a. Silvia está delicada.
b. En verano, la gente está morena.
c. Antonio es el más listo de la clase.
d. En esta pescadería el pescado es muy bueno.
e. No fui a la escuela porque estaba malo.

4 ▶ Barrez le verbe qui ne convient pas.

a. No le gusta nada, [está/es] muy delicado.
b. No [es/está] bueno que salgas con ese chico.
c. [Está/Es] muy vivo: en seguida lo entiende todo.
d. Ha comido tanto que ahora [está/es] malo.
e. Se portan muy bien con él: [son/están] muy buenos.

5 ▶ Complétez les phrases avec *es, son* ou *está*.

a. Esa familia siempre ha tenido dinero: ... todos muy ricos.
b. Ha tenido un accidente y ... grave en el hospital.
c. ¿... grave lo que tiene?
d. ... bueno tener amigos.
e. ... listo para el viaje.

La conjugaison

• Les verbes espagnols sont répartis en trois groupes en fonction de la terminaison des infinitifs.

Premier groupe :	infinitif terminé en *-ar*.
Deuxième groupe :	infinitif terminé en *-er*.
Troisième groupe :	infinitif terminé en *-ir*.

• Le verbe comporte deux parties : le **radical** et la **terminaison**.
Pour trouver le radical, il suffit d'enlever la terminaison en *-ar*, *-er*, *-ir* de l'infinitif.

• Tous les temps de la conjugaison espagnole sont formés à partir du **radical**, sauf :
– le futur de l'indicatif et le conditionnel, qui sont formés sur l'infinitif ;
– l'imparfait du subjonctif, qui est formé à partir de la troisième personne du pluriel du passé simple.

● Le présent de l'indicatif

Formation du présent de l'indicatif

Radical + terminaisons du présent de l'indicatif.

Terminaisons des verbes réguliers

Personnes		Verbes terminés en		
		-ar	**-er**	**-ir**
je	*yo*	**-o**	**-o**	**-o**
tu	*tú*	**-as**	**-es**	**-es**
il/elle/vous	*él/ella/usted*	**-a**	**-e**	**-e**
nous	*nosotros, -as*	**-amos**	**-emos**	**-imos**
vous	*vosotros, -as*	**-áis**	**-éis**	**-ís**
ils/elles/vous	*ellos/ellas/ustedes*	**-an**	**-en**	**-en**

Exercices _____ *CORRIGÉS P. 245*

1 ▶ Retrouvez l'infinitif des verbes en italique.

a. Pablo y yo *hablamos* mucho del trabajo.
b. *Salís* del colegio a las doce y media.
c. *Vives* en las afueras de Madrid.
d. *Debéis* mucho dinero en el banco.
e. Todos los días *limpian* la oficina.
f. *Bailáis* muy bien.
g. *Temen* hacer el ridículo.
h. *Escribe* muy bien en inglés.
i. *Necesito* dinero para el cine.
j. ¿*Sabes* algo de él?

2 ▶ Retrouvez les questions à ces réponses.

a. No, no como aquí, papá.
b. Sí, hablan muy bien (el) francés.
c. No, no escribimos muchas cartas.
d. No, Miguel no corre.
e. Sí, los niños leen muchos cuentos.

3 ▶ **Reliez les éléments des deux colonnes de manière à constituer une phrase qui ait un sens.**

a. Los ladridos de los perros
b. En enero, la gente
c. El ordenador de mi hijo
d. Julián,
e. Las sillas del salón

1. compra en las rebajas.
2. ¿bebes mucha leche?
3. las tapizamos hace poco.
4. no nos dejan dormir.
5. escribe en todos los idiomas.

4 ▶ **Complétez le radical des verbes entre parenthèses en mettant la bonne terminaison.**

a. Los bomberos apag… el fuego. *(apagar)*
b. Mi padre tem… que suspenda. *(temer)*
c. Vosotros cen… bastante tarde. *(cenar)*
d. Yo dud… mucho que Juan venga. *(dudar)*
e. María, ¿viv… en el mismo barrio que Ana? *(vivir)*

5 ▶ **Mettez les verbes au pluriel.**

a. Calculo mejor con una calculadora.
b. Llama a la puerta.
c. Comes rápidamente.

d. Imprimes el texto.
e. Anda por la acera.

57 Le présent de l'indicatif (1) : les verbes irréguliers

▼

● **Verbes irréguliers inclassables, d'un emploi très fréquent :**

Caber	Tenir, entrer	**quepo**, cabes, cabe, cabemos, cabéis, caben
Caer	Tomber	**caigo**, caes, cae, caemos, caéis, caen
Dar	Donner	**doy**, das, da, damos, dais, dan
Decir	Dire	**digo**, **dices**, **dice**, decimos, decís, **dicen**
Estar	Être, se trouver	**estoy**, estás, está, estamos, estáis, están
Haber	Avoir, être (auxiliaire)	**he**, **has**, **ha**, **hemos**, habéis, **han**
Hacer	Faire	**hago**, haces, hace, hacemos, hacéis, hacen
Ir	Aller	**voy**, **vas**, **va**, **vamos**, **vais**, **van**
Oír	Entendre	**oigo**, **oyes**, **oye**, oímos, oís, **oyen**
Poder	Pouvoir	**puedo**, **puedes**, **puede**, podemos, podéis, **pueden**
Poner	Mettre	**pongo**, pones, pone, ponemos, ponéis, ponen
Querer	Vouloir, aimer	**quiero**, **quieres**, **quiere**, queremos, queréis, **quieren**
Saber	Savoir	**sé**, sabes, sabe, sabemos, sabéis, saben
Salir	Sortir, partir	**salgo**, sales, sale, salimos, salís, salen
Ser	Être (essentiel)	**soy**, **eres**, **es**, **somos**, **sois**, **son**
Tener	Avoir, posséder	**tengo**, **tienes**, **tiene**, tenemos, tenéis, **tienen**
Traer	Apporter	**traigo**, traes, trae, traemos, traéis, traen
Valer	Valoir, coûter	**valgo**, vales, vale, valemos, valéis, valen
Venir	Venir	**vengo**, **vienes**, **viene**, venimos, venís, **vienen**
Ver	Voir	**veo**, ves, ve, vemos, veis, ven

Exercices

1 ▶ Répondez aux questions.

a. ¿Quieres más pan? Sí, ...
b. ¿Sabes quién es? No, ...
c. ¿Traen el dinero? No, ...

d. ¿Oye Vd. ese ruido? Sí, ...
e. ¿Es Vd. Miguel Jiménez? Sí, ...

2 ▶ Mettez les verbes entre parenthèses au présent de l'indicatif.

a. Los cubiertos no ...... en la mesa. *(estar)*
b. El taxi no ...... *(venir)*
c. Yo no ...... decirlo. *(poder)*
d. Yo ...... aquí las maletas. *(poner)*
e. Esta noche nosotros no ...... *(salir)*

3 ▶ Conjuguez les infinitifs à la 1re personne du singulier du présent de l'indicatif.

a. salir   **b.** ir   **c.** hacer   **d.** estar   **e.** decir

4 ▶ Choisissez le verbe qui correspond à chaque phrase.

caigo – quieren – quepo – pongo – está

a. ¿... Vds. comer?
b. ¡Que me ...!
c. ... la mesa todos los días.
d. Pablo no ... en casa.
e. ¿... yo también en el coche?

5 ▶ Indiquez l'infinitif de chaque verbe.

a. traigo   **b.** oyes   **c.** dice   **d.** valgo   **e.** vas

---

58 Le présent de l'indicatif (2) : les verbes en *-acer, -ecer, -ocer* et *-ucir* et les verbes en *-uir*

● **Les verbes en *-acer, -ecer, -ocer* et *-ucir***

À la première personne du singulier, *c* devient *zc* devant la terminaison *-o*.

Nacer	Naître	nazco, naces, nace, nacemos, nacéis, nacen
Obedecer	Obéir	obedezco, obedeces, obedece, obedecemos, obedecéis, obedecen
Conocer	Connaître	conozco, conoces, conoce, conocemos, conocéis, conocen
Lucir	Luire, briller	luzco, luces, luce, lucimos, lucís, lucen

● **Les verbes terminés en *-uir***

Aux trois personnes du singulier et à la troisième personne du pluriel, *i* devient *y* devant les terminaisons en *-o, -e*.

Concluir	Conclure	concluyo, concluyes, concluye, concluimos, concluís, concluyen

PARTIE III. La conjugaison

Exercices

CORRIGÉS P. 245

1 ▶ Trouvez l'intrus.

conducir – nacer – hacer – obedecer – crecer

2 ▶ Conjuguez les verbes à la 1re personne du singulier du présent de l'indicatif.

a. huir **b.** incluir **c.** introducir **d.** seducir **e.** distribuir

3 ▶ Mettez les infinitifs au présent de l'indicatif à la personne indiquée.

a. Bueno, ¿qué ....? (concluir, tú)
b. Hace tiempo que yo no .... (conducir)
c. ¿De qué ......? (huir, Vds.)
d. Esos niños siempre .... a sus padres. (obedecer)
e. Yo ...... más gordo con este traje. (parecer)

4 ▶ Soulignez la forme correcte.

a. Eso no me [parezce/parece] bien.
b. No [intuyo/intuio] nada bueno.
c. Este niño [crezco/crece] demasiado rápido.
d. No [conozo/conozco] a su familia.
e. Hoy [luce/luze] el sol.

5 ▶ Répondez aux questions par l'affirmative en tutoyant.

a. ¿Me agradeces la visita?
b. ¿Influye mucho Pedro en Javier?
c. ¿Reconstruyen el edificio?
d. Mira, ¿me favorece este color?
e. ¿Producís mucho vino?

59 Le présent de l'indicatif (3) : les verbes à diphtongue

▼

La diphtongaison affecte un certain nombre de verbes lorsque le -e ou le -o final du radical portent l'accent tonique.
Cette diphtongaison se produit aux trois personnes du singulier et à la troisième personne du pluriel.

Diphtongaison e → ie

Pensar Penser	*Perder* Perdre	*Discernir* Discerner
piens o	pierd o	disciern o
piens as	pierd es	disciern es
piens a	pierd e	disciern e
pens amos	perd emos	discern imos
pens áis	perd éis	discern ís
piens an	pierd en	disciern en

Diphtongaison *o* → *ue*

Contar	*Mover*	*Dormir*
Conter, compter	Bouger	Dormir
cuent o	muev o	duerm o
cuent as	muev es	duerm es
cuent a	muev e	duerm e
cont amos	mov emos	dorm imos
cont áis	mov éis	dorm ís
cuent an	muev en	duerm en

ATTENTION

Oler, sentir (une odeur) a une conjugaison particulière :
huelo, hueles, huele, olemos, oléis, huelen.

Exercices _____ *CORRIGÉS P. 245*

1▸ Classez les verbes en fonction de leur diphtongaison : *o* → *ue* ou *e* → *ie*.

colgar – nevar – recordar – sonar – atravesar – despertar – encerrar – aprobar –
quebrar – encontrar

2▸ Même exercice : *e* → *ie, o* → *ue* ou pas de diphtongaison.

depender – colocar – volar – calentar – robar – resolver – pretender – defender
– soltar – doblar

**3▸ Conjuguez les verbes entre parenthèses au présent de l'indicatif
à la personne voulue.**

a. Tus primos no ...... pasar por tu casa. (*pensar*)
b. Me ...... el zapato. (*apretar*)
c. Eso ...... mucho dinero. (*costar*)
d. Nosotros ...... lo que pasó. (*recordar*)
e. El agua ...... a hervir. (*empezar*)

**4▸ Complétez les phrases avec les verbes suivants en les conjuguant
à la personne voulue du présent de l'indicatif.**

encontrar – aprobar – colgar – despertar – nevar

a. Los alumnos ... el examen.
b. Elisa ... el cuadro en la pared.
c. Nosotros nos ... muy temprano.
d. ... en la montaña.
e. Yo no ... mi libro, ¿dónde estará?

5▸ Mettez les verbes à la 1ʳᵉ personne du pluriel.

a. Riego.
b. Sueñas.
c. Comprueba.
d. Confieso.
e. Friegas.

Certains verbes, au lieu d'une diphtongaison, subissent un changement de voyelle. Cette modification se produit aux trois personnes du singulier et à la troisième personne du pluriel.

Diphtongaisons		**Changements de voyelle**
i → ie	***u → ue***	***e → i***
Adquirir	*Jugar*	*Pedir*
Acquérir	Jouer	Demander
adquier o	jueg o	pid o
adquier es	jueg as	pid es
adquier e	jueg a	pid e
adquir imos	jug amos	ped imos
adquir ís	jug áis	ped ís
adquier en	jueg an	pid en

ATTENTION

Reír, rire, a une conjugaison particulière : río, ríes, ríe, reímos, reís, ríen.

Exercices
CORRIGÉS P. 245

1 ▶ **Soulignez la forme correcte.**

a. Irene no [juga/juega] con su hermano.
b. Se [divierten/diverten] mucho con él.
c. Luis [repete/repite] siempre lo mismo.
d. Te [pedo/pido] que te calles.
e. Antonio se [ríe/rei] de ti.

2 ▶ **Traduisez en espagnol.**

a. Ils rient beaucoup.
b. Nous demandons de l'argent.
c. Vous jouez aux cartes *(vouvoiement pluriel)*.
d. Avec la chaleur, le beurre fond.
e. Il mesure un mètre.

3 ▶ **Classez les verbes en fonction de la modification qu'ils subissent :**
e → *ie* ou e → *i*.

sonreír – perseguir – sentir – pedir – derretir – mentir – referir – vestir – desmentir – servir

4 ▶ **Conjuguez les verbes au présent de l'indicatif à la personne indiquée.**

a. elegir (yo)
b. sonreír (tú)
c. seguir (usted)
d. advertir (él)
e. repetir (ellos)
f. divertirse (yo)
g. mentir (nosotros)
h. seguir (vosotros)
i. vestir (tú)
j. preferir (yo)

5 ▶ **Chassez l'intrus.**

sembrar – alentar – tropezar – merendar – pedir

61 Le présent du subjonctif (1) : formation

● **Formation du présent du subjonctif**

Radical + terminaisons du présent du subjonctif.

● **Terminaisons des verbes réguliers**

Personnes		Verbes terminés en	
		-ar	*-er* et *-ir*
je	*yo*	-e	-a
tu	*tú*	-es	-as
il/elle/vous	*él/ella/usted*	-e	-a
nous	*nosotros, -as*	-emos	-amos
vous	*vosotros, -as*	-éis	-áis
ils/elles/vous	*ellos/ellas/ustedes*	-en	-an

Exercices _____ CORRIGÉS P. 245

1 ▶ Reliez les éléments des deux colonnes.

a. Nosotros   1. abra.
b. Vosotros   2. bebamos.
c. Ellos   3. canten.
d. Yo   4. bajéis.
e. Tú   5. vivas.

2 ▶ Mettez les infinitifs suivants au subjonctif à la personne voulue.

a. (Yo) pintar.   c. (Nosotros) andar.   e. (Ustedes) partir.
b. (Ella) temer.   d. (Usted) decorar.

3 ▶ Mettez les verbes au présent du subjonctif.

a. escucho   b. callan   c. grabamos   d. escribes   e. rompe

4 ▶ Soulignez la forme correcte.

a. No quiero que Margarita se [sube/suba] al árbol.
b. Esto es para que tú lo [repartís/repartas] con tus amigos.
c. No le pidas que [salte/salta] a la cuerda, no sabe.
d. Les he dejado jabón para que se [laven/lavan].
e. Si quieres que el niño [coma/come], tienes que contarle un cuento.

5 ▶ Écrivez les verbes entre parenthèses au présent du subjonctif.

a. Es necesario que Vds. ...... con su hijo. *(hablar)*
b. No admito que tú ...... algo. *(prohibirme)*
c. He sacado billetes de primera para que vosotros ...... cómodos. *(viajar)*
d. No es bueno que los jóvenes .... *(beber)*
e. Marcos, ¿qué quieres que nosotros ...... a los novios? *(regalarles)*

62 Le présent du subjonctif (2) : les verbes irréguliers

● **Subjonctifs présents particuliers**

Caber	Tenir, entrer	quepa, quepas, quepa, quepamos, quepáis, quepan
Dar	Donner	dé, des, dé, demos, deis, den
Estar	Être, se trouver	esté, estés, esté, estemos, estéis, estén
Haber	Avoir, être (auxiliaire)	haya, hayas, haya, hayamos, hayáis, hayan
Ir	Aller	vaya, vayas, vaya, vayamos, vayáis, vayan
Saber	Savoir	sepa, sepas, sepa, sepamos, sepáis, sepan
Ser	Être (essentiel)	sea, seas, sea, seamos, seáis, sean
Ver	Voir	vea, veas, vea, veamos, veáis, vean

● **Subjonctifs présents terminés en -*ga***

Si la première personne de l'indicatif présent se termine en -*go*, cette irrégularité se retrouve à toutes les personnes du subjonctif présent.
Ex. ➤ *Poner*

Indicatif présent	Subjonctif présent
Pongo	→ ponga, pongas, ponga, pongamos, pongáis, pongan

Caer	Tomber	caiga, caigas, caiga, caigamos, caigáis, caigan
Decir	Dire	diga, digas, diga, digamos, digáis, digan
Hacer	Faire	haga, hagas, haga, hagamos, hagáis, hagan
Oír	Entendre	oiga, oigas, oiga, oigamos, oigáis, oigan
Salir	Sortir, partir	salga, salgas, salga, salgamos, salgáis, salgan
Tener	Avoir, posséder	tenga, tengas, tenga, tengamos, tengáis, tengan
Traer	Apporter	traiga, traigas, traiga, traigamos, traigáis, traigan
Valer	Valoir, coûter	valga, valgas, valga, valgamos, valgáis, valgan
Venir	Venir	venga, vengas, venga, vengamos, vengáis, vengan

Exercices

_____ *CORRIGÉS P. 246*

1 ▶ Mettez les verbes au présent du subjonctif à la personne indiquée.

a. haber – 3ᵉ personne du singulier
b. dar – 1ʳᵉ personne du singulier
c. ir – 3ᵉ personne du pluriel
d. estar – 2ᵉ personne du pluriel
e. ser – 2ᵉ personne du singulier

2 ▶ Mettez les verbes entre parenthèses au présent du subjonctif.

a. Quiero que …… Vds. nuestras oficinas. (*ver*)
b. Cuando yo …… lo que pasa, te lo diré. (*saber*)
c. En cuanto tú …… lista, nos vamos. (*estar*)
d. No me gusta que tú …… siempre con ese chico. (*ir*)
e. No les …… Vd. más caramelos a los niños. (*dar*)

3 ▶ Trouvez les formes correspondantes du présent du subjonctif.

a. vengo b. ponemos c. salís d. traigo e. cae

4 ▶ Donnez l'infinitif de ces formes verbales.

a. quepan b. valgas c. oigáis d. diga e. salgamos

5 ▶ Écrivez aux 1re et 2e personnes du singulier du présent du subjonctif.

a. tener b. hacer c. estar d. oír e. dar

---

63 Le présent du subjonctif (3) : les verbes en *-acer, -ecer, -ocer* et *-ucir* et les verbes en *-uir*

● Les verbes en *-acer, -ecer, -ocer* et *-ucir*

À toutes les personnes du présent du subjonctif, *c* devient *zc* devant la terminaison *-a*.

Nacer	Naître	nazca, nazcas, nazca, nazcamos, nazcáis, nazcan
Obedecer	Obéir	obedezca, obedezcas, obedezca, obedezcamos, obedezcáis, obedezcan
Conocer	Connaître	conozca, conozcas, conozca, conozcamos, conozcáis, conozcan
Traducir	Traduire	traduzca, traduzcas, traduzca, traduzcamos, traduzcáis, traduzcan

● Les verbes en *-uir*

À toutes les personnes du présent du subjonctif, *i* devient *y* devant la terminaison *-a*.

Concluir	Conclure	concluya, concluyas, concluya, conluyamos, concluyáis, concluyan

Exercices _____ *CORRIGÉS P. 246*

1 ▶ Trouvez l'infinitif.

a. Aborrezca.
b. Desconozcan.
c. Conduzcamos.
d. Renazcas.
e. Embellezcáis.

2 ▶ Conjuguez à la 1re personne du présent du subjonctif.

a. envejecer b. producir c. crecer d. apetecer e. reducir

3 ▶ Soulignez la forme correcte.

a. Quiero que [conocas/conozcas] a mi socio.
b. ¡No sé qué tengo que hacer para que me [obedezcáis/obedezáis]!
c. Es muy tarde para que [condusca/conduzca] él solo.
d. Tiene que pasar algún tiempo para que esa planta [florecca/florezca].
e. No creo que Pedro se [enriqueca/enriquezca] de ese modo.

4 ▶ Mettez au présent du subjonctif les verbes entre parenthèses.

a. El pueblo no quiere que ...... al alcalde. (*destituirse*)
b. No ...... Vd. tan rápido. (*concluir*)
c. He encontrado a alguien para que ...... a Ramón. (*sustituir*)
d. Exijo que Vds. ...... esto en el programa. (*incluir*)
e. No dejaremos que vosotros ...... nuestros proyectos. (*destruir*)

5 ▶ Complétez les phrases avec le verbe voulu.

excluya – restablezcan – enorgullezcas – parezcas – traduzca

a. Comprendo que te ... de tu hijo.
b. No creo que se ... a ningún vecino.
c. Es preciso que Rosa nos ... ese texto.
d. Es normal que te ... a tu padre.
e. Es urgente que ... el orden.

64   Le présent du subjonctif (4) : les verbes à diphtongue

Comme au présent de l'indicatif, la **diphtongaison** se produit également au subjonctif aux trois personnes du singulier et à la troisième personne du pluriel.

Diphtongaison *e → ie*

Pensar Penser	*Perder* Perdre	*Discernir* Discerner
piens e	pierd a	disciern a
piens es	pierd as	disciern as
piens e	pierd a	disciern a
pens emos	perd amos	discern amos
pens éis	perd áis	discern áis
piens en	pierd an	disciern an

Diphtongaison *o → ue*		**Autres diphtongaisons** *i → ie*	*u → ue*
Contar Conter, compter	*Mover* Bouger	*Adquirir* Acquérir	*Jugar* Jouer
cuent e	muev a	adquier a	juegu e
cuent es	muev as	adquier as	juegu es
cuent e	muev a	adquier a	juegu e
cont emos	mov amos	adquir amos	jugu emos
cont éis	mov áis	adquir áis	jugu éis
cuent en	muev an	adquier an	juegu en

> **ATTENTION**
>
> *Oler*, sentir, a une conjugaison particulière : huela, huelas, huela, olamos, oláis, huelan.
> *Reír*, rire, a une conjugaison particulière : ría, rías, ría, riamos, riáis, rían.

Exercices

CORRIGÉS P. 246

1 ▶ Classez les verbes en fonction de leur diphtongaison.

cerrar – jugar – instituir – adquirir – poder – pensar – concluir – contar – volver – calentar

a. Diphtongaison *o* → *ue*
b. Diphtongaison *e* → *ie*
c. Diphtongaison *i* → *ie*
d. Diphtongaison *u* → *ue*
e. Changement *i* → *y*

2 ▶ Mettez au présent du subjonctif à la personne indiquée.

a. pensar – 1re personne du singulier
b. morder – 3e personne du pluriel
c. entender – 2e personne du singulier
d. jugar – 1re personne du pluriel
e. acostarse – 3e personne du singulier

3 ▶ Donnez l'infinitif des verbes en gras.

a. No creo que **pierdan** el partido.
b. Te pido que no **se lo cuentes**.
c. Les ordeno que **se sienten**.
d. Me **niego** a que **juegues** aquí.
e. Les **ruego** que no **se muevan**.

4 ▶ Soulignez la forme correcte.

a. No me gusta que [olas/huelas] tanto a perfume.
b. Me encanta que te [rías/reas].
c. Prefiero que te [quera/quiera] aunque no sea rico.
d. Es mejor que no [conten/cuenten] con nosotros.
e. No creo que se [esfuerce/esforza] mucho.

5 ▶ Chassez l'intrus.

a. llamar – escribir – beber – estar – vivir
b. hacer – valer – mirar – saber – dar
c. resplandecer – venir – relucir – renacer – desconocer
d. obstruir – constituir – desvanecer – instruir – retribuir
e. pensar – cerrar – perder – temer – querer

PARTIE III. La conjugaison

- Au subjonctif, les verbes *sentir*, *dormir*, en plus des diphtongaisons, subissent un changement de voyelle.

Diphtongaisons et changements de voyelle

$e \to ie$		$o \to ue$	
$e \to i$		$o \to u$	

Sentir		*Dormir*	
Sentir		Dormir	
sient	a	duerm	a
sient	as	duerm	as
sient	a	duerm	a
sint	amos	durm	amos
sint	áis	durm	áis
sient	an	duerm	an

- *Pedir* subit un changement de voyelle.

Changement de voyelle

$e \to i$

Pedir	
Demander	
pid	a
pid	as
pid	a
pid	amos
pid	áis
pid	an

Exercices ——————————————————————————— *CORRIGÉS P. 246*

1 ▶ Reliez les verbes qui présentent le même type de changement au présent du subjonctif.

a. pedir	**1.** mentir
b. sentir	**2.** perder
c. dormir	**3.** colgar
d. contar	**4.** vestir
e. temblar	**5.** morir

2 ▶ Conjuguez au présent du subjonctif.

a. mentir   **b.** reñir   **c.** morir   **d.** reír   **e.** hervir

3 ▶ Mettez les verbes entre parenthèses au présent du subjonctif.

a. Dile a tu padre que no …… el teléfono si llaman. (*descolgar*)

b. Niños, no …… aquí, que váis a coger frío. (*dormirse*)

c. No está bien que tú ...... tanto dinero a Andrés. (*pedirle*)

d. No ...... remordimientos, no es culpa tuya. (*sentir*)

e. No os permito que .... (*mentir*)

4 ▶ Mettez les formes verbales au présent du subjonctif.

a. herimos   **b.** reñís   **c.** frío   **d.** dormimos   **e.** digieres

5 ▶ Traduisez en espagnol.

a. Il faut que tu dormes.

b. Ne me demande pas de le faire.

c. J'espère que vous regretterez ce qui s'est passé.

d. Nous ne voulons pas qu'ils viennent.

e. Il est important que tu nous le dises.

66 L'impératif (1) : formation à la forme affirmative

● Formation de l'impératif affirmatif

• Le tutoiement singulier se forme à partir de la deuxième personne du présent de l'indicatif moins le *s*.

• Le tutoiement pluriel se forme en remplaçant le -*r* final de l'infinitif par *d*.

• Les trois autres personnes proviennent intégralement du subjonctif présent.

Ex. ➤ *Cantar*

	Indicatif présent	Impératif	Subjonctif présent
	canto		cante
Suppression du *s*	cantas	**canta (tú)**	cantes
	canta	**cante (usted)**	cante
	cantamos	**cantemos (nosotros, -as)**	cantemos
Infinitif : *r → d*	cantáis	**cantad (vosotros, -as)**	cantéis
	cantan	**canten (ustedes)**	canten

● Les terminaisons des verbes réguliers

		Verbes terminés en		
Personnes		-*ar*	-*er*	-*ir*
tu	*tú*	-a	-e	-e
il / elle / vous	*él / ella / usted*	-e	-a	-a
nous	*nosotros, -as*	-emos	-amos	-amos
vous	*vosotros, -as*	-ad	-ed	-id
ils / elles / vous	*ellos / ellas / ustedes*	-en	-an	-an

● Les impératifs affirmatifs irréguliers

Decir	Dire	**di**, diga, digamos, decid, digan
Hacer	Faire	**haz**, haga, hagamos, haced, hagan
Ir	Aller	**ve**, vaya, vamos o vayamos, id, vayan
Poner	Mettre	**pon**, ponga, pongamos, poned, pongan
Salir	Sortir	**sal**, salga, salgamos, salid, salgan
Ser	Être (essentiel)	**sé**, sea, seamos, sed, sean
Tener	Avoir, posséder	**ten**, tenga, tengamos, tened, tengan
Venir	Venir	**ven**, venga, vengamos, venid, vengan

Exercices

_____ *CORRIGÉS P. 246*

1 ▶ Mettez les formes verbales à l'impératif (tutoiement singulier).

a. bajas **b.** traes **c.** eliges **d.** riegas **e.** subes

2 ▶ Mettez les formes verbales à l'impératif (tutoiement pluriel).

a. callar **b.** bromear **c.** comer **d.** perder **e.** abrir

3 ▶ Donnez les impératifs correspondants.

a. corremos **b.** escribís **c.** hueles **d.** piensan **e.** compra

4 ▶ Traduisez en espagnol.

a. sortons **c.** venez (Vd.) **e.** travaillons
b. attendez (Vds.) **d.** regardez (Vds.)

5 ▶ Mettez les verbes à l'impératif (2ᵉ personne singulier).

a. hacer **b.** poner **c.** tener **d.** salir **e.** venir

---

67 L'impératif (2) : formation à la forme négative

▼

Toutes les formes de l'impératif négatif se forment avec le présent du subjonctif précédé de *no*.
Seules les formes du tutoiement singulier et pluriel se modifient en passant de l'impératif affirmatif à l'impératif négatif.
Ex. ➤ *Cantar*

Impératif affirmatif	Présent du subjonctif	Impératif négatif
	cante	
canta	cantes	**no cantes**
cante	cante	no cante
cantemos	cantemos	no cantemos
cantad	cantéis	**no cantéis**
canten	canten	no canten

Exercices

CORRIGÉS P. 246-247

1 ▷ Mettez à la forme négative.

a. lea b. sean c. esté d. sintamos e. vaya

2 ▷ Même exercice.

a. corre b. id c. di d. poned e. ve

3 ▷ Mettez à la forme affirmative.

a. No hagáis eso.
b. No seas malo.
c. No vengáis mañana.
d. No digáis mentiras.
e. No vayas por ahí.

4 ▷ Conjuguez à l'impératif négatif.

a. volver b. pedir c. tener d. informar e. colocar

5 ▷ Donnez l'impératif contraire (affirmatif ou négatif).

a. cae b. no resistan c. no digamos d. tened e. salid

68 L'imparfait de l'indicatif

● Formation de l'imparfait de l'indicatif

Radical + terminaisons de l'imparfait de l'indicatif.

● Les terminaisons des verbes réguliers

Personnes		Verbes terminés en	
		-ar	*-er* et *-ir*
je	*yo*	-aba	-ía
tu	*tú*	-abas	-ías
il/elle/vous	*él/ella/usted*	-aba	-ía
nous	*nosotros, -as*	-ábamos	-íamos
vous	*vosotros, -as*	-abais	-íais
ils/elles/vous	*ellos/ellas/ustedes*	-aban	-ían

● Les imparfaits irréguliers

Seuls trois imparfaits de l'indicatif sont irréguliers en espagnol :

Ir	Aller	iba, ibas, iba, íbamos, ibais, iban
Ser	Être (essentiel)	era, eras, era, éramos, erais, eran
Ver	Voir	veía, veías, veía, veíamos, veíais, veían

PARTIE III. La conjugaison

Exercices

CORRIGÉS P. 247

1 ▶ Mettez à l'imparfait.

a. Tomás viene los domingos.
b. Siempre están peleándose.
c. Se enfada cuando le despiertan.
d. Tenemos mucho trabajo.
e. Se sabe muy bien la lección.

2 ▶ Soulignez la forme correcte.

a. Les [trábamos / traíamos] regalos a menudo.
b. ¿Qué [queríais / querabais] decir?
c. [Piensabas / Pensabas] que era mejor así.
d. [Salaba / Salía] todas las noches.
e. [Empezabais / Empecíais] el curso en octubre.

3 ▶ Mettez les verbes entre parenthèses à l'imparfait.

a. ¿No ...... la tarjeta? (encontrar – tú)
b. Me la ...... dejado en el supermercado. (haber – yo)
c. No ...... comprar nada más. (poder – nosotros)
d. ¿No ...... dinero en efectivo? (llevar – vosotros)
e. No ...... bastante. (quedarse – nosotros)

4 ▶ Complétez les phrases avec _ir, ser_ ou _ver_ à l'imparfait (3ᵉ personne du singulier).

a. ... demasiado tarde.
b. ... a verla todas las tardes.
c. ... muy simpático.
d. No ... bien de lejos.
e. Siempre ... muy bien vestida.

5 ▶ Traduisez en espagnol.

a. Mes tantes allaient au marché tous les samedis.
b. Nous étions très bons amis.
c. Je voyais partir les voisins très tôt le matin.
d. Tu allais trop vite.
e. Le soir, nous regardions la télé.

69 Le passé simple (1) : formation

Formation du passé simple

Radical + terminaisons du passé simple.

Personnes		Verbes terminés en	
		-ar	-er et -ir
je	yo	-é	-í
tu	tú	-aste	-iste
il/elle/vous	él/ella/usted	-ó	-ió
nous	nosotros, -as	-amos	-imos
vous	vosotros, -as	-asteis	-isteis
ils/elles/vous	ellos/ellas/ustedes	-aron	-ieron

Exercices _____ CORRIGÉS P. 247

1 ▶ Mettez au passé simple à la 3ᵉ personne du singulier.

a. molestar   **b.** temer   **c.** tapar   **d.** resumir   **e.** mover

2 ▶ Mettez au passé simple.

a. Eso me extraña mucho.
b. Nos levantamos muy temprano.
c. Salen a las doce.
d. Bebéis demasiado.
e. Trabajas en unos grandes almacenes.

3 ▶ Mettez les verbes entre parenthèses au passé simple.

a. Anoche ...... mucho. *(divertirnos)*
b. Yo ...... sin leer el documento. *(firmar)*
c. Una vez más, ... ellos. *(vencernos)*
d. ¿No le ...... tú ayer? *(ver)*
e. ¿A qué hora ...... vosotros? *(volver)*

4 ▶ Complétez avec les verbes proposés.

dejaste – rompieron – mereciste – regaló – decidí

a. Su novio le ... un vestido muy bonito.
b. ... dos cristales del patio.
c. ... dejar ese trabajo.
d. Ayer me ... plantado.
e. ... la recompensa.

5 ▶ Reliez les éléments des deux colonnes.

a. Llamé
b. Le miré
c. Llegaste
d. Quedamos
e. Se escondió

1. y me enamoré.
2. y se perdió.
3. y entré.
4. y nos vimos.
5. y te acostaste.

Andar	Marcher	anduve, anduviste, anduvo, anduvimos, anduvisteis, anduvieron
Caber	Tenir, entrer	cupe, cupiste, cupo, cupimos, cupisteis, cupieron
Dar	Donner	di, diste, dio, dimos, disteis, dieron
Decir	Dire	dije, dijiste, dijo, dijimos, dijisteis, dijeron
Estar	Être, se trouver	estuve, estuviste, estuvo, estuvimos, estuvisteis, estuvieron
Haber	Avoir, être (auxiliaire)	hube, hubiste, hubo, hubimos, hubisteis, hubieron
Hacer	Faire	hice, hiciste, hizo, hicimos, hicisteis, hicieron
Ir	Aller	fui, fuiste, fue, fuimos, fuisteis, fueron
Poder	Pouvoir	pude, pudiste, pudo, pudimos, pudisteis, pudieron
Poner	Mettre	puse, pusiste, puso, pusimos, pusisteis, pusieron
Querer	Vouloir, aimer	quise, quisiste, quiso, quisimos, quisisteis, quisieron
Saber	Savoir	supe, supiste, supo, supimos, supisteis, supieron
Ser	Être (essentiel)	fui, fuiste, fue, fuimos, fuisteis, fueron
Tener	Avoir, posséder	tuve, tuviste, tuvo, tuvimos, tuvisteis, tuvieron
Traer	Apporter	traje, trajiste, trajo, trajimos, trajisteis, trajeron
Venir	Venir	vine, viniste, vino, vinimos, vinisteis, vinieron

ATTENTION

Ces verbes irréguliers ne portent pas d'accent écrit.

Exercices

CORRIGÉS P. 247

1 ▶ **Donnez l'infinitif.**

a. quisiste   b. fuisteis   c. anduvimos   d. cupe   e. estuvieron

2 ▶ **Conjuguez à la 1ʳᵉ personne du singulier du passé simple.**

a. poder   b. tener   c. decir   d. saber   e. poner

3 ▶ **Reliez les éléments des deux colonnes.**

a. fui   1. dar
b. dieron   2. traer
c. hubimos   3. ser/ir
d. trajiste   4. venir
e. viniste   5. haber

4 ▶ Mettez les verbes en gras au passé simple.

a. ¿Qué **haces** durante las vacaciones?
b. No **puede** venir.
c. No **sabemos** qué hacer.
d. No **son** ellos.
e. **Estoy** muy a gusto con vosotros.

5 ▶ Mettez les verbes entre parenthèses au passé simple.

a. La semana pasada, Ana ...... enferma. *(ponerse)*
b. ...... algunos recuerdos del viaje. *(traer – yo)*
c. Todos los presentes ...... que no. *(decir)*
d. No ...... todo en la maleta. *(caber)*
e. Los profesores no ...... dar clase. *(querer)*

71 Le passé simple (3) : les verbes à changement de voyelle

Modifications aux troisièmes personnes du singulier et du pluriel

$o \to u$		$e \to i$	
Dormir	*Pedir*	*Reír*	*Sentir*
Dormir	Demander	Rire	Sentir
dorm í	ped í	re í	sent í
dorm iste	ped iste	re íste	sent iste
durm ió	pid ió	ri ó	sint ió
dorm imos	ped imos	re ímos	sent imos
dorm isteis	ped isteis	re ísteis	sent isteis
durm ieron	pid ieron	ri eron	sint ieron

Modifications de la terminaison i → y aux troisièmes personnes du singulier et du pluriel

$i \to y$			
Concluir	*Leer*	*Caer*	*Oír*
Conclure	Lire	Tomber	Entendre
conclu í	le í	ca í	o í
conclu iste	le íste	ca íste	o íste
conclu yó	le yó	ca yó	o yó
conclu imos	le ímos	ca ímos	o ímos
conclu isteis	le ísteis	ca ísteis	o ísteis
conclu yeron	le yeron	ca yeron	o yeron

Les verbes terminés en -ducir

À toutes les personnes du passé simple et de l'imparfait du subjonctif, *c* devient *j*.
Ex. ➤ *Traducir*, traduire : traduje, tradujiste, tradujo, tradujimos, tradujisteis, tradujeron.

———— *CORRIGÉS P. 247*

1 ▶ Conjuguez ces verbes à la 3ᵉ personne du singulier du passé simple.

a. sentir **b.** dormir **c.** pedir **d.** reñir **e.** reír.

2 ▶ Conjuguez ces verbes à la 3ᵉ personne du pluriel du passé simple.

a. caer **b.** dormir **c.** despedir **d.** traducir **e.** reducir

3 ▶ Trouvez l'infinitif.

a. oímos **b.** creíste **c.** caí **d.** leímos **e.** concluisteis

4 ▶ Mettez les verbes entre parenthèses au passé simple.

a. ¿Qué libro ...... Vd.? (*leer*)
b. ...... que no. (*concluir – ellos*)
c. Manuel no ...... las noticias. (*oír*)
d. ...... que era el médico. (*creer – yo*)
e. Ayer ...... granizo. (*caer*)

5 ▶ Traduisez en espagnol, en utilisant le passé simple.

a. Ils sont tombés dans le piège.
b. Ils n'ont pas lu le journal d'hier.
c. Avez-vous cru ce qu'il a dit ? (Vds.)
d. Ils ont entendu du bruit.
e. La semaine dernière, Pedro s'est endormi en cours.

72 L'imparfait du subjonctif

▼

- L'imparfait du subjonctif est toujours formé sur la troisième personne du pluriel du passé simple, en remplaçant la terminaison -*ron* par les terminaisons correspondantes de l'imparfait du subjonctif.

Les terminaisons de l'imparfait du subjonctif pour les trois groupes de verbes peuvent avoir deux formes :

-ra	ou	-se
-ras	ou	-ses
-ra	ou	-se
-ramos	ou	-semos
-rais	ou	-seis
-ran	ou	-sen

- Les deux formes peuvent être utilisées indifféremment.

Ex. → *Cantar*

3ᵉ personne du pluriel du passé simple : cantaron → imparfait du subjonctif :

cantara, cantaras, cantara, cantáramos, cantarais, cantaran

ou

cantase, cantases, cantase, cantásemos, cantaseis, cantasen

Exercices

CORRIGÉS P. 247

1 ▶ Conjuguez à l'imparfait du subjonctif (1re forme).

a. apostar   **b.** permanecer   **c.** vivir   **d.** arreglar   **e.** coser

2 ▶ Mettez à l'imparfait du subjonctif (1re et 2e formes).

a. pedisteis   **b.** oí   **c.** concluyó   **d.** dormimos   **e.** sentí

3 ▶ Donnez la 3e personne du pluriel du passé simple
et de l'imparfait du subjonctif (1re forme).

a. distraer   **b.** saber   **c.** hacer   **d.** querer   **e.** estar

4 ▶ Mettez les verbes entre parenthèses à l'imparfait du subjonctif (1re forme).

a. ¡Ojalá me lo......! *(decir – él)*
b. Prepárate por si ...... *(salir – nosotros)*
c. Hace como si no ...... *(conocerme)*
d. Viven como si no ...... dinero. *(tener – ellos)*
e. Llévate el DNI por si ...... falta. *(hacer)*

5 ▶ Donnez la 2e forme de l'imparfait du subjonctif.

a. Vivieran.
b. Anduvieran.
c. Dijeras.
d. Pudiéramos.
e. Trajerais.

---

73 Le futur et le conditionnel

● Formation du futur et du conditionnel

Infinitif + terminaisons du futur ou du conditionnel.

● Les terminaisons du futur et du conditionnel

		Verbes en *-ar*, *-er* et *-ir*	
		Futur	Conditionnel
je	*yo*	-é	-ía
tu	*tú*	-ás	-ías
il/elle/vous	*él/ella/usted*	-á	-ía
nous	*nosotros, -as*	-emos	-íamos
vous	*vosotros, -as*	-éis	-íais
ils/elles/vous	*ellos/ellas/ustedes*	-án	-ían

Caber Tenir, entrer
| Futur | cabré, cabrás, cabrá, cabremos, cabréis, cabrán |
| Conditionnel | cabría, cabrías, cabría, cabríamos, cabríais, cabrían |

Decir Dire
| Futur | diré, dirás, dirá, diremos, diréis, dirán |
| Conditionnel | diría, dirías, diría, diríamos, diríais, dirían |

Haber Avoir, être (auxiliaire)
| Futur | habré, habrás, habrá, habremos, habréis, habrán |
| Conditionnel | habría, habrías, habría, habríamos, habríais, habrían |

Hacer Faire
| Futur | haré, harás, hará, haremos, haréis, harán |
| Conditionnel | haría, harías, haría, haríamos, haríais, harían |

Poder Pouvoir
| Futur | podré, podrás, podrá, podremos, podréis, podrán |
| Conditionnel | podría, podrías, podría, podríamos, podríais, podrían |

Poner Mettre
| Futur | pondré, pondrás, pondrá, pondremos, pondréis, pondrán |
| Conditionnel | pondría, pondrías, pondría, pondríamos, pondríais, pondrían |

Querer Vouloir, aimer
| Futur | querré, querrás, querrá, querremos, querréis, querrán |
| Conditionnel | querría, querrías, querría, querríamos, querríais, querrían |

Saber Savoir
| Futur | sabré, sabrás, sabrá, sabremos, sabréis, sabrán |
| Conditionnel | sabría, sabrías, sabría, sabríamos, sabríais, sabrían |

Salir Sortir, partir
| Futur | saldré, saldrás, saldrá, saldremos, saldréis, saldrán |
| Conditionnel | saldría, saldrías, saldría, saldríamos, saldríais, saldrían |

Tener Avoir, posséder
| Futur | tendré, tendrás, tendrá, tendremos, tendréis, tendrán |
| Conditionnel | tendría, tendrías, tendría, tendríamos, tendríais, tendrían |

Valer Valoir, coûter
| Futur | valdré, valdrás, valdrá, valdremos, valdréis, valdrán |
| Conditionnel | valdría, valdrías, valdría, valdríamos, valdríais, valdrían |

Venir Venir
| Futur | vendré, vendrás, vendrá, vendremos, vendréis, vendrán |
| Conditionnel | vendría, vendrías, vendría, vendríamos, vendríais, vendrían |

Exercices

CORRIGÉS P. 247-248

1 ▶ **Mettez au futur.**

a. pintas   b. crecéis   c. sufren   d. giro   e. vuelve

2 ▶ **Mettez au conditionnel.**

a. cuentas   b. pierden   c. servimos   d. nazco   e. salgo

3 ▶ **Donnez la 1ʳᵉ personne singulier du futur et du conditionnel.**

a. haber   b. poner   c. poder   d. querer   e. tener

4 ▶ Mettez les verbes en gras au futur.

a. Si se lo digo, **se va**.
b. Si se hace muy tarde, **se duermen**.
c. ¿**Juegas** conmigo al ajedrez?
d. No **conduzcáis** de noche.
e. Si lo necesito, lo **pido**.

5 ▶ Mettez les phrases au futur.

a. No viene hoy, llega mañana.
b. Hacemos la reserva y vamos este verano.
c. Se lo digo y se lo cuenta a todos.
d. Se viste y sale.
e. Me mira y se pone colorado.

74 Le gérondif

▼

• Le gérondif espagnol correspond en français au participe présent précédé de **en** :
Ex. ▸ *durmiendo*, en dormant
• Le gérondif est invariable.

● Formation du gérondif

Verbes terminés en *-ar* : radical + *-ando*.
Verbes terminés en *-er* et *-ir* : radical + *-iendo*.

Cantar, Chanter → *cantando*, (en) chantant
Beber, Boire → *bebiendo*, (en) buvant
Vivir, Vivre, habiter → *viviendo*, (en) vivant

● Les gérondifs irréguliers

Decir	Dire	diciendo
Dormir	Dormir	durmiendo
Morir	Mourir	muriendo
Pedir	Demander	pidiendo
Poder	Pouvoir	pudiendo
Reír	Rire	riendo
Sentir	Sentir	sintiendo
Venir	Venir	viniendo

Et les formes dérivées (verbes de la même famille) de ces verbes.

● Les gérondifs particuliers : modification de la terminaison *i* → *y*

Caer	Tomber	cayendo
Concluir	Conclure	concluyendo
Ir	Aller	yendo
Leer	Lire	leyendo
Oír	Entendre	oyendo
Traer	Apporter	trayendo

Et les formes dérivées (verbes de la même famille) de ces verbes.

Exercices

CORRIGÉS P. 248

1 ▶ **Donnez le gérondif.**

a. lavar **b.** mecer **c.** cerrar **d.** escribir **e.** romper

2 ▶ **Soulignez le gérondif correct.**

a. vestiendo / vistiendo
b. subiendo / subando
c. temando / temiendo
d. gritando / gritiendo
e. pidiendo / pediendo

3 ▶ **Mettez les verbes entre parenthèses au gérondif.**

a. ¿Qué me estás......? *(decir)*
b. Salvador está ...... *(dormir)*
c. Se están ...... de nosotros. *(reír)*
d. Su abuelo se está ...... *(morir)*
e. Llevan tres años ...... *(venir)*

4 ▶ **Donnez l'infinitif des gérondifs suivants.**

a. pudiendo **b.** leyendo **c.** trayendo **d.** sintiendo **e.** cayendo

5 ▶ **Traduisez en espagnol.**

a. en entendant **b.** en allant **c.** en concluant **d.** en croyant **e.** en marchant

75 Le participe passé

● Formation du participe passé

Verbes terminés en *-ar* : radical + *-ado*.
Verbes terminés en *-er* et *-ir* : radical + *-ido*.

Cantar, Chanter → *cantado,* chanté
Beber, Boire → *bebido,* bu
Vivir, Vivre, habiter → *vivido,* vécu

● Les participes passés irréguliers

Abrir	Ouvrir	**abierto**
Cubrir	Couvrir	**cubierto**
Decir	Dire	**dicho**
Escribir	Écrire	**escrito**
Hacer	Faire	**hecho**
Morir	Mourir	**muerto**
Poner	Mettre	**puesto**
Romper	Rompre	**roto**
Ver	Voir	**visto**
Volver	Revenir	**vuelto**

Et les formes dérivées (verbes de la même famille) de ces verbes.

● **Les participes passés particuliers**

Accent écrit sur le *i* de la terminaison : *i* → *í*

Caer	Tomber	caído
Leer	Lire	leído
Oír	Entendre	oído
Reír	Rire	reído
Traer	Apporter	traído

Et les formes dérivées (verbes de la même famille) de ces verbes.

Exercices _____ *CORRIGÉS P. 248*

1 ▶ **Trouvez le participe passé.**

a. esconder **b.** elegir **c.** hablar **d.** ejercer **e.** esforzar

2 ▶ **Soulignez la forme correcte.**

a. cabido/cabito **c.** movido/muelto **e.** decidido/decidicho
b. volvido/vuelto **d.** dicho/decido

3 ▶ **Mettez les verbes entre parenthèses au participe passé.**

a. Yo no lo he ...... *(hacer)* **d.** Ya he ......, la carta. *(escribir)*
b. ¿Quién lo ha ......? *(romper)* **e.** No me han ...... la puerta. *(abrir)*
c. ¿Le has ......? *(ver)*

4 ▶ **Donnez l'infinitif des participes passés suivants.**

a. puesto **b.** cubierto **c.** muerto **d.** dicho **e.** creído

5 ▶ **Reliez les éléments des deux colonnes.**

a. ver **1.** venido
b. volver **2.** hecho
c. haber **3.** vuelto
d. hacer **4.** habido
e. venir **5.** visto

76 Les temps composés

• En espagnol, le seul auxiliaire utilisé pour former les temps composés de la voix active est le verbe *haber*.
Ex. ➤ *He venido*. Je suis venu.

• Le participe passé des temps composés ne peut être séparé de l'auxiliaire *haber* par aucun mot.
Ex. ➤ *He comido bien* (et non pas *He bien comido*). J'ai bien mangé.

• Le participe passé conjugué avec *haber* est invariable.

Exercices

1 ▶ Traduisez en espagnol en utilisant le passé composé.

a. Je suis bien arrivé.
b. Il a très bien répondu.
c. Tu as cassé la lampe.
d. Nous sommes montés jusqu'au dernier étage.
e. Mes amies sont venues me voir.

2 ▶ Soulignez la forme correcte.

a. Los alumnos no han [salido/salidos] hoy al patio.
b. No me has [aún dicho/dicho aún] si te ha gustado mi regalo.
c. La película ha [estado/estada] muy bien.
d. No me ha [parecido bien/bien parecido] que lleguen a estas horas.
e. La conferencia ha sido [aburrido/aburrida].

3 ▶ Mettez les verbes entre parenthèses au passé composé.

a. La comida ...... mucho. (*gustarles*)
b. Estos niños ...... lo que ...... (*ver – pasar*)
c. Juan no ...... desde hace tiempo. (*escribirme*)
d. Las vecinas ...... las plantas. (*regarnos*)
e. El viento ...... el culpable. (*ser*)

4 ▶ Mettez l'adverbe à la place qui convient.

a. He ... dormido ... esta noche. (*mal*)
b. Han ... trabajado ... . (*mucho*)
c. Se ha ... restablecido ... . (*muy pronto*)
d. Hemos ... cenado ... . (*muy bien*)
e. Tus sobrinos han ... visto ... la tele. (*demasiado*)

5 ▶ Traduisez en français.

a. Habéis entendido pronto el problema.
b. No han querido venir.
c. Tu hermana se ha quedado demasiado tiempo con ellos.
d. Han ganado otra vez.
e. Habéis jugado muy bien.

---

77 Les modifications orthographiques (1) : les verbes terminés en *-car, -gar* et *-zar*

▼

• Certains verbes, réguliers ou irréguliers, subissent des modifications orthographiques, soit pour garder le son final de la consonne du radical, soit pour suivre les règles d'orthographe.

• Ces modifications affectent les consonnes, les voyelles ou l'accentuation écrite.

• Un même verbe peut subir plusieurs modifications orthographiques en même temps.

Verbes terminés en	Modification devant -e	Modèle	Impératif	Subj. présent	Passé simple
-car	c → qu	*Tocar* Toucher	toca toque toquemos tocad toquen	toque toques toque toquemos toquéis toquen	toqué tocaste tocó tocamos tocasteis tocaron
-gar	g → gu	*Pagar* Payer	paga pague paguemos pagad paguen	pague pagues pague paguemos paguéis paguen	pagué pagaste pagó pagamos pagasteis pagaron
-zar	z → c	*Cazar* Chasser	caza cace cacemos cazad cacen	cace caces cace cacemos cacéis cacen	cacé cazaste cazó cazamos cazasteis cazaron

Exercices

CORRIGÉS P. 248

1 ▶ Conjuguez au présent de l'indicatif.

a. paguéis   **b.** lance (yo)   **c.** recé   **d.** deleguen   **e.** aparques

2 ▶ Mettez les verbes entre parenthèses au présent du subjonctif.

a. Te he dicho que ...... la luz. (*apagar*)
b. Por favor, señores, no ...... los cuadros. (*tocar*)
c. No creo que ellos ...... gran cosa hoy. (*cazar*)
d. No ...... tanto, que luego te duele la espalda. (*cargarte*)
e. Os he dicho que no ...... el dibujo. (*calcar*)

3 ▶ Donnez l'infinitif.

a. relegue   **b.** aticéis   **c.** legues   **d.** convoqué   **e.** retocemos

4 ▶ Soulignez la forme correcte.

a. ¡Que [repicen/repiquen] las campanas!
b. No creo que le [toque/toce] a Vd. todavía.
c. [Ensalzar/Ensalcar] es sinónimo de elogiar.
d. Eso no hay quien se lo [trage/trague].
e. Mientras no se [unifizen/unifiquen] tendrán problemas.

5 ▶ Mettez les verbes entre parenthèses au temps qui convient.

a. El otro día ...... demasiado las plantas. (*regar – yo*)
b. Lo que hace falta es que los dos ...... mucho. (*dialogar*)
c. Yo ...... a todos sin que se dieran cuenta. (*embaucarles*)
d. ...... si tiene los oídos tapados. (*bostezar – Vd.*)
e. Esta tarde, Andrés ...... en plena ciudad. (*descalzarse*)

▼

Verbes terminés en	Modification devant -o et -a	Modèle	Indicatif présent	Impératif	Subjonctif présent
-cer	c → z	*Vencer* Vaincre	venzo vences vence vencemos vencéis vencen	vence venza venzamos venced venzan	venza venzas venza venzamos venzáis venzan
-cir	c → z	*Esparcir* Répandre	esparzo esparces esparce esparcimos esparcís esparcen	esparce esparza esparzamos esparced esparzan	esparza esparzas esparza esparzamos esparzáis esparzan
-ger	g → j	*Coger* Prendre	cojo coges coge cogemos cogéis cogen	coge coja cojamos coged cojan	coja cojas coja cojamos cojáis cojan
-gir	g → j	*Dirigir* Diriger	dirijo diriges dirige dirigimos dirigís dirigen	dirige dirija dirijamos dirigid dirijan	dirija dirijas dirija dirijamos dirijáis dirijan
-guir	gu → g	*Distinguir* Distinguer	distingo distingues distingue distinguimos distinguís distinguen	distingue distinga distingamos distinguid distingan	distinga distingas distinga distingamos distingáis distingan

Exercices
CORRIGÉS P. 248

1 ▶ Conjuguez les verbes au présent de l'indicatif.

a. Esparza. (yo)
b. Cozamos.
c. Restrinja. (él)
d. Cojan.
e. Distingas.

2 ▶ Mettez les verbes entre parenthèses au présent du subjonctif.

a. No creo que tus argumentos ...... *(convencerle)*
b. Quiero que Antonio ...... el negocio. *(dirigir)*
c. No ...... nosotros los daños, deben hacerlo ellos. *(resarcir)*
d. Aunque ...... hacerlo, tendrá que esperar. *(urgirle)*
e. Os dejamos aquí para que ...... el tren. *(coger)*

3 ▶ Mettez les verbes entre parenthèses à l'impératif.

a. ... la llave del buzón. *(coger – tú)*
b. ... bien los dos objetivos. *(distinguir – Vds.)*
c. ... la operación. *(dirigir – nosotros)*
d. ... el serrín por el suelo. *(esparcir – tú)*
e. ... el presupuesto. *(restringir – Vd.)*

4 ▶ Soulignez la forme correcte.

a. Su padre [dirije / dirige] una fábrica de conservas.
b. Está tan oscuro que no [distingo / distinguo] nada.
c. Cuando [venzamos / vencamos] se darán cuenta de su error.
d. [Erijieron / Erigieron] una estatua en honor al alcalde.
e. Niños, [recoged / recojed] lo que habéis tirado.

5 ▶ Complétez avec le verbe qui convient conjugué au temps nécessaire.

rugir – escoger – conseguir – sobrecoger – convencer

a. Se asustó, pues el ruido le ... .
b. El león ... .
c. ¿Le has traído para que me ...?
d. Le animamos para que ... lo que quiere.
e. ... entre estos modelos, señora.

79 Les modifications orthographiques (3) : suppression ou modification du *i*

▼

Le *i* disparaît pour les verbes qui se terminent en -*ñer*, -*ñir*, -*ullir*.

Verbes terminés en	Modèle	Modification	Temps et personnes
-*ñer*	*Tañer*, jouer (instrument musical)	suppression du *i*	• au passé simple, aux 3e pers. du sing. et du pluriel ;
-*ñir* -*ullir*	*Bruñir*, polir, lustrer *Teñir*, teindre		• au subj. imparfait, à toutes les personnes ; • au gérondif.

Ex. ➙ *Tañer* (passé simple) tañó ... tañeron ; (imparfait du subjonctif) tañera, tañeras, tañera... ; (gérondif) tañendo.

Le *i* devient *y* pour quelques verbes.			
Verbes terminés en	Modèle	Modification	Temps et personnes
-eer *-aer* *-üir* *-uir*	*Leer*, lire *Caer*, tomber *Argüir*, déduire *Concluir*, conclure	*i → y*	• au **passé simple**, aux 3ᵉ pers. du sing. et du pluriel ; • au **subj. imparfait**, à toutes les pers. ; • au **gérondif**.

Ex. → *Leer* (passé simple) leyó ... leyeron ; (imparfait du subjonctif) leyera, leyeras, leyera... ; (gérondif) leyendo.

Exercices

CORRIGÉS P. 248-249

1 ▶ **Reliez les éléments des deux colonnes.**

a. reñir   **1.** concluir
b. constituir   **2.** dirigir
c. tocar   **3.** caer
d. erigir   **4.** teñir
e. leer   **5.** aparcar

2 ▶ **Donnez la 3ᵉ personne du singulier du passé simple.**

a. tañer   b. mullir   c. teñir   d. bruñir   e. reñir

3 ▶ **Conjuguez à la 1ʳᵉ personne du singulier de l'imparfait du subjonctif (1ʳᵉ et 2ᵉ formes).**

a. caer   b. ceñir   c. argüir   d. leer   e. destituir

4 ▶ **Soulignez la forme correcte.**

a. restituiendo / restituyendo
b. pidiendo / pidendo
c. creyendo / creiendo
d. temendo / temiendo
e. tiñiendo / tiñendo

5 ▶ **Complétez avec le verbe qui convient.**

huyeran – creyéndose – tiñó – tañeran – cayó

a. Estuvo mucho tiempo ... todo lo que él le decía.
b. Le gustaba que ... las campanas de la iglesia.
c. Se ... de la silla y se hizo daño.
d. Se ... el pelo porque tenía canas.
e. No se lo dijimos para que no ... .

Lorsque le radical du verbe comporte une diphtongue et que l'accent tonique tombe sur la voyelle faible, on parle alors de rupture de la diphtongue puisque celle-ci se décompose en deux syllabes. Pour marquer cette rupture de la diphtongue, on place un accent écrit sur la voyelle faible (i, u).
Cela se produit avec un certain nombre de verbes.

Verbe	Modification	Situation	Temps et personnes
Aislar, isoler	i → í	Lorsque le i du radical porte l'accent tonique, il y a rupture de la diphtongue.	• au présent de l'indicatif et du subjonctif, aux trois personnes du singulier et à la 3ᵉ personne du pluriel ; • à l'impératif, aux deux personnes du singulier et à la 3ᵉ personne du pluriel.
Desviar, dévier			
Europeizar, européaniser			
Prohibir, interdire			
Actuar, agir, jouer un rôle	u → ú	Lorsque le u du radical porte l'accent tonique, il y a rupture de la diphtongue.	
Maullar, miauler			

Les verbes qui se conjuguent comme ces modèles subissent les mêmes modifications.
Ex. → *Desviar* (ind. présent) desvío, desvías, desvía… desvían ; (subj. présent) desvíe, desvíes, desvíe… desvíen ; (impératif) desvía, desvíe… desvíen.
Actuar (ind. présent) actúo, actúas, actúa… actúan ; (subj. présent) actúe, actúes, actúe… ; (impératif) actúa, actúe… actúen.

Exercices
CORRIGÉS P. 249

1 Conjuguez à l'impératif (2ᵉ personne du singulier).

a. actuar **b.** prohibir **c.** desviar **d.** aislar **e.** europeizar

2 Reliez les éléments des deux colonnes.

a. actuar **1.** inhibir
b. maullar **2.** aviar
c. rociar **3.** licuar
d. prohibir **4.** aullar
e. evacuar **5.** fluctuar

3 Mettez les verbes au subjonctif présent (3ᵉ personne du pluriel).

a. actuar **b.** maullar **c.** rociar **d.** aislar **e.** evacuar

Mettez les verbes entre parenthèses au présent de l'indicatif.

a. El gato … *(maullar)*
b. Victoria Abril … en esa película. *(actuar)*
c. Aquí … fumar. *(prohibirse)*
d. Si pasan por allí, Vds. … mucho. *(desviarse)*
e. Ellos mismos … comportándose así. *(aislarse)*

5 ▶ **Soulignez la forme correcte.**

a. Prohibamos. / Prohíbamos.
b. Aúllais. / Aulláis.
c. Actuen. / Actúen.
d. Se resfrían. / Se resfrian.
e. Desvio. / Desvío.

81 Les constructions verbales (1) : les tournures affectives

Gustar, Plaire, aimer

Certains verbes qui expriment des sentiments ou des sensations se construisent différemment du français. Le sujet français *je* devient le complément *me* en espagnol. Le complément français devient sujet du verbe en espagnol et détermine l'accord.
Ex. ➡ *Me gustan las vacaciones.* J'aime les vacances.

Forme affirmative		Forme interrogative		
(a mí)	*me gusta*, j'aime	¿*me*	*gusta*	*(a mí)*?
(a ti)	*te gusta*, tu aimes	¿*te*	*gusta*	*(a ti)*?
(a él, ella, usted)	*le gusta*, il, elle aime, vous aimez	¿*le*	*gusta*	*(a él, ella, usted)*?
(a nosotros, -as)	*nos gusta*, nous aimons	¿*nos*	*gusta*	*(a nosotros, -as)*?
(a vosotros, -as)	*os gusta*, vous aimez	¿*os*	*gusta*	*(a vosotros, -as)*?
(a ellos, ellas, ustedes)	*les gusta*, ils, elles aiment, vous aimez	¿*les*	*gusta*	*(a ellos, ellas, ustedes)*?

De nombreux verbes se conjuguent sur le modèle de *gustar*.

Tournure espagnole	Traduction
me aburre	cela m'ennuie
me afecta	cela me touche
me alegra	cela me réjouit
me alivia	cela me soulage
me amarga	cela m'afflige
me angustia	cela m'angoisse

me anima	cela m'encourage
me apena, me acongoja	cela m'attriste
me asusta	cela me fait peur
me atañe	cela me concerne
me cabrea (vulg.)	cela me met en rogne
me cae bien	je le/la trouve sympathique
me cae mal	il/elle ne me plaît pas
me chifla	j'en raffole, j'en suis dingue
me compensa	j'y trouve mon compte
me complace	cela me plaît
me concierne	cela me concerne
me consta	je suis sûr que
me consuela	cela me console, m'apaise
me consume	cela m'épuise
me convence	cela me convainc
me conviene	cela me va, me convient
me corresponde	il me revient
me desagrada	cela me déplaît
me descompone	cela me rend malade
me distrae	cela me distrait
me encanta	j'adore
me enloquece	cela me rend fou
me entretiene	cela m'amuse, m'occupe
me da igual	cela m'est égal
me extraña	cela m'étonne
me fastidia	cela m'ennuie (c'est embêtant)
me hace daño	cela me fait mal
me hace falta	j'ai besoin de
me harta	cela m'excède
me huele	je sens, je flaire
me hace ilusión	cela me fait envie
me incita	cela m'incite
me interesa	cela m'intéresse
me intriga	cela m'intrigue
me importa	cela m'intéresse, il m'importe
me impresiona	cela m'impressionne
me llena	cela me satisfait pleinement
me pesa	je regrette
me place	cela me plaît, j'aime bien
me preocupa	cela m'inquiète
me procura, me proporciona	cela m'apporte, me donne
me queda bien/mal	cela me sied, me va bien/mal
me saca de quicio	cela me fait sortir de mes gonds, me met hors de moi
me suena	cela me dit quelque chose
me satisface	cela me satisfait
me sobra	il me reste
me sorprende, extraña, asombra	cela me surprend, m'étonne
me toca	il me revient, c'est mon tour
me trae loco	cela/il/elle me fait tourner la tête
me trastorna	cela me fait perdre la tête
me va	cela me va
me vuelve loco	cela/il/elle me rend fou
etc.	

Exercices

1 ▶ Reliez les éléments des deux colonnes.

a. ¿Os gusta   **1.** a Vds.?
b. ¿Me gusta   **2.** a ti?
c. ¿Les gusta   **3.** a Vd.?
d. ¿Le gusta   **4.** a vosotros?
e. ¿Te gusta   **5.** a mí?

2 ▶ Traduisez en espagnol.

a. Aimez-vous la cuisine indienne? (Vds.)   d. J'aime me lever de bonne heure.
b. Vous n'aimez pas la campagne. (vosotros)   e. Aimes-tu faire du cheval?
c. Inès aime beaucoup dessiner.

3 ▶ Comment dit-on en espagnol…

a. lorsque quelqu'un nous semble sympathique?
b. lorsque quelque chose ne nous semble pas intéressant?
c. lorsque quelque chose nous étonne?
d. lorsque quelque chose nous fait du bien?
e. lorsqu'on regrette quelque chose?

4 ▶ Traduisez en français.

a. Me toca jugar a mí.   d. Me cae muy bien.
b. Nos gusta ir al cine.   e. Me trae loco este tema.
c. Me desagrada tener que salir.

5 ▶ Chassez l'intrus.

a. me afecta – me aflige – me apena – me atañe – me acongoja
b. me distrae – me impresiona – me entretiene – me llena – me agrada
c. me intriga – me gusta – me complace – me place – me satisface
d. me encanta – me enloquece – me chifla – me vuelve loco – me sobra
e. me convence – me anima – me conviene – me va – me interesa

82 Les constructions verbales (2) : autres constructions verbales

▼

● **Construction avec le verbe *arreglárselas*** (se débrouiller)

yo	me las	arreglo	je me débrouille
tú	te las	arreglas	tu te débrouilles
el, ella, usted	se las	arregla	il, elle se débrouille, vous vous débrouillez
nosotros, -as	nos las	arreglamos	nous nous débrouillons
vosotros, -as	os las	arregláis	vous vous débrouillez
ellos, ellas, ustedes	se las	arreglan	ils, elles se débrouillent, vous vous débrouillez

Ex. ➙ *Me las arreglo con lo que tengo.* Je me débrouille avec ce que j'ai.

• Construction avec le verbe *ocurrírsele algo a alguien*
(venir à l'esprit, avoir une idée)

(a mí)	*se me*	*ocurre*	il me vient une idée
(a ti)	*se te*	*ocurre*	il te vient une idée
(a él, ella, usted)	*se le*	*ocurre*	il lui, vous vient une idée
(a nosotros, -as)	*se nos*	*ocurre*	il nous vient une idée
(a vosotros, -as)	*se os*	*ocurre*	il vous vient une idée
(a ellos, ellas, ustedes)	*se les*	*ocurre*	il leur, vous vient une idée

Ex. ➤ *No se me ocurre nada.* Je n'ai pas d'idée.

Exercices _____ CORRIGÉS P. 249

1 ▶ Soulignez la forme correcte.

a. Nunca podría [arreglártelas/arreglárselas] sin ti.
b. ¿A qué tontos se les [ocurren/ocurre] eso?
c. No me puedo creer que se te haya [ocurrido/ocurrírsete] eso a ti.
d. Lo mejor es no depender de nadie, [se las arregla/arreglárselas] solo.
e. A Vds. nunca [se les ocurriría/os ocurrirían] hacer eso.

2 ▶ Complétez avec *arreglárselas/ocurrírsele* au passé composé.

a. ¿A quién … esa idea?
b. Esa idea no … a mí.
c. María siempre … sola.
d. … con lo que ha ganado.
e. A Paco … algo muy original.

3 ▶ Mettez les verbes entre parenthèses au présent de l'indicatif, à la personne voulue.

a. ¿A ti … alguna solución? *(ocurrírsele)*
b. No, no … ninguna. *(ocurrírsele)*
c. ¿Piensas que Encarna … con lo que tiene? *(arreglárselas)*
d. Ya va siendo hora de que vosotros … sin vuestros padres. *(arreglárselas)*
e. No saben qué poner en la carta, no … nada. *(ocurrírsele)*

4 ▶ Traduisez en français.

a. Arréglatelas como puedas.
b. Mi hijo se las arregla bien en su casa.
c. ¿Os las arregláis bien vosotros solos?
d. Sí, nos las arreglamos muy bien.
e. Me las arreglo como puedo.

5 ▶ Traduisez en espagnol.

a. As-tu une idée pour le repas de ce soir?
b. Je viens d'avoir une idée.
c. Nous nous débrouillerons avec ce que nous avons.
d. Quelle idée vous a pris de téléphoner à cette heure-ci?
e. Ils ne savent pas qui a eu l'idée d'inviter Rosa.

83 Les constructions verbales (3) : la construction pronominale

Formation

• Pronom complément (*me, te, se, nos, os, se*) + verbe conjugué.
Ex. ⇀ **Lavarse**, Se laver
     Indicatif présent
     me   lavo
     te   lavas
     se   lava
     nos   lavamos
     os   laváis
     se   lavan

• À l'impératif, à l'infinitif, au gérondif, les pronoms se mettent après le verbe et se soudent à celui-ci : c'est l'**enclise**.
Ex. ⇀ **Lavarse**, se laver ; **lávate**, lave-toi ; **lavándose**, en se lavant

Exercices

CORRIGÉS P. 249

1 ▶ **Mettez à l'impératif affirmatif.**

a. No te calles.
b. No os salgáis.
c. No se vuelvan.
d. No nos vayamos.
e. No te pelees.

2 ▶ **Mettez à l'impératif négatif.**

a. Díselo.
b. Póntelas.
c. Arréglaselo.
d. Explícanoslo.
e. Bébetela.

3 ▶ **Traduisez en espagnol.**

a. Donne-la-moi.
b. Prends-le.
c. Dis-le-moi.
d. Attendez-nous.
e. Explique-le-lui.

4 ▶ **Traduisez en français.**

a. No te vayas.
b. Vístanse.
c. Déjenlos ahí.
d. Háganselo.
e. No nos las devuelvas.

5 ▶ **Mettez les éléments en ordre (attention à l'enclise).**

a. lo / pero / enseña / des / no / lo / se / se.
b. te / me / deberías / que / explicar / lo / pasa.
c. no / decir / cuento / si / te / no / se / me / lo / prometes / no / lo.
d. quiero / lo / no / me / que / hagan.
e. yo / porque / lo / cree / lo / te / digo / te.

PARTIE IV

La phrase et la phrase complexe

● L'emploi du mode indicatif

Le mode indicatif est le mode de la réalité.
Il exprime la certitude et l'objectivité.
Il constate des faits réalisés.

Ex. ➤ *Sé lo que pasa.* Je sais ce qui se passe.
Creo que tiene razón. Je pense qu'il a raison.
No le vi porque no vino. Je ne l'ai pas vu parce qu'il n'est pas venu.

● Les subordonnées de cause et de conséquence

Elles sont le plus souvent à l'indicatif parce qu'elles expriment un fait réel, une action réalisée.

• Les subordonnées de cause sont introduites par les locutions suivantes :

como	comme, étant donné que
dado que, puesto que, ya que	puisque, étant donné que, du moment que
en vista de que	étant donné que, vu que
porque	parce que
etc.	

Ex. ➤ *Como no estamos seguros, vamos a comprobarlo.*
Étant donné que nous n'en sommes pas sûrs, nous allons vérifier.

• Les subordonnées de conséquence sont introduites par les locutions suivantes :

así que	si bien que, de telle sorte que
de manera que, de modo que,	de telle sorte que, de telle manière que
de tal modo que	
tan(to) que	tellement… que
etc.	

Ex. ➤ *Ha trabajado tanto que se ha puesto enfermo.*
Il a tellement travaillé qu'il s'est rendu malade.

Exercices _____ *CORRIGÉS P. 249-250*

1 ▶ **Reliez les éléments des deux colonnes.**

a. Han viajado tanto   1. porque no tiene el carné.
b. No puede conducir   2. así que déjame tranquila.
c. Es tan alto   3. que conocen casi todo el mundo.
d. Me duele la cabeza   4. lo haré yo.
e. Ya que no quieres hacerlo tú   5. que llega al techo.

2 ▶ **Dites si les phrases suivantes expriment la cause ou la conséquence.**

a. Puesto que no te conviene ninguno, no votes.
b. No hemos encontrado hotel, de modo que nos iremos esta noche.
c. Repite curso porque le suspendieron cuatro asignaturas.
d. Como el agua está muy fría, no me baño.
e. Habla tanto que no te deja intervenir.

3 ▶ Mettez les éléments en ordre.

a. mintió / que / en / me / él / ya / confío / así / no.

b. que / el / vayamos / en / de / andando / llega / vista / no / autobús.

c. los / estudia / nunca / tanto / amigos / con / que / sale.

d. manera / frigorífico / al / no / me / nada / en / restaurante / a / tengo / el / cenar / de / voy / que.

e. felicitado / que / me / cumpleaños / no / no / han / saben / mi / porque / es.

4 ▶ Complétez avec la locution qui convient.

a. Está enfadado … no le he llamado.

b. … no tiene bastante dinero, ha pedido un préstamo.

c. … allí no aprendía nada, le cambiamos de escuela.

d. Han bailado … que ahora les duelen los pies.

e. … sales, échame esta carta al buzón.

5 ▶ Complétez avec la locution qui convient.

porque – de manera que – en vista de que – como – así que

a. … me queda poca gasolina, me iré en tren.

b. No sabe hablar inglés, … no quiere ir a Irlanda.

c. Se viste … va llamando la atención.

d. … no vienen, me voy.

e. No te lo dije … no quería que te preocuparas.

---

85 Les propositions à l'indicatif (2) : les subordonnées comparatives et interrogatives

▼

• **Les subordonnées comparatives**, quand elles sont affirmatives, sont à l'indicatif. Elles sont introduites par : *igual que*, aussi que, *más (de lo) que*, plus que, *menos (de lo) que*, moins que, *tan(to) como*, autant … que, etc.
Ex. ➙ *Ganó menos de lo que pensaba.* Il a gagné moins qu'il ne pensait.

• **Les subordonnées interrogatives indirectes** sont introduites par si ou par qué, quién, cuál, cómo, etc. Elles sont toujours à l'indicatif.
Ex. ➙ *Dime si quieres quedarte conmigo.* Dis-moi si tu veux rester avec moi.

Exercices
CORRIGÉS P. 250

1 ▶ Complétez avec le comparatif qui convient.

a. Miguel es más amable … pensaba.

b. Le han ascendido, ahora ocupa un puesto … importante … el que tenía el año pasado.

c. Su última película no gusta mucho, ha tenido mucho … éxito … tuvo la anterior.

d. Han venido … invitados … esperábamos, por eso ha sobrado de todo.

e. No lo ha contado todo; nos ha dicho … … sabía.

PARTIE IV. La phrase et la phrase complexe

2 ▷ Traduisez en espagnol.

a. Ils sont aussi chers que les autres.
b. Il y a plus de farine qu'il ne nous en faut.
c. Mercedes n'a pas tant de succès qu'elle attendait.
d. Il a perdu autant qu'il avait gagné.
e. Maintenant je sors autant qu'avant.

3 ▷ Complétez avec le mot interrogatif qui convient.

a. Explícame … se hace.
b. No sabe … carrera elegir.
c. Me pregunto … habrá llamado por teléfono.
d. Dígannos … está su casa.
e. Decide … prefieres ir al mar o a la montaña.

4 ▷ Traduisez en français.

a. Después les diremos cuál de los documentos tienen que firmar.
b. Ignoro por qué se comporta así.
c. Alberto quiere saber quién decidió vender ese cuadro.
d. Nuestros primos no nos han dicho cuándo piensan venir.
e. No sé cómo ha podido enterarse tu madre.

5 ▷ Reliez les éléments des deux colonnes.

a. Ha publicado menos novelas
b. Busca en el diccionario
c. No hacen tantas exposiciones
d. Mira en el buzón a ver
e. Quita esa caja de la mesa, no sé

1. cómo se escribe 22.
2. qué hace ahí.
3. si ha llegado el correo.
4. de las que ha escrito.
5. como dicen.

86 Les propositions au subjonctif (1) : le subjonctif dans les propositions indépendantes

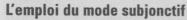

L'emploi du mode subjonctif

Le subjonctif exprime le doute, l'hypothèse, les jugements de valeur. C'est le mode de l'éventualité, des faits non encore réalisés.
On emploie le subjonctif dans les propositions indépendantes :

• **Pour exprimer l'ordre et l'interdit :**
Ex. ➤ *Haga esto.* Faites ceci.
    No lo haga. Ne le faites pas.

• **Pour exprimer la probabilité, avec les adverbes** *quizás, tal vez, acaso, probablemente*, etc. (peut-être), s'ils sont placés en tête de phrase :
Ex. ➤ *Quizás esté enfermo.* Peut-être qu'il est malade.

> **ATTENTION**
>
> Après *a lo mejor* (peut-être), on utilise toujours l'indicatif.
> Ex. ➤ *A lo mejor no ha podido salir.* Peut-être qu'il n'a pas pu sortir.

- Pour exprimer le souhait :

¡Que + présent du subjonctif!
Ex. ➤ *¡Que aproveche!* Bon appétit !
¡Que descanses! Repose-toi bien !
¡Que duermas bien! Dors bien !
¡Que te diviertas! ¡Que te lo pases bien! Amuse-toi bien !
¡Que te mejores! Je te souhaite un prompt rétablissement !
¡Que te vaya bien! Bonne chance !
¡Que tengas buen viaje! Bon voyage !
¡Que tengas suerte! Bonne chance !
etc.

¡Ojalá + subjonctif!
Ex. ➤ *¡Ojalá apruebe!* Pourvu qu'il réussisse !

Exercices
CORRIGÉS P. 250

1 ▶ **Traduisez en espagnol.**
- **a.** Mettez-vous de l'autre côté. *(vouvoiement pluriel)*
- **b.** N'y pense plus.
- **c.** Ne pars pas encore.
- **d.** Écoutons cette musique.
- **e.** Ne traduisez pas le texte. *(vouvoiement singulier)*

2 ▶ **Remplacez *a lo mejor* par *tal vez* selon le modèle.**

Ex. : *A lo mejor no se ha enterado.* → *Tal vez no se haya enterado.*
- **a.** A lo mejor voy al cine mañana.
- **b.** A lo mejor nos están esperando.
- **c.** A lo mejor no oyen el teléfono.
- **d.** A lo mejor conduce Encarna.
- **e.** A lo mejor caben tres.

3 ▶ **Quelle expression espagnole formule-t-on à...**
- **a.** quelqu'un qui est à table ?
- **b.** quelqu'un qui part en voyage ?
- **c.** quelqu'un qui va se coucher ?
- **d.** quelqu'un qui va passer un examen ?
- **e.** quelqu'un qui est malade ?

4 ▶ **Complétez avec *a lo mejor* ou *tal vez*.**
- **a.** ... llegue tarde a la cita.
- **b.** ... se lo ha dicho ya.
- **c.** ... no les gusta.
- **d.** ... no estén de acuerdo.
- **e.** ... salga pronto esta tarde.

5 ▶ **Mettez les verbes entre parenthèses à la 1ʳᵉ personne du singulier du subjonctif présent.**
- **a.** ¡Ojalá ...... la lotería! *(tocarme)*
- **b.** ¡Ojalá ...... el examen! *(aprobar)*
- **c.** ¡Ojalá ...... al Caribe! *(irme)*
- **d.** ¡Ojalá ...... con él! *(salir)*
- **e.** ¡Ojalá ...... conocerle! *(poder)*

Sont toujours au subjonctif

• **Les subordonnées de but**, introduites par les locutions : *a fin de que* (afin que), *de forma que, de modo que, de manera que* (de sorte que, de manière que), *para que* (pour que), *por miedo a que* (de peur que)
Ex. ↠ *Te lo digo para que lo sepas.* Je te le dis pour que tu le saches.

• **Les surbordonnées comparatives conditionnelles** introduites par les locutions
como si, comme si
igual que si, de la même façon que si } (suivies de l'imparfait du subjonctif)
Ex. ↠ *Me lo explica como si no entendiera.*
    Il me l'explique comme si je ne comprenais pas.

• **D'autres locutions sont suivies du subjonctif**
a condición de que (à condition que), *a no ser que* (à moins que), *con tal de que* (pourvu que), *en caso de que, por si* (au cas où), *por poco que* (pour peu que), *sin que* (sans que)
Ex. ↠ *Te lo diré con tal de que me dejes en paz.*
    Je te le dirai à condition que tu me laisses tranquille.

Exercices _____ *CORRIGÉS P. 250*

1 ▶ Complétez la phrase avec la locution qui convient.

por miedo a que – con el fin de que – para que – de manera que – como si

a. He llamado … nos reserven una habitación.
b. Mete los dibujos en la carpeta … no se arruguen.
c. No nos lo dijo … nos enfadáramos.
d. Juega estupendamente, … fuera un profesional.
e. Lo hacen … nos vayamos.

2 ▶ Mettez les verbes au mode et au temps qui conviennent.

a. El vecino hace como si él no … (*vernos*)
b. Viene a ser igual que si ellos … (*invitarnos*)
c. Se os oye como si … muy lejos. (*estar*)
d. Para mí es como si Pablo no … (*existir*)
e. Es lo mismo que si yo … que te fueras. (*decirte*)

3 ▶ Mettez les éléments en ordre.

a. después/podéis/todo/queráis/que/recojáis/de/tal/jugar/que/con/lo.
b. que/sepa/quiero/sin/no/que/yo/salgas/lo.
c. billetes/nos/próximo/queden/que/iremos/el/de/no/no/fin/a/semana/ser.
d. condición/discoteca/que/la/el/podrás/a/de/examen/ir/a/apruebes.
e. dejaremos/que/en/de/habitación/caso/les/nuestra/vengan.

4 ▶ Complétez la phrase avec la locution qui convient.

a. Nos veremos este verano, … haya algún imprevisto.
b. Actúa … no supiera nada.

c. Te presto el libro … no me lo estropees.
d. Estudia … todos los profesores estén orgullosos de ella.
e. Te avisaremos … tengamos algún inconveniente.

5 ▶ Traduisez en espagnol.

a. C'est comme s'il évitait de me rencontrer.
b. Je te le dis à condition que tu ne le lui dises pas.
c. Je te laisse les clés ici, au cas où tu rentrerais avant moi.
d. Nous ne sommes pas venus pour que tu nous invites à manger.
e. Ils ne partiront pas sans que leur voiture n'ait été révisée.

88 Les propositions à l'indicatif ou au subjonctif (1) : les subordonnées complétives

▼

La proposition complétive se met à l'indicatif lorsque le locuteur exprime une certitude ou qu'il affirme l'existence d'un fait.
Ex. ► *Estoy seguro de que viene a verme.* Je suis sûr qu'il vient me voir.

On emploie le subjonctif dans les propositions complétives :

• **Lorsque le verbe de la principale est à la forme négative.**
Ex. ► *No creo que tenga razón.* Je ne crois pas qu'il ait raison.

• **Lorsque le verbe de la principale exprime le doute, la possibilité.**
Ex. ► *Dudo que venga.* Je doute qu'il vienne.

• **Lorsque le verbe de la principale est un verbe de volonté, d'ordre, de défense, de prière, etc.,** comme *querer* (vouloir), *decir* (dire), *mandar* (ordonner), *rogar* (prier), *aconsejar* (conseiller), *prohibir* (interdire), etc.
Ex. ► *Te aconsejo que vayas.* Je te conseille d'y aller.

• **Lorsque le verbe de la principale exprime un sentiment ou un jugement de valeur,** comme *me gustaría que* (j'aimerais que), *lamento que* (je regrette que), *es injusto que* (il est injuste que), *es lógico que* (il est logique que), *es mejor que* (il vaut mieux que), *es posible que* (il est possible que), *es natural que* (il est naturel que), *es una suerte que* (c'est une chance que), *es una vergüenza que* (c'est une honte que), *más vale que* (il vaut mieux que), *parece mentira que* (c'est incroyable que), etc.
Ex. ► *Es posible que todo vaya mejor.* Il est possible que tout aille mieux.

• **Lorsque le verbe de la principale exprime une obligation personnelle comme** *es necesario que, es preciso que, hace falta que* (il faut que), *es indispensable que* (il est indispensable que), etc.
Ex. ► *Hace falta que el lunes esté allí.* Il faut que je sois là-bas lundi.

Exercices _____ *CORRIGÉS P. 250*

1 ▶ Mettez les phrases à la forme négative.

a. Pienso que está equivocado.   **d.** Creéis que está bien hecho.
b. Me parece que está enfadado.   **e.** Digo que no quiero verle más.
c. Me han dicho que se van.

2 ▶ **Mettez les verbes entre parenthèses au mode qui convient.**

a. Dudan que nosotros … (*saberlo*)
b. No creen que los dueños … alquilarlo. (*querer*)
c. Puede que Elena … con sus amigos. (*venir*)
d. ¿Estás seguro de que … hoy la cita? (*ser*)
e. No, no estoy seguro de que … hoy la cita. (*ser*)

3 ▶ **Transformez les phrases selon le modèle.**

Ex.: ¿*Qué me dices?* (*venir*) → *Te digo que vengas.*

a. ¿Qué me aconsejas? (*decírselo*)   **d.** ¿Qué le ruegas? (*perdonarme*)
b. ¿Qué quieres? (*traerme el periódico*)   **e.** ¿Qué te mandan? (*ordenar mi*
c. ¿Qué le prohíbes? (*salir con ese chico*)   *habitación*)

4 ▶ **Transformez les phrases selon le modèle.**

Ex.: *Es necesario ir de compras* (*nosotros*).
     → *Es necesario que vayamos de compras.*

a. Es aconsejable dejarla tranquila. (*ellos*)   **d.** Hace falta traer más leña. (*nosotros*)
b. Es lógico pedir dinero a su edad. (*él*)   **e.** Es mejor depositar el equipaje en
c. Más vale callarse. (*vosotros*)   la consigna. (*tú*)

5 ▶ **Chassez l'intrus.**

a. Es posible que – puede ser que – dado que – es probable que – tal vez.
b. Es lógico que – siempre que – es normal que – es natural que – es comprensible que.
c. Es necesario que – es imprescindible que – es preciso que – hace falta que – con tal de que.
d. A pesar de que – es injusto que – es una vergüenza que – no es normal que – es increíble que.
e. Mandar – desear – poner – aconsejar – prohibir.

---

89 ## Les propositions à l'indicatif ou au subjonctif (2) : les subordonnées complétives avec des expressions impersonnelles

▼

• Lorsque les expressions impersonnelles expriment un jugement de valeur, on les construit avec le subjonctif : *basta (con) que* (il suffit que), *es lógico que* (il est logique que), *es mejor que* (il est préférable que), *es natural que* (il est naturel que), *es posible que* (il est possible que), *es probable que* (il est probable que), *más vale que* (il vaut mieux que), *parece mentira que* (c'est incroyable que), etc.

• Lorsque les expressions impersonnelles se limitent à constater un fait, on les construit avec l'indicatif : *es evidente que* (il est évident que), *es seguro que* (il est sûr que), *está demostrado que* (il est évident que), *está visto que* (il est certain que), *ocurre que* (il arrive que), *sucede que* (il arrive que), etc.

ATTENTION

Lorsque toutes ces expressions sont négatives, elles entraînent automatiquement le subjonctif.
Ex. ▶ *No es seguro que lo sepa.* Ce n'est pas sûr qu'il le sache.

Exercices

1 ▶ Soulignez la forme correcte.

a. Es mejor que te [vas/vayas].
b. Ya es seguro que nos [mudamos/mudemos].
c. Basta con que se lo [dices/digas].
d. Es probable que nunca se [entere/entera].
e. Está visto que no [vengan/vienen].

2 ▶ Mettez le verbe entre parenthèses au mode et au temps qui conviennent.

a. Parece mentira que Jaime … tan insensato. *(ser)*
b. Más vale que tú no … nada. *(decir)*
c. Está demostrado que ese sistema no … *(funcionar)*
d. Es lógico que no … salir con nosotros. *(gustarles)*
e. Es evidente que ellos no … participar. *(querer)*

3 ▶ Mettez les phrases à la forme négative.

a. Es seguro que llegan esta noche.
b. Es evidente que se les ha olvidado.
c. Es natural que prefieran vivir cerca de sus hijos.
d. Está demostrado que no sirven para ese puesto.
e. Es posible que nos firmen un autógrafo.

4 ▶ Transformez les phrases selon le modèle.

Ex.: *Es normal no dormir bien con tanto ruido (tú).*
→ *Es normal que no duermas bien con tanto ruido.*

a. Es mejor esperar a que pare de llover. *(nosotros)*
b. Más vale estar seguro antes de firmar. *(tú)*
c. Es posible alquilar un coche. *(ella)*
d. Es lógico desconfiar de ese hombre. *(ellos)*
e. Parece mentira sacar tan malas notas. *(vosotros)*

5 ▶ Traduisez en français.

a. Basta con que le llames para que venga.
b. No es posible que salga tan tarde.
c. Es evidente que está mintiendo.
d. Más vale que busques en el sótano.
e. Parece mentira que la gente compre esas birrias.

PARTIE IV. La phrase et la phrase complexe

133

Les propositions à l'indicatif ou au subjonctif (3) : les subordonnées de temps et de concession

Les **subordonnées de temps et de concession** sont suivies de l'indicatif ou du subjonctif, suivant les cas :
• Quand le verbe de la subordonnée exprime une action réalisée ou en cours de réalisation par rapport à l'action de la principale, il se met à l'indicatif.
• Quand le verbe de la subordonnée exprime une action non réalisée par rapport à l'action de la principale, il se met au subjonctif.

● Les subordonnées de temps

Les subordonnées de temps sont introduites par les locutions suivantes :
a medida que (au fur et à mesure que) ; *así que* (dès que) ; *cada vez que* (à chaque fois que) ; *conforme* (au fur et à mesure que) ; *cuando* (quand) ; *en cuanto* (dès que) ; *hasta que* (jusqu'à ce que, en attendant que) ; *mientras* (quand) ; *siempre que* (à chaque fois que) ; *tan pronto como* (dès que, aussitôt que) ; etc.
Ex. ➤ *En cuanto se despierta, se pone a llorar.* Dès qu'il se réveille, il se met à pleurer.
En cuanto se despierte, se pondrá a llorar.
Dès qu'il se réveillera, il se mettra à pleurer.

● Les subordonnées de concession

Les subordonnées de concession sont introduites par les locutions suivantes :
aunque, aun cuando, a pesar de que (quoique, bien que, même si), *por más que* (il a beau), *por mucho (más, muy) que* (il a beau), etc.
Ex. ➤ *Aunque tiene razón, no haré lo que me dice.*
Bien qu'il ait raison, je ne ferai pas ce qu'il me dit.
Aunque tenga razón, no haré lo que me dice.
Même s'il a raison, je ne ferai pas ce qu'il me dit.

Exercices _____ CORRIGÉS P. 251

1 ▶ **Mettez les verbes entre parenthèses à l'indicatif ou au subjonctif, suivant les cas.**
   a. En cuanto … de sus errores, pide perdón. (*darse cuenta*)
   b. Cuando … Ricardo, avísame. (*venir*)
   c. Por mucho que …, nunca revelará nuestro secreto. (*hablar*)
   d. Me tiene harta, siempre que … me cuenta lo mismo. (*encontrármelo*)
   e. Después de que … los albañiles tendremos mucho que limpiar. (*irse*)

2 ▶ **Reliez les locutions de même sens.**

a. aunque	**1.** conforme
b. a medida que	**2.** por más que
c. en cuanto	**3.** cada vez que
d. por mucho que	**4.** aun cuando
e. siempre que	**5.** tan pronto como

3 ▶ **Mettez les verbes entre parenthèses à l'indicatif ou au subjonctif, suivant les cas.**
   a. Así que come, … un rato. (*acostarse*)
   b. Ellos siempre ven la tele mientras … (*comer*)

c. A medida que crece ... más egoísta. *(volverse)*

d. Tan pronto como ... un tren para París, me voy. *(haber)*

e. Aun cuando ... el teléfono, no contestaré. *(sonar)*

4 ▶ **Complétez les phrases avec la locution qui convient.**

a pesar de que – mientras – siempre que – conforme – en cuanto

a. ... sale con nosotros, tenemos que prestarle dinero.

b. ... se enteren, se irán apuntando.

c. ... nos quiere, nos hace sufrir mucho.

d. ... llega nos llama por teléfono.

e. ... vas de compras escribiré unas cartas.

5 ▶ **Traduisez en français.**

a. Por más que duerme, siempre está cansado.

b. No para de pedir hasta que consigue lo que quiere.

c. Conforme llegan, se sientan.

d. Sigue arreglando coches aunque no sea mecánico.

e. Cada vez que le veas salir, me lo dices.

---

91 Les propositions à l'indicatif ou au subjonctif (4) : les subordonnées de condition

▼

La subordonnée de condition introduite par si.

- Lorsque la condition est réalisée ou réalisable, la subordonnée est à l'indicatif.

Forme de condition	Verbe de la subordonnée	Verbe de la principale	Exemple
Condition réalisée	Indicatif (temps du passé)	Indicatif (temps du passé)	*Si podía, lo hacía.* S'il pouvait, il le faisait.
Condition réalisable	Indicatif présent	Indicatif : présent, futur, impératif	*Si viene, no dice nada, no dirá nada,* etc. S'il vient, il ne dit rien, il ne dira rien, etc.

- Lorsque la condition est irréalisée ou irréalisable, la subordonnée est au subjonctif.

Forme de condition	Verbe de la subordonnée	Verbe de la principale	Exemple
Condition irréalisée	Subjonctif *imparfait*	Conditionnel *simple*	*Si viniera, no diría nada.* S'il venait, il ne dirait rien.
Condition irréalisable	Subjonctif plus-que-parfait	Conditionnel subjonctif plus-que-parfait	*Si hubiera venido, no diría/no habría dicho/no hubiera dicho nada.* S'il était venu, il n'aurait rien dit

PARTIE IV. La phrase et la phrase complexe

Exercices

CORRIGÉS P. 251

1 ▶ **Mettez les verbes entre parenthèses à la 3ᵉ personne du singulier de l'imparfait de l'indicatif.**

a. Si …, … todo el día de mal humor. *(madrugar - estar)*
b. Si los demás no … la razón, … *(darle - enfadarse)*
c. Si … a tomar algo con los amigos, nunca … él. *(ir - invitar)*
d. Si sus compañeros de trabajo … algo, siempre … excusas para decir que no. *(pedirle - poner)*
e. Si … tarde a su casa, … el teléfono para que no le molestaran. *(llegar - descolgar)*

2 ▶ **Soulignez la forme correcte pour compléter les phrases.**

a. Si volvíamos tarde,
1. se preocupaba.   **3.** se preocupó.
2. se preocupa.   **4.** se preocuparía.

b. Si la hubieran envuelto bien,
1. no se romperá.   **3.** no se habría roto.
2. no se rompe.   **4.** no se rompía.

c. Si tuviera hambre,
1. come.   **3.** comiera.
2. comería.   **4.** comía.

d. Si le haces un favor,
1. no te lo agradecía. **3.** no te lo agradezca.
2. no te lo agradeció. **4.** no te lo agradecerá.

e. Si hubieras estudiado,
1. no te suspenderán.   **3.** no te hubieran suspendido.
2. no te suspendieron. **4.** no te suspendan.

3 ▶ **Complétez les phrases avec la locution qui convient.**

con tal de que – si – a menos que – siempre que – en caso de que

a. No podré acompañaros, … anulen la reunión.
b. … ves a los Martínez, les das recuerdos nuestros.
c. … el resultado sea positivo, le avisaré inmediatamente.
d. Vendrá con nosotros al circo … se porte bien.
e. Les dejo que vean la tele … me dejen tranquilo.

4 ▶ **Transformez ces conditions réalisables en conditions irréalisables, selon le modèle.**

Ex. : *Si me necesitan, voy.* → *Si me **hubieran necesitado, hubiera ido.***

a. Si no te gusta, no te lo comas.
b. Si no entiende, pregunta.
c. Si tiene problemas, pide ayuda.
d. Si va Vicente, iré yo también.
e. Si no reservamos, no podremos ir.

5 ▶ **Traduisez en français.**

a. Si gastas tanto, nunca podrás ahorrar.
b. Si supiera lo que decirle, hablaría con él.
c. Si alguien anulara, le reservaríamos a Vd. la plaza.
d. Si Juan hubiera cambiado de opinión, lo sabrías.
e. Si lo hubieran visto, no te lo habrían dicho.

92 Autres manières d'exprimer la condition

- **Avec le gérondif**
Ex. ➤ *Portándote así, nunca tendrás amigos.*
Si tu continues à agir de cette manière, tu n'auras jamais d'amis.

- **Avec *de* + infinitif**
Ex. ➤ *De saberlo, te lo diría.*
Si je le savais, je te le dirais.

- **Avec *por si* ou *por si acaso* + indicatif**
Ex. ➤ *Me quedaré en casa por si viene alguien.*
Je resterai à la maison au cas où quelqu'un viendrait.

- **Avec *como* + subjonctif**
Ex. ➤ *Como no me lo diga, me enfado.*
S'il ne me le dit pas, je me fâche.

Exercices
CORRIGÉS P. 251

1 ▶ Complétez les phrases avec le gérondif qui convient.

viendo – mimándolos – explicándoselo – trabajando – corriendo

a. … así, nunca lo entenderá.
b. … tanto, te cansarás en seguida.
c. … siempre el lado negativo, nunca serás feliz.
d. … en esa fábrica, no ganarás mucho dinero.
e. … de ese modo, esos niños serán insoportables.

2 ▶ Transformez les phrases en utilisant *de* + infinitif.

a. Si no te gusta, lo puedes devolver.
b. Si no me arreglan el coche para mañana, tendré que irme en autobús.
c. Si tienen que salir, los niños se quedarán solos.
d. Si pueden comprarlo, no tarden mucho.
e. Si no hubierais llegado tan tarde, le habríais visto.

3 ▶ Reliez les éléments des deux colonnes.

a. De tener
b. Vístete
c. Criticando así,
d. Llévate el carné
e. De poder

1. llevarte, te llamamos.
2. nadie te querrá.
3. tiempo, ordenaremos el despacho.
4. por si viene alguien.
5. por si te lo piden.

4 ▶ Transformez les phrases en remplaçant *si* par *como*.

a. Si apruebas, te compro el coche.
b. Si no tienen el móvil que buscamos, iremos a otra tienda.
c. Si te da por toser, te sales.
d. Si vienen tus primos, no cabemos.
e. Si nos lo hacen a medida, nos costará caro.

a. Te lo digo por si no lo sabes.
b. Coged un paraguas por si llueve.
c. Repásate bien las lecciones por si os hacen un examen.
d. Aquí dejo mi número de móvil por si preguntan por mí.
e. Por si se ha perdido la carta, le mandaré un e-mail.

93 La concordance des temps

▼

• Lorsque la subordonnée est à l'indicatif, le temps de cette subordonnée peut être à tous les temps de l'indicatif sauf au passé antérieur :
Ex. → *Creo que vas, ibas, fuiste, has ido, había ido, irás, habrás ido, irías, habrías ido.*
Je pense que tu vas, allais, allas, es allé, étais allé, iras, seras allé, irais, serais allé.

• Lorsque la subordonnée est au subjonctif, le temps de la subordonnée dépend du temps de la principale, en suivant les règles de la concordance des temps.

Verbe principal (indicatif)	Verbe subordonné (subjonctif)	Exemples
Présent Futur Impératif	Présent du subjonctif	*Dudo, dudaré que lo sepa.* Je doute, douterai qu'il le sache. *Haz lo que puedas.* Fais ce que tu pourras.
Imparfait Passé simple Plus-que-parfait Conditionnel présent ou passé	Imparfait du subjonctif	*Dudaba, dudé, había dudado, dudaría, habría dudado que lo supiera.* Je doutais, j'ai douté, j'avais douté, je douterais, j'aurais douté qu'il le sache.

ATTENTION

Si l'action de la subordonnée est antérieure à celle de la principale, le verbe de la subordonnée se met au subjonctif passé ou au plus-que-parfait du subjonctif.
Ex. → *Le gusta que lo hayas hecho.* Cela lui fait plaisir que tu l'aies fait.
Le gustaba que lo hubieras hecho. Cela lui faisait plaisir que tu l'aies fait.

Exercices
CORRIGÉS P. 251-252

1 ▶ **Soulignez toutes les réponses correctes possibles.**

a. Les prometo que lo …
   1. haré.   **2.** haga.   **3.** hice.   **4.** hiciera.   **5.** he hecho.
b. Nos informan de que ya … el presidente.
   1. llegara   **2.** llegue   **3.** habrá llegado   **4.** llega   **5.** ha llegado
c. Me parece que tu hermano … a cometer el mismo error.
   1. volverá   **2.** ha vuelto   **3.** volvió   **4.** hubiera vuelto   **5.** haya vuelto

d. Decía que no … ir.
   1. puedo   **2.** pueda   **3.** podría   **4.** pudiera   **5.** podía.
e. Hace un rato que … sonando la alarma.
   1. hubiera estado   **2.** está   **3.** hubo estado   **4.** estaba   **5.** sonara

2 ▶ Reliez les éléments des deux colonnes.

a. Me sorprendió   **1.** lo que quieras.
b. Cómprate   **2.** que no viajen con esa compañía aérea.
c. Pagarán al contado   **3.** que me preguntara eso.
d. Estaban convencidos   **4.** para que no les cobren interés.
e. Les aconsejamos   **5.** de que iríamos con ellos a ese viaje.

3 ▶ Mettez les verbes entre parenthèses au temps et au mode qui conviennent.

a. Me extrañaría mucho que Carlos …. *(venir)*
b. ¿Hubieras preferido que Manolo …? *(mentirte)*
c. Comprad sólo lo que vosotros … *(necesitar)*
d. Nunca pensé que Paco … capaz de hacer eso. *(ser)*
e. Me habría encantado que … otra vez el mismo alcalde. *(ganar)*

4 ▶ Soulignez la forme correcte.

a. No le importa que se lo [hayas dicho/habías dicho] a Irene.
b. Le entusiasmaba que [hubieran invitado/habrían invitado] a tanta gente a su casa.
c. No soportan que les [han delatado/hayan delatado].
d. Lamentamos que no [hubo podido/hubiera podido] asistir a la reunión.
e. No criticó que no [hubiera habido/haya habido] una buena organización.

5 ▶ Traduisez en espagnol.

a. Je crois qu'il viendra.
b. Ils supposent que nous accepterons leur proposition.
c. Je t'interdis de t'asseoir à côté de lui.
d. J'aurais aimé que le voyage se fasse plutôt en été.
e. Elle voulait que les enfants restent à la maison.

94 Le style indirect (1) : verbe d'introduction au présent

▼

Le style indirect consiste à rapporter les propos tenus par quelqu'un.

Ces propos sont transposés dans une subordonnée dont le temps du verbe dépend du temps du verbe d'introduction.

• Les verbes les plus couramment utilisés sont : *dice que* (il dit que), *pregunta que* (il demande que), *afirma que* (il affirme que), etc., ou *dijo que* (il a dit que), *preguntó que* (il a demandé que), *afirmó que* (il a affirmé que), etc.

• Si le verbe d'introduction est au présent de l'indicatif, le temps de la subordonnée est le même au style indirect qu'au style direct.

Style direct		Style indirect
"Sueño con viajes."	→	*Dice que sueña con viajes.*
« Je rêve de voyages. »	→	Il dit qu'il rêve de voyages.

- Exception

L'impératif du style direct se transforme en subjonctif dans le style indirect.

Style direct		Style indirect
"Ven aquí."	→	*Dice que vengas aquí.*
« Viens ici. »	→	Il te dit de venir ici.

ATTENTION

Le passage au style indirect entraîne également des changements de personne, de pronom et d'adverbe.

Style direct		Style indirect
"No me voy."	→	*Dice que no se va.*
« Je ne m'en vais pas. »	→	Il dit qu'il ne part pas.
"Mi hermano no viene."	→	*Dice que su hermano no viene.*
« Mon frère ne vient pas. »	→	Il dit que son frère ne vient pas.
"Me gusta estar aquí."	→	*Dice que le gusta estar ahí.*
« J'aime être ici. »	→	Il dit qu'il aime être là.

Exercices _____ CORRIGÉS P. 252

1 ▷ Transposez au style indirect.

a. "Vamos de excursión." → Propone que …
b. "¡Cállate de una vez!" → Ordena que …
c. "No le hagáis caso." → Nos aconseja que …
d. "No me cae bien Enrique." → Afirma que …
e. "Ayúdame a poner la mesa." → Te pide que …

2 ▷ Répondez aux questions.

a. "Me duele la cabeza." ¿Qué dice?
b. "No pienso hacerlo." ¿Qué dice?
c. "Iremos a Ibiza en Semana Santa." ¿Qué dicen?
d. "He aprobado el examen de francés." ¿Qué dice?
e. "Serían las cuatro cuando salimos de la discoteca." ¿Qué dicen?

3 ▷ Même exercice.

a. "Llegué tarde a la cita porque se me escapó el autobús." ¿De qué nos informa?
b. "¿Qué quieren tomar los señores?" ¿Qué pregunta el camarero?
c. "Me gustaría salir con ese chico" ¿Qué nos comunica?
d. "Tienen que ponerse el cinturón." ¿Qué nos recuerdan?
e. "Opino que eso no es asunto tuyo." ¿Qué opina?

4 ▷ Mettez les phrases au style indirect, en les faisant précéder de *dice que*.

a. "Cómete lo que tienes en el plato."
b. "Hazme caso."
c. "Date prisa."
d. "Apaga la tele."
e. "Escucha lo que te digo."

5 ▷ Transformez au style direct.

a. Contesta que no le importa lo que digan los demás.
b. Añade que de momento no habrá más subidas de sueldo.
c. Dice que su padre no lo sabe.
d. Le pide que le eche una mano, por favor.
e. Afirma que no cree en el horóscopo.

• Lors du passage au style indirect, si le verbe d'introduction est au passé, il n'y a aucun changement de temps à l'imparfait, au plus-que-parfait ou au conditionnel.
Ex. ➤ *"(Él) venía/había venido/vendría cada día."*
    « Il venait/il était venu/il viendrait chaque jour. »
    Dijo que venía/había venido/vendría todos los días.
    Il a dit qu'il venait/qu'il était venu/qu'il viendrait chaque jour.

• Dans les autres cas, il y a des changements de temps lors du passage du style direct au style indirect :

Style direct	Style indirect
Présent de l'indicatif *"Tengo calor."* « J'ai chaud. »	**Imparfait** *Dijo que tenía calor.* Il a dit qu'il avait chaud.
Passsé composé *"He viajado mucho."* « J'ai beaucoup voyagé. »	**Plus-que-parfait** *Dijo que había viajado mucho.* Il a dit qu'il avait beaucoup voyagé.
Passé simple *"Fui al cine."* « Je suis allé au cinéma. »	**Plus-que-parfait** ou **passé simple** *Dijo que había ido/fue al cine.* Il a dit qu'il était allé au cinéma.
Futur *"Iré de vacaciones."* « J'irai en vacances. »	**Conditionnel** *Dijo que iría de vacaciones.* Il a dit qu'il irait en vacances.
Impératif *"Cállate."* « Tais-toi. »	**Imparfait du subjonctif** *Dijo que te callaras.* Il t'a dit de te taire.

ATTENTION

Lorsque le verbe de la subordonnée exige le mode subjonctif, on appliquera les règles de la concordance des temps.
Ex. ➤ *"Es posible que esté enfermo."*
    « Il est possible qu'il soit malade. »
    Dijo que era posible que estuviera enfermo.
    Il a dit qu'il était possible qu'il soit malade.

Exercices
             CORRIGÉS P. 252

1 ▶ Répondez aux questions.

  a. "Ana estaba muy contenta con su nuevo trabajo." ¿Qué dijo?
  b. "Enrique nunca había estado tan enamorado." ¿Qué dijeron?
  c. "¿Os gustaría ir a la playa?" ¿Qué os dijo?
  d. "Pasaban todas las tardes a la misma hora." ¿Qué dijo?
  e. "Más valdría que leyerais algún libro." ¿Qué les dijo?

2 ▶ Rapportez le texte au passé.

a. El médico le pregunta al enfermo que si tiene fiebre.

b. El enfermo no sabe decirle exactamente cuánta fiebre tiene.

c. El médico cree que se trata de una infección.

d. El enfermo tiene que hacerse análisis y comprarse los medicamentos que le receta el médico.

e. Para que pueda restablecerse bien, le recomienda que esté una semana sin ir al trabajo.

3 ▶ Mettez les phrases au style indirect, en les faisant précéder de _dijo que_.

a. "Me quedaré una semana con vosotros."

b. "Siéntense."

c. "No comieron en el mismo restaurante que los demás."

d. "Estoy harto."

e. "Habéis tardado mucho."

4 ▶ Passez au style indirect.

a. "Hace falta que arreglen ese grifo". ¿Qué dijo?

b. "Te prohíbo que digas palabrotas". ¿Qué afirmó?

c. "Me extraña que Jorge no haya llegado todavía." ¿Qué declaró?

d. "No estoy de acuerdo con que vayas a ese viaje." ¿Qué decía?

e. "Es imprescindible que presenten hoy los documentos." ¿Qué ha dicho?

5 ▶ Transformez au style direct.

a. Dijo que se pondrían de acuerdo en una fecha.

b. Ha dicho que volváis pronto.

c. Decían que no se podía reservar por teléfono.

d. Nos contó que se le habían roto las gafas.

e. Dijeron que no querían que el profesor lo supiera.

96 Les temps du passé

▼

• L'**imparfait** exprime une action inachevée dans le passé. C'est le temps de la narration, de la description.
Ex. ➺ _Me paseaba_. Je me promenais.

• Le **passé simple** exprime une action achevée dans le passé qui n'a aucun rapport avec le présent.
Ex. ➺ _Me caí_. Je suis tombé.

• Le **passé composé** exprime une action achevée dans le passé dont les conséquences sur le présent sont encore réelles.
Ex. ➺ _Y me he roto el brazo_. Et je me suis cassé le bras.

ATTENTION

Le passé simple est beaucoup plus fréquent en espagnol qu'en français. Chaque fois que l'action se situe dans un passé révolu, l'espagnol utilise le passé simple là où le français emploie le passé composé.
Ex. ➺ _Vino a verme_. Il est venu me voir.

Exercices

1 ▶ **Traduisez en espagnol.**
- **a.** Nous nous sommes connus l'année dernière.
- **b.** Je ne t'ai pas vu hier soir au cinéma.
- **c.** Il n'a pas eu le temps de le faire ce matin.
- **d.** Nous ne l'avons pas revu depuis ce jour-là.
- **e.** Ils sont partis avant-hier.

2 ▶ **Mettez les verbes entre parenthèses au temps voulu.**
- **a.** Estaba esperando el taxi cuando … el accidente. (*producirse*)
- **b.** Hace exactamente cuatro años que Pepe … la casa. (*comprarse*)
- **c.** Aún no … el vestido que te regalé. (*ponerte*)
- **d.** Cuando estuvimos en Granada no … visitar la Alhambra. (*poder*)
- **e.** Hace poco que los alumnos … de clase. (*salir*)

3 ▶ **Mettez les verbes entre parenthèses au passé simple ou au passé composé suivant les cas.**
- **a.** Ayer yo … a tu primo en la Facultad. (*ver*)
- **b.** ¿Cuántas veces yo … ya que no dejes tus cosas ahí? (*decirte*)
- **c.** Sus amigos … a verle al hospital hace tres días. (*ir*)
- **d.** ¡Vaya, … comprar huevos! ¡Pues no pienso salir otra vez! (*olvidárseme*)
- **e.** Esta mañana yo … que quedarme en casa porque mi hijo está malo. (*tener*)

4 ▶ **Mettez les verbes entre parenthèses au temps du passé qui convient.**
- **a.** … lloviendo mucho el domingo pasado cuando nosotros … al museo de historia. (*Estar - ir*)
- **b.** Lo siento, yo no … el libro que tú … el otro día porque no … en ninguna de las librerías en las que yo … esta tarde. (*traerte - encargarme - tenerlo - preguntar*)
- **c.** El sábado por la noche, los vecinos … la música tan fuerte que nosotros … que llamar a la guardia civil porque no … dormir. (*poner - tener - poder*)
- **d.** El maestro … en el aula cuando unos gamberros … una piedra en el pie y … una escayola. (*entrar - tirarle - ponerle*)
- **e.** No recuerdo si a Juan … las morcillas o no; yo … unas salchichas por si acaso. (*gustarle - prepararle*)

5 ▶ **Traduisez en français.**
- **a.** La última vez que le vi llevaba bigote.
- **b.** Les pedí que vinieran, pero no han podido.
- **c.** Cuando estábamos montándonos en el coche sonó el teléfono.
- **d.** Hace un mes que le operaron y aún no se ha recuperado.
- **e.** Carmen fue a la peluquería para ponerse rubia, pero el peluquero se equivocó y se ha vuelto pelirroja.

PARTIE IV. La phrase et la phrase complexe

Annexes

LISTE DES VERBES MODÈLES

Verbe auxiliaire

1 ① haber — *avoir, être*

Verbes réguliers

2 hablar — *parler*
3 beber — *boire*
4 vivir — *vivre, habiter*

Verbes irréguliers

5 ① adquirir — *acquérir*
6 ① andar — *marcher*
7 ① caber — *tenir, entrer*
8 ① caer — *tomber*
9 ① concluir — *conclure*
10 ① conocer — *connaître*
11 ① contar — *conter, compter*
12 ① dar — *donner*
13 ① decir — *dire*
14 ① discernir — *discerner*
15 ① dormir — *dormir*
16 ① estar — *être*
17 ① hacer — *faire*
18 ① ir — *aller*
19 ① jugar — *jouer*
20 ① leer — *lire*
21 ① lucir — *luire, briller*

22 ① mover — *bouger*
23 ① nacer — *naître*
24 ① obedecer — *obéir*
25 ① oír — *entendre*
26 ① oler — *sentir (une odeur)*
27 ① pedir — *demander*
28 ① pensar — *penser*
29 ① perder — *perdre*
30 ① poder — *pouvoir*
31 ① poner — *mettre*
32 ① querer — *vouloir, aimer*
33 ① reír — *rire*
34 ① saber — *savoir*
35 ① salir — *sortir, partir*
36 ① sentir — *sentir, être désolé*
37 ① ser — *être*
38 ① tener — *avoir, posséder*
39 ① traducir — *traduire*
40 ① traer — *apporter*
41 ① valer — *valoir*
42 ① venir — *venir*
43 ① ver — *voir*

Forme pronominale

lavarse — *se laver*

① verbes irréguliers

Tableaux de conjugaison

1. Haber → AVOIR, ÊTRE

TEMPS SIMPLES

MODE INDICATIF

	Présent	Imparfait	Passé simple
yo	he	había	hube
tú	has	habías	hubiste
él/ella/Vd.	ha	había	hubo
nosotros, -as	hemos	habíamos	hubimos
vosotros, -as	habéis	habíais	hubisteis
ellos/ellas/Vds.	han	habían	hubieron

	Futur simple	Conditionnel
yo	habré	habría
tú	habrás	habrías
él/ella/Vd.	habrá	habría
nosotros, -as	habremos	habríamos
vosotros, -as	habréis	habríais
ellos/ellas/Vds.	habrán	habrían

MODE SUBJONCTIF

	Présent	Imparfait		
yo	haya	hubiera	ou	hubiese
tú	hayas	hubieras		hubieses
él/ella/Vd.	haya	hubiera		hubiese
nosotros, -as	hayamos	hubiéramos		hubiésemos
vosotros, -as	hayáis	hubierais		hubieseis
ellos/ellas/Vds.	hayan	hubieran		hubiesen

MODE IMPÉRATIF | INFINITIF | GÉRONDIF | PARTICIPE PASSÉ

MODE IMPÉRATIF	INFINITIF	GÉRONDIF	PARTICIPE PASSÉ
he tú	haber	habiendo	habido
haya usted			
hayamos nosotros, -as			
habed vosotros, -as			
hayan ustedes			

TEMPS COMPOSÉS

MODE INDICATIF

	Passé composé		Plus-que-parfait		Passé antérieur	
yo	**he**	habido	había	habido	**hube**	habido
tú	**has**	habido	habías	habido	**hubiste**	habido
él/ella/Vd.	**ha**	habido	había	habido	**hubo**	habido
nosotros, -as	**hemos**	habido	habíamos	habido	**hubimos**	habido
vosotros, -as	**habéis**	habido	habíais	habido	**hubisteis**	habido
ellos/ellas/Vds.	**han**	habido	habían	habido	**hubieron**	habido

	Futur antérieur		Conditionnel composé	
yo	**habré**	habido	**habría**	habido
tú	**habrás**	habido	**habrías**	habido
él/ella/Vd.	**habrá**	habido	**habría**	habido
nosotros, -as	**habremos**	habido	**habríamos**	habido
vosotros, -as	**habréis**	habido	**habríais**	habido
ellos/ellas/Vds.	**habrán**	habido	**habrían**	habido

MODE SUBJONCTIF

	Passé		Plus-que-parfait			
yo	**haya**	habido	**hubiera**	ou	**hubiese**	habido
tú	**hayas**	habido	**hubieras**		**hubieses**	habido
él/ella/Vd.	**haya**	habido	**hubiera**		**hubiese**	habido
nosotros, -as	**hayamos**	habido	**hubiéramos**		**hubiésemos**	habido
vosotros, -as	**hayáis**	habido	**hubierais**		**hubieseis**	habido
ellos/ellas/Vds.	**hayan**	habido	**hubieran**		**hubiesen**	habido

INFINITIF COMPOSÉ   GÉRONDIF COMPOSÉ

haber habido   habiendo habido

Tableaux de conjugaison

2. Hablar → PARLER   Verbe régulier

TEMPS SIMPLES

	MODE INDICATIF		
	Présent	Imparfait	Passé simple
yo	hablo	hablaba	hablé
tú	hablas	hablabas	hablaste
él/ella/Vd.	habla	hablaba	habló
nosotros, -as	hablamos	hablábamos	hablamos
vosotros, -as	habláis	hablabais	hablasteis
ellos/ellas/Vds.	hablan	hablaban	hablaron

	Futur simple	Conditionnel
yo	hablaré	hablaría
tú	hablarás	hablarías
él/ella/Vd.	hablará	hablaría
nosotros, -as	hablaremos	hablaríamos
vosotros, -as	hablaréis	hablaríais
ellos/ellas/Vds.	hablarán	hablarían

	MODE SUBJONCTIF		
	Présent	Imparfait	
yo	hable	hablara	ou hablase
tú	hables	hablaras	hablases
él/ella/Vd.	hable	hablara	hablase
nosotros, -as	hablemos	habláramos	hablásemos
vosotros, -as	habléis	hablarais	hablaseis
ellos/ellas/Vds.	hablen	hablaran	hablasen

MODE IMPÉRATIF	INFINITIF	GÉRONDIF	PARTICIPE PASSÉ
habla tú	hablar	hablando	hablado
hable usted			
hablemos nosotros, -as			
hablad vosotros, -as			
hablen ustedes			

TEMPS COMPOSÉS

Les temps composés se forment, à la voix active, avec l'auxiliaire **haber** (tableau 1) et le participe passé du verbe à conjuguer : *hablado*.

3. Beber → BOIRE

TEMPS SIMPLES

MODE INDICATIF

	Présent	Imparfait	Passé simple
yo	bebo	bebía	bebí
tú	bebes	bebías	bebiste
él/ella/Vd.	bebe	bebía	bebió
nosotros, -as	bebemos	bebíamos	bebimos
vosotros, -as	bebéis	bebíais	bebisteis
ellos/ellas/Vds.	beben	bebían	bebieron

	Futur simple	Conditionnel
yo	beberé	bebería
tú	beberás	beberías
él/ella/Vd.	beberá	bebería
nosotros, -as	beberemos	beberíamos
vosotros, -as	beberéis	beberíais
ellos/ellas/Vds.	beberán	beberían

MODE SUBJONCTIF

	Présent	Imparfait		
yo	beba	bebiera	ou	bebiese
tú	bebas	bebieras		bebieses
él/ella/Vd.	beba	bebiera		bebiese
nosotros, -as	bebamos	bebiéramos		bebiésemos
vosotros, -as	bebáis	bebierais		bebieseis
ellos/ellas/Vds.	beban	bebieran		bebiesen

MODE IMPÉRATIF | INFINITIF | GÉRONDIF | PARTICIPE PASSÉ

MODE IMPÉRATIF	INFINITIF	GÉRONDIF	PARTICIPE PASSÉ
bebe tú	beber	bebiendo	bebido
beba usted			
bebamos nosotros, -as			
bebed vosotros, -as			
beban ustedes			

TEMPS COMPOSÉS

Les temps composés se forment, à la voix active, avec l'auxiliaire **haber** (tableau 1) et le participe passé du verbe à conjuguer: *bebido*.

Tableaux de conjugaison

4. Vivir → VIVRE, HABITER   Verbe régulier

TEMPS SIMPLES

	MODE INDICATIF		
	Présent	**Imparfait**	**Passé simple**
yo	vivo	vivía	viví
tú	vives	vivías	viviste
él/ella/Vd.	vive	vivía	vivió
nosotros, -as	vivimos	vivíamos	vivimos
vosotros, -as	vivís	vivíais	vivisteis
ellos/ellas/Vds.	viven	vivían	vivieron
	Futur simple	**Conditionnel**	
yo	viviré	viviría	
tú	vivirás	vivirías	
él/ella/Vd.	vivirá	viviría	
nosotros, -as	viviremos	viviríamos	
vosotros, -as	viviréis	viviríais	
ellos/ellas/Vds.	vivirán	vivirían	

	MODE SUBJONCTIF			
	Présent	**Imparfait**		
yo	viva	viviera	ou	viviese
tú	vivas	vivieras		vivieses
él/ella/Vd.	viva	viviera		viviese
nosotros, -as	vivamos	viviéramos		viviésemos
vosotros, -as	viváis	vivierais		vivieseis
ellos/ellas/Vds.	vivan	vivieran		viviesen

MODE IMPÉRATIF	INFINITIF	GÉRONDIF	PARTICIPE PASSÉ
vive tú	vivir	viviendo	vivido
viva usted			
vivamos nosotros, -as			
vivid vosotros, -as			
vivan ustedes			

TEMPS COMPOSÉS

Les temps composés se forment, à la voix active, avec l'auxiliaire **haber** (tableau 1) et le participe passé du verbe à conjuguer: *vivido*.

TEMPS SIMPLES

MODE INDICATIF			
	Présent	**Imparfait**	**Passé simple**
yo	**adquiero**	adquiría	adquirí
tú	**adquieres**	adquirías	adquiriste
él/ella/Vd.	**adquiere**	adquiría	adquirió
nosotros, -as	adquirimos	adquiríamos	adquirimos
vosotros, -as	adquirís	adquiríais	adquiristeis
ellos/ellas/Vds.	**adquieren**	adquirían	adquirieron
	Futur simple	**Conditionnel**	
yo	adquiriré	adquiriría	
tú	adquirirás	adquirirías	
él/ella/Vd.	adquirirá	adquiriría	
nosotros, -as	adquiriremos	adquiriríamos	
vosotros, -as	adquiriréis	adquiriríais	
ellos/ellas/Vds.	adquirirán	adquirirían	

MODE SUBJONCTIF			
	Présent	**Imparfait**	
yo	**adquiera**	adquiriera	ou adquiriese
tú	**adquieras**	adquirieras	adquirieses
él/ella/Vd.	**adquiera**	adquiriera	adquiriese
nosotros, -as	adquiramos	adquiriéramos	adquiriésemos
vosotros, -as	adquiráis	adquirierais	adquirieseis
ellos/ellas/Vds.	**adquieran**	adquirieran	adquiriesen

MODE IMPÉRATIF	INFINITIF	GÉRONDIF	PARTICIPE PASSÉ
adquiere tú	adquirir	adquiriendo	adquirido
adquiera usted			
adquiramos nosotros, -as			
adquirid vosotros, -as			
adquieran ustedes			

TEMPS COMPOSÉS

Les temps composés se forment, à la voix active, avec l'auxiliaire *haber* (tableau 1) et le participe passé du verbe à conjuguer: *adquirido*.

6. Andar → MARCHER — Verbe irrégulier

TEMPS SIMPLES

	MODE INDICATIF		
	Présent	**Imparfait**	**Passé simple**
yo	ando	andaba	**anduve**
tú	andas	andabas	**anduviste**
él/ella/Vd.	anda	andaba	**anduvo**
nosotros, -as	andamos	andábamos	**anduvimos**
vosotros, -as	andáis	andabais	**anduvisteis**
ellos/ellas/Vds.	andan	andaban	**anduvieron**

	Futur simple	**Conditionnel**
yo	andaré	andaría
tú	andarás	andarías
él/ella/Vd.	andará	andaría
nosotros, -as	andaremos	andaríamos
vosotros, -as	andaréis	andaríais
ellos/ellas/Vds.	andarán	andarían

	MODE SUBJONCTIF		
	Présent	**Imparfait**	
yo	ande	**anduviera** ou	**anduviese**
tú	andes	**anduvieras**	**anduvieses**
él/ella/Vd.	ande	**anduviera**	**anduviese**
nosotros, -as	andemos	**anduviéramos**	**anduviésemos**
vosotros, -as	andéis	**anduvierais**	**anduvieseis**
ellos/ellas/Vds.	anden	**anduvieran**	**anduviesen**

MODE IMPÉRATIF	INFINITIF	GÉRONDIF	PARTICIPE PASSÉ
anda tú	andar	andando	andado
ande usted			
andemos nosotros, -as			
andad vosotros, -as			
anden ustedes			

TEMPS COMPOSÉS

Les temps composés se forment, à la voix active, avec l'auxiliaire *haber* (tableau 1) et le participe passé du verbe à conjuguer: *andado*.

Verbe irrégulier   7. **Caber** → TENIR, ENTRER

TEMPS SIMPLES

	MODE INDICATIF		
	Présent	Imparfait	**Passé simple**
yo	**quepo**	cabía	**cupe**
tú	cabes	cabías	**cupiste**
él/ella/Vd.	cabe	cabía	**cupo**
nosotros, -as	cabemos	cabíamos	**cupimos**
vosotros, -as	cabéis	cabíais	**cupisteis**
ellos/ellas/Vds.	caben	cabían	**cupieron**

	Futur simple	**Conditionnel**
yo	**cabré**	**cabría**
tú	**cabrás**	**cabrías**
él/ella/Vd.	**cabrá**	**cabría**
nosotros, -as	**cabremos**	**cabríamos**
vosotros, -as	**cabréis**	**cabríais**
ellos/ellas/Vds.	**cabrán**	**cabrían**

	MODE SUBJONCTIF			
	Présent	Imparfait		
yo	**quepa**	**cupiera**	ou	**cupiese**
tú	**quepas**	**cupieras**		**cupieses**
él/ella/Vd.	**quepa**	**cupiera**		**cupiese**
nosotros, -as	**quepamos**	**cupiéramos**		**cupiésemos**
vosotros, -as	**quepáis**	**cupierais**		**cupieseis**
ellos/ellas/Vds.	**quepan**	**cupieran**		**cupiesen**

MODE IMPÉRATIF	INFINITIF	GÉRONDIF	PARTICIPE PASSÉ
cabe tú	caber	cabiendo	cabido
quepa usted			
quepamos nosotros, -as			
cabed vosotros, -as			
quepan ustedes			

TEMPS COMPOSÉS

Les temps composés se forment, à la voix active, avec l'auxiliaire **haber** (tableau 1) et le participe passé du verbe à conjuguer: *cabido*.

Tableaux de conjugaison

8. Caer → TOMBERVerbe irrégulier

TEMPS SIMPLES

MODE INDICATIF

	Présent	Imparfait	Passé simple
yo	caigo	caía	caí
tú	caes	caías	caíste
él/ella/Vd.	cae	caía	cayó
nosotros, -as	caemos	caíamos	caímos
vosotros, -as	caéis	caíais	caísteis
ellos/ellas/Vds.	caen	caían	cayeron

	Futur simple	Conditionnel
yo	caeré	caería
tú	caerás	caerías
él/ella/Vd.	caerá	caería
nosotros, -as	caeremos	caeríamos
vosotros, -as	caeréis	caeríais
ellos/ellas/Vds.	caerán	caerían

MODE SUBJONCTIF

	Présent	Imparfait		
yo	caiga	cayera	ou	cayese
tú	caigas	cayeras		cayeses
él/ella/Vd.	caiga	cayera		cayese
nosotros, -as	caigamos	cayéramos		cayésemos
vosotros, -as	caigáis	cayerais		cayeseis
ellos/ellas/Vds.	caigan	cayeran		cayesen

MODE IMPÉRATIF

cae tú
caiga usted
caigamos nosotros, -as
caed vosotros, -as
caigan ustedes

INFINITIF

caer

GÉRONDIF

cayendo

PARTICIPE PASSÉ

caído

TEMPS COMPOSÉS

Les temps composés se forment, à la voix active, avec l'auxiliaire *haber* (tableau 1) et le participe passé du verbe à conjuguer: *caído*.

TEMPS SIMPLES

MODE INDICATIF		
Présent	**Imparfait**	**Passé simple**
yo **concluyo**	concluía	concluí
tú **concluyes**	concluías	concluiste
él/ella/Vd. **concluye**	concluía	**concluyó**
nosotros, -as concluimos	concluíamos	concluimos
vosotros, -as concluís	concluíais	concluisteis
ellos/ellas/Vds. **concluyen**	concluían	**concluyeron**

Futur simple	**Conditionnel**
yo concluiré	concluiría
tú concluirás	concluirías
él/ella/Vd. concluirá	concluiría
nosotros, -as concluiremos	concluiríamos
vosotros, -as concluiréis	concluiríais
ellos/ellas/Vds. concluirán	concluirían

MODE SUBJONCTIF			
Présent	**Imparfait**		
yo **concluya**	**concluyera**	ou	**concluyese**
tú **concluyas**	**concluyeras**		**concluyeses**
él/ella/Vd. **concluya**	**concluyera**		**concluyese**
nosotros, -as **concluyamos**	**concluyéramos**		**concluyésemos**
vosotros, -as **concluyáis**	**concluyerais**		**concluyeseis**
ellos/ellas/Vds. **concluyan**	**concluyeran**		**concluyesen**

MODE IMPÉRATIF	INFINITIF	GÉRONDIF	PARTICIPE PASSÉ
concluye tú	concluir	**concluyendo**	concluido
concluya usted			
concluyamos nosotros, -as			
concluid vosotros, -as			
concluyan ustedes			

TEMPS COMPOSÉS

Les temps composés se forment, à la voix active, avec l'auxiliaire **haber** (tableau 1) et le participe passé du verbe à conjuguer: *concluido*.

Tableaux de conjugaison

10. Conocer → CONNAÎTRE — Verbe irrégulier

TEMPS SIMPLES

MODE INDICATIF

	Présent	Imparfait	Passé simple
yo	conozco	conocía	conocí
tú	conoces	conocías	conociste
él/ella/Vd.	conoce	conocía	conoció
nosotros, -as	conocemos	conocíamos	conocimos
vosotros, -as	conocéis	conocíais	conocisteis
ellos/ellas/Vds.	conocen	conocían	conocieron

	Futur simple	Conditionnel
yo	conoceré	conocería
tú	conocerás	conocerías
él/ella/Vd.	conocerá	conocería
nosotros, -as	conoceremos	conoceríamos
vosotros, -as	conoceréis	conoceríais
ellos/ellas/Vds.	conocerán	conocerían

MODE SUBJONCTIF

	Présent	Imparfait		
yo	conozca	conociera	ou	conociese
tú	conozcas	conocieras		conocieses
él/ella/Vd.	conozca	conociera		conociese
nosotros, -as	conozcamos	conociéramos		conociésemos
vosotros, -as	conozcáis	conocierais		conocieseis
ellos/ellas/Vds.	conozcan	conocieran		conociesen

MODE IMPÉRATIF | INFINITIF | GÉRONDIF | PARTICIPE PASSÉ

MODE IMPÉRATIF	INFINITIF	GÉRONDIF	PARTICIPE PASSÉ
conoce tú	conocer	conociendo	conocido
conozca usted			
conozcamos nosotros, -as			
conoced vosotros, -as			
conozcan ustedes			

TEMPS COMPOSÉS

Les temps composés se forment, à la voix active, avec l'auxiliaire **haber** (tableau 1) et le participe passé du verbe à conjuguer: *conocido*.

2

Verbe irrégulier   **11. Contar** → CONTER, COMPTER

TEMPS SIMPLES

MODE INDICATIF

	Présent	Imparfait	Passé simple
yo	**cuento**	contaba	conté
tú	**cuentas**	contabas	contaste
él/ella/Vd.	**cuenta**	contaba	contó
nosotros, -as	contamos	contábamos	contamos
vosotros, -as	contáis	contabais	contasteis
ellos/ellas/Vds.	**cuentan**	contaban	contaron

	Futur simple	Conditionnel
yo	contaré	contaría
tú	contarás	contarías
él/ella/Vd.	contará	contaría
nosotros, -as	contaremos	contaríamos
vosotros, -as	contaréis	contaríais
ellos/ellas/Vds.	contarán	contarían

MODE SUBJONCTIF

	Présent	Imparfait		
yo	**cuente**	contara	ou	contase
tú	**cuentes**	contaras		contases
él/ella/Vd.	**cuente**	contara		contase
nosotros, -as	contemos	contáramos		contásemos
vosotros, -as	contéis	contarais		contaseis
ellos/ellas/Vds.	**cuenten**	contaran		contasen

MODE IMPÉRATIF	INFINITIF	GÉRONDIF	PARTICIPE PASSÉ
cuenta tú	contar	contando	contado
cuente usted			
contemos nosotros, -as			
contad vosotros, -as			
cuenten ustedes			

TEMPS COMPOSÉS

Les temps composés se forment, à la voix active, avec l'auxiliaire *haber* (tableau 1) et le participe passé du verbe à conjuguer: *contado*.

Tableaux de conjugaison

12. Dar → DONNER Verbe irrégulier

TEMPS SIMPLES

MODE INDICATIF			
	Présent	**Imparfait**	**Passé simple**
yo	**doy**	daba	**di**
tú	das	dabas	**diste**
él/ella/Vd.	da	daba	**dio**
nosotros, -as	damos	dábamos	**dimos**
vosotros, -as	dais	dabais	**disteis**
ellos/ellas/Vds.	dan	daban	**dieron**

	Futur simple	**Conditionnel**
yo	daré	daría
tú	darás	darías
él/ella/Vd.	dará	daría
nosotros, -as	daremos	daríamos
vosotros, -as	daréis	daríais
ellos/ellas/Vds.	darán	darían

MODE SUBJONCTIF				
	Présent	**Imparfait**		
yo	**dé**	**diera**	ou	**diese**
tú	des	**dieras**		**dieses**
él/ella/Vd.	**dé**	**diera**		**diese**
nosotros, -as	demos	**diéramos**		**diésemos**
vosotros, -as	deis	**dierais**		**dieseis**
ellos/ellas/Vds.	den	**dieran**		**diesen**

MODE IMPÉRATIF	INFINITIF	GÉRONDIF	PARTICIPE PASSÉ
da tú	dar	dando	dado
dé usted			
demos nosotros, -as			
dad vosotros, -as			
den ustedes			

TEMPS COMPOSÉS

Les temps composés se forment, à la voix active, avec l'auxiliaire **haber** (tableau 1) et le participe passé du verbe à conjuguer: *dado*.

TEMPS SIMPLES

MODE INDICATIF			
	Présent	**Imparfait**	**Passé simple**
yo	**digo**	decía	**dije**
tú	**dices**	decías	**dijiste**
él/ella/Vd.	**dice**	decía	**dijo**
nosotros, -as	decimos	decíamos	**dijimos**
vosotros, -as	decís	decíais	**dijisteis**
ellos/ellas/Vds.	**dicen**	decían	**dijeron**

	Futur simple	**Conditionnel**
yo	**diré**	**diría**
tú	**dirás**	**dirías**
él/ella/Vd.	**dirá**	**diría**
nosotros, -as	**diremos**	**diríamos**
vosotros, -as	**diréis**	**diríais**
ellos/ellas/Vds.	**dirán**	**dirían**

MODE SUBJONCTIF			
	Présent	**Imparfait**	
yo	**diga**	**dijera**	ou **dijese**
tú	**digas**	**dijeras**	**dijeses**
él/ella/Vd.	**diga**	**dijera**	**dijese**
nosotros, -as	**digamos**	**dijéramos**	**dijésemos**
vosotros, -as	**digáis**	**dijerais**	**dijeseis**
ellos/ellas/Vds.	**digan**	**dijeran**	**dijesen**

MODE IMPÉRATIF	INFINITIF	GÉRONDIF	PARTICIPE PASSÉ
di tú	decir	**diciendo**	**dicho**
diga usted			
digamos nosotros, -as			
decid vosotros, -as			
digan ustedes			

TEMPS COMPOSÉS

Les temps composés se forment, à la voix active, avec l'auxiliaire *haber* (tableau 1) et le participe passé du verbe à conjuguer: *dicho*.

Tableaux de conjugaison

TEMPS SIMPLES

MODE INDICATIF		
	Présent	**Imparfait**	**Passé simple**
yo	**discierno**	discernía	discerní
tú	**disciernes**	discernías	discerniste
él/ella/Vd.	**discierne**	discernía	discernió
nosotros, -as	discernimos	discerníamos	discernimos
vosotros, -as	discernís	discerníais	discernisteis
ellos/ellas/Vds.	**disciernen**	discernían	discernieron

	Futur simple	**Conditionnel**
yo	discerniré	discerniría
tú	discernirás	discernirías
él/ella/Vd.	discernirá	discerniría
nosotros, -as	discerniremos	discerniríamos
vosotros, -as	discerniréis	discerniríais
ellos/ellas/Vds.	discernirán	discernirían

MODE SUBJONCTIF	
	Présent	**Imparfait**		
yo	**discierna**	discerniera	ou	discerniese
tú	**disciernas**	discernieras		discernieses
él/ella/Vd.	**discierna**	discerniera		discerniese
nosotros, -as	discernamos	discerniéramos		discerniésemos
vosotros, -as	discernáis	discernierais		discernieseis
ellos/ellas/Vds.	**disciernan**	discernieran		discerniesen

MODE IMPÉRATIF	INFINITIF	GÉRONDIF	PARTICIPE PASSÉ
discierne tú	discernir	discerniendo	discernido
discierna usted			
discernamos nosotros, -as			
discernid vosotros, -as			
disciernan ustedes			

TEMPS COMPOSÉS

Les temps composés se forment, à la voix active, avec l'auxiliaire *haber* (tableau 1) et le participe passé du verbe à conjuguer : *discernido*.

Tableaux de conjugaison

Verbe irrégulier

15. Dormir → DORMIR

TEMPS SIMPLES

MODE INDICATIF			
	Présent	Imparfait	Passé simple
yo	duermo	dormía	dormí
tú	duermes	dormías	dormiste
él/ella/Vd.	duerme	dormía	durmió
nosotros, -as	dormimos	dormíamos	dormimos
vosotros, -as	dormís	dormíais	dormisteis
ellos/ellas/Vds.	duermen	dormían	durmieron

	Futur simple	Conditionnel
yo	dormiré	dormiría
tú	dormirás	dormirías
él/ella/Vd.	dormirá	dormiría
nosotros, -as	dormiremos	dormiríamos
vosotros, -as	dormiréis	dormiríais
ellos/ellas/Vds.	dormirán	dormirían

MODE SUBJONCTIF			
	Présent	Imparfait	
yo	duerma	durmiera	ou durmiese
tú	duermas	durmieras	durmieses
él/ella/Vd.	duerma	durmiera	durmiese
nosotros, -as	durmamos	durmiéramos	durmiésemos
vosotros, -as	durmáis	durmierais	durmieseis
ellos/ellas/Vds.	duerman	durmieran	durmiesen

MODE IMPÉRATIF	INFINITIF	GÉRONDIF	PARTICIPE PASSÉ
duerme tú	dormir	durmiendo	dormido
duerma usted			
durmamos nosotros, -as			
dormid vosotros, -as			
duerman ustedes			

TEMPS COMPOSÉS

Les temps composés se forment, à la voix active, avec l'auxiliaire *haber* (tableau 1) et le participe passé du verbe à conjuguer: *dormido*.

Tableaux de conjugaison

16. Estar → ÊTRE — Verbe irrégulier

TEMPS SIMPLES

MODE INDICATIF

	Présent	Imparfait	Passé simple
yo	estoy	estaba	estuve
tú	estás	estabas	estuviste
él/ella/Vd.	está	estaba	estuvo
nosotros, -as	estamos	estábamos	estuvimos
vosotros, -as	estáis	estabais	estuvisteis
ellos/ellas/Vds.	están	estaban	estuvieron

	Futur simple	Conditionnel
yo	estaré	estaría
tú	estarás	estarías
él/ella/Vd.	estará	estaría
nosotros, -as	estaremos	estaríamos
vosotros, -as	estaréis	estaríais
ellos/ellas/Vds.	estarán	estarían

MODE SUBJONCTIF

	Présent	Imparfait		
yo	esté	estuviera	ou	estuviese
tú	estés	estuvieras		estuvieses
él/ella/Vd.	esté	estuviera		estuviese
nosotros, -as	estemos	estuviéramos		estuviésemos
vosotros, -as	estéis	estuvierais		estuvieseis
ellos/ellas/Vds.	estén	estuvieran		estuviesen

MODE IMPÉRATIF / INFINITIF / GÉRONDIF / PARTICIPE PASSÉ

está tú
esté usted
estemos nosotros, -as
estad vosotros, -as
estén ustedes

INFINITIF: estar
GÉRONDIF: estando
PARTICIPE PASSÉ: estado

TEMPS COMPOSÉS

Les temps composés se forment, à la voix active, avec l'auxiliaire *haber* (tableau 1) et le participe passé du verbe à conjuguer: *estado*.

TEMPS SIMPLES

MODE INDICATIF		

	Présent	Imparfait	Passé simple
yo	**hago**	hacía	**hice**
tú	haces	hacías	**hiciste**
él/ella/Vd.	hace	hacía	**hizo**
nosotros, -as	hacemos	hacíamos	**hicimos**
vosotros, -as	hacéis	hacíais	**hicisteis**
ellos/ellas/Vds.	hacen	hacían	**hicieron**

	Futur simple	Conditionnel
yo	**haré**	**haría**
tú	**harás**	**harías**
él/ella/Vd.	**hará**	**haría**
nosotros, -as	**haremos**	**haríamos**
vosotros, -as	**haréis**	**haríais**
ellos/ellas/Vds.	**harán**	**harían**

MODE SUBJONCTIF		

	Présent	Imparfait	
yo	**haga**	**hiciera** ou	**hiciese**
tú	**hagas**	**hicieras**	**hicieses**
él/ella/Vd.	**haga**	**hiciera**	**hiciese**
nosotros, -as	**hagamos**	**hiciéramos**	**hiciésemos**
vosotros, -as	**hagáis**	**hicierais**	**hicieseis**
ellos/ellas/Vds.	**hagan**	**hicieran**	**hiciesen**

MODE IMPÉRATIF	INFINITIF	GÉRONDIF	PARTICIPE PASSÉ
haz tú	hacer	haciendo	**hecho**
haga usted			
hagamos nosotros, -as			
haced vosotros, -as			
hagan ustedes			

TEMPS COMPOSÉS

Les temps composés se forment, à la voix active, avec l'auxiliaire **haber** (tableau 1) et le participe passé du verbe à conjuguer: *hecho*.

18. Ir → ALLER   Verbe irrégulier

TEMPS SIMPLES

MODE INDICATIF

	Présent	Imparfait	Passé simple
yo	voy	iba	fui
tú	vas	ibas	fuiste
él/ella/Vd.	va	iba	fue
nosotros, -as	vamos	íbamos	fuimos
vosotros, -as	vais	ibais	fuisteis
ellos/ellas/Vds.	van	iban	fueron

	Futur simple	Conditionnel
yo	iré	iría
tú	irás	irías
él/ella/Vd.	irá	iría
nosotros, -as	iremos	iríamos
vosotros, -as	iréis	iríais
ellos/ellas/Vds.	irán	irían

MODE SUBJONCTIF

	Présent	Imparfait	ou	
yo	vaya	fuera	ou	fuese
tú	vayas	fueras		fueses
él/ella/Vd.	vaya	fuera		fuese
nosotros, -as	vayamos	fuéramos		fuésemos
vosotros, -as	vayáis	fuerais		fueseis
ellos/ellas/Vds.	vayan	fueran		fuesen

MODE IMPÉRATIF   INFINITIF   GÉRONDIF   PARTICIPE PASSÉ

ve tú   ir   yendo   ido
vaya usted
vayamos ou vamos nosotros, -as
id vosotros, -as
vayan ustedes

TEMPS COMPOSÉS

Les temps composés se forment, à la voix active, avec l'auxiliaire **haber** (tableau 1)
et le participe passé du verbe à conjuguer: *ido*.

Verbe irrégulier   **19. Jugar** → JOUER

TEMPS SIMPLES

	MODE INDICATIF		
	Présent	**Imparfait**	**Passé simple**
yo	**juego**	jugaba	**jugué**
tú	**juegas**	jugabas	jugaste
él/ella/Vd.	**juega**	jugaba	jugó
nosotros, -as	jugamos	jugábamos	jugamos
vosotros, -as	jugáis	jugabais	jugasteis
ellos/ellas/Vds.	**juegan**	jugaban	jugaron

	Futur simple	**Conditionnel**
yo	jugaré	jugaría
tú	jugarás	jugarías
él/ella/Vd.	jugará	jugaría
nosotros, -as	jugaremos	jugaríamos
vosotros, -as	jugaréis	jugaríais
ellos/ellas/Vds.	jugarán	jugarían

	MODE SUBJONCTIF			
	Présent	**Imparfait**		
yo	**juegue**	jugara	ou	jugase
tú	**juegues**	jugaras		jugases
él/ella/Vd.	**juegue**	jugara		jugase
nosotros, -as	**juguemos**	jugáramos		jugásemos
vosotros, -as	**juguéis**	jugarais		jugaseis
ellos/ellas/Vds.	**jueguen**	jugaran		jugasen

MODE IMPÉRATIF	INFINITIF	GÉRONDIF	PARTICIPE PASSÉ
juega tú	jugar	jugando	jugado
juegue usted			
juguemos nosotros, -as			
jugad vosotros, -as			
jueguen ustedes			

TEMPS COMPOSÉS

Les temps composés se forment, à la voix active, avec l'auxiliaire *haber* (tableau 1) et le participe passé du verbe à conjuguer: *jugado*.

20. Leer → LIRE   Verbe irrégulier

TEMPS SIMPLES

	MODE INDICATIF		
	Présent	**Imparfait**	**Passé simple**
yo	leo	leía	leí
tú	lees	leías	**leíste**
él/ella/Vd.	lee	leía	**leyó**
nosotros, -as	leemos	leíamos	**leímos**
vosotros, -as	leéis	leíais	**leísteis**
ellos/ellas/Vds.	leen	leían	**leyeron**
	Futur simple	**Conditionnel**	
yo	leeré	leería	
tú	leerás	leerías	
él/ella/Vd.	leerá	leería	
nosotros, -as	leeremos	leeríamos	
vosotros, -as	leeréis	leeríais	
ellos/ellas/Vds.	leerán	leerían	

	MODE SUBJONCTIF		
	Présent	**Imparfait**	
yo	lea	**leyera**	ou **leyese**
tú	leas	**leyeras**	**leyeses**
él/ella/Vd.	lea	**leyera**	**leyese**
nosotros, -as	leamos	**leyéramos**	**leyésemos**
vosotros, -as	leáis	**leyerais**	**leyeseis**
ellos/ellas/Vds.	lean	**leyeran**	**leyesen**

MODE IMPÉRATIF	INFINITIF	GÉRONDIF	PARTICIPE PASSÉ
lee tú	leer	**leyendo**	**leído**
lea usted			
leamos nosotros, -as			
leed vosotros, -as			
lean ustedes			

TEMPS COMPOSÉS

Les temps composés se forment, à la voix active, avec l'auxiliaire **haber** (tableau 1) et le participe passé du verbe à conjuguer : *leído.*

TEMPS SIMPLES

	MODE INDICATIF		
	Présent	**Imparfait**	**Passé simple**
yo	**luzco**	lucía	lucí
tú	luces	lucías	luciste
él/ella/Vd.	luce	lucía	lució
nosotros, -as	lucimos	lucíamos	lucimos
vosotros, -as	lucís	lucíais	lucisteis
ellos/ellas/Vds.	lucen	lucían	lucieron

	Futur simple	**Conditionnel**
yo	luciré	luciría
tú	lucirás	lucirías
él/ella/Vd.	lucirá	luciría
nosotros, -as	luciremos	luciríamos
vosotros, -as	luciréis	luciríais
ellos/ellas/Vds.	lucirán	lucirían

	MODE SUBJONCTIF		
	Présent	**Imparfait**	
yo	**luzca**	luciera	ou luciese
tú	**luzcas**	lucieras	lucieses
él/ella/Vd.	**luzca**	luciera	luciese
nosotros, -as	**luzcamos**	luciéramos	luciésemos
vosotros, -as	**luzcáis**	lucierais	lucieseis
ellos/ellas/Vds.	**luzcan**	lucieran	luciesen

MODE IMPÉRATIF	INFINITIF	GÉRONDIF	PARTICIPE PASSÉ
luce tú	lucir	luciendo	lucido
luzca usted			
luzcamos nosotros, -as			
lucid vosotros, -as			
luzcan ustedes			

TEMPS COMPOSÉS

Les temps composés se forment, à la voix active, avec l'auxiliaire *haber* (tableau 1) et le participe passé du verbe à conjuguer: *lucido*.

22. Mover → BOUGER   Verbe irrégulier

TEMPS SIMPLES

MODE INDICATIF

	Présent	Imparfait	Passé simple
yo	muevo	movía	moví
tú	mueves	movías	moviste
él/ella/Vd.	mueve	movía	movió
nosotros, -as	movemos	movíamos	movimos
vosotros, -as	movéis	movíais	movisteis
ellos/ellas/Vds.	mueven	movían	movieron

	Futur simple	Conditionnel
yo	moveré	movería
tú	moverás	moverías
él/ella/Vd.	moverá	movería
nosotros, -as	moveremos	moveríamos
vosotros, -as	moveréis	moveríais
ellos/ellas/Vds.	moverán	moverían

MODE SUBJONCTIF

	Présent	Imparfait		
yo	mueva	moviera	ou	moviese
tú	muevas	movieras		movieses
él/ella/Vd.	mueva	moviera		moviese
nosotros, -as	movamos	moviéramos		moviésemos
vosotros, -as	mováis	movierais		movieseis
ellos/ellas/Vds.	muevan	movieran		moviesen

MODE IMPÉRATIF | INFINITIF | GÉRONDIF | PARTICIPE PASSÉ

MODE IMPÉRATIF	INFINITIF	GÉRONDIF	PARTICIPE PASSÉ
mueve tú	mover	moviendo	movido
mueva usted			
movamos nosotros, -as			
moved vosotros, -as			
muevan ustedes			

TEMPS COMPOSÉS

Les temps composés se forment, à la voix active, avec l'auxiliaire **haber** (tableau 1) et le participe passé du verbe à conjuguer : *movido*.

TEMPS SIMPLES

MODE INDICATIF			
	Présent	**Imparfait**	**Passé simple**
yo	**nazco**	nacía	nací
tú	naces	nacías	naciste
él/ella/Vd.	nace	nacía	nació
nosotros, -as	nacemos	nacíamos	nacimos
vosotros, -as	nacéis	nacíais	nacisteis
ellos/ellas/Vds.	nacen	nacían	nacieron

	Futur simple	**Conditionnel**
yo	naceré	nacería
tú	nacerás	nacerías
él/ella/Vd.	nacerá	nacería
nosotros, -as	naceremos	naceríamos
vosotros, -as	naceréis	naceríais
ellos/ellas/Vds.	nacerán	nacerían

MODE SUBJONCTIF				
	Présent	**Imparfait**		
yo	**nazca**	naciera	ou	naciese
tú	**nazcas**	nacieras		nacieses
él/ella/Vd.	**nazca**	naciera		naciese
nosotros, -as	**nazcamos**	naciéramos		naciésemos
vosotros, -as	**nazcáis**	nacierais		nacieseis
ellos/ellas/Vds.	**nazcan**	nacieran		naciesen

MODE IMPÉRATIF	INFINITIF	GÉRONDIF	PARTICIPE PASSÉ
nace tú	nacer	naciendo	nacido
nazca usted			
nazcamos nosotros, -as			
naced vosotros, -as			
nazcan ustedes			

TEMPS COMPOSÉS

Les temps composés se forment, à la voix active, avec l'auxiliaire *haber* (tableau 1) et le participe passé du verbe à conjuguer: *nacido*.

24. Obedecer → OBÉIR   Verbe irrégulier

TEMPS SIMPLES

MODE INDICATIF			
	Présent	**Imparfait**	**Passé simple**
yo	**obedezco**	obedecía	obedecí
tú	obedeces	obedecías	obedeciste
él/ella/Vd.	obedece	obedecía	obedeció
nosotros, -as	obedecemos	obedecíamos	obedecimos
vosotros, -as	obedecéis	obedecíais	obedecisteis
ellos/ellas/Vds.	obedecen	obedecían	obedecieron
	Futur simple	**Conditionnel**	
yo	obedeceré	obedecería	
tú	obedecerás	obedecerías	
él/ella/Vd.	obedecerá	obedecería	
nosotros, -as	obedeceremos	obedeceríamos	
vosotros, -as	obedeceréis	obedeceríais	
ellos/ellas/Vds.	obedecerán	obedecerían	

MODE SUBJONCTIF			
	Présent	**Imparfait**	
yo	**obedezca**	obedeciera	ou obedeciese
tú	**obedezcas**	obedecieras	obedecieses
él/ella/Vd.	**obedezca**	obedeciera	obedeciese
nosotros, -as	**obedezcamos**	obedeciéramos	obedeciésemos
vosotros, -as	**obedezcáis**	obedecierais	obedecieseis
ellos/ellas/Vds.	**obedezcan**	obedecieran	obedeciesen

MODE IMPÉRATIF	INFINITIF	GÉRONDIF	PARTICIPE PASSÉ
obedece tú	obedecer	obedeciendo	obedecido
obedezca usted			
obedezcamos nosotros, -as			
obedeced vosotros, -as			
obedezcan ustedes			

TEMPS COMPOSÉS

Les temps composés se forment, à la voix active, avec l'auxiliaire *haber* (tableau 1) et le participe passé du verbe à conjuguer: *obedecido*.

TEMPS SIMPLES

MODE INDICATIF			
	Présent	**Imparfait**	**Passé simple**
yo	**oigo**	oía	oí
tú	**oyes**	oías	**oíste**
él/ella/Vd.	**oye**	oía	**oyó**
nosotros, -as	**oímos**	oíamos	**oímos**
vosotros, -as	oís	oíais	**oísteis**
ellos/ellas/Vds.	**oyen**	oían	**oyeron**

	Futur simple	**Conditionnel**
yo	oiré	oiría
tú	oirás	oirías
él/ella/Vd.	oirá	oiría
nosotros, -as	oiremos	oiríamos
vosotros, -as	oiréis	oiríais
ellos/ellas/Vds.	oirán	oirían

MODE SUBJONCTIF				
	Présent	**Imparfait**		
yo	**oiga**	**oyera**	ou	**oyese**
tú	**oigas**	**oyeras**		**oyeses**
él/ella/Vd.	**oiga**	**oyera**		**oyese**
nosotros, -as	**oigamos**	**oyéramos**		**oyésemos**
vosotros, -as	**oigáis**	**oyerais**		**oyeseis**
ellos/ellas/Vds.	**oigan**	**oyeran**		**oyesen**

MODE IMPÉRATIF	INFINITIF	GÉRONDIF	PARTICIPE PASSÉ
oye tú	oír	**oyendo**	**oído**
oiga usted			
oigamos nosotros, -as			
oíd vosotros, -as			
oigan ustedes			

TEMPS COMPOSÉS

Les temps composés se forment, à la voix active, avec l'auxiliaire **haber** (tableau 1) et le participe passé du verbe à conjuguer: *oído*.

Tableaux de conjugaison

26. Oler → SENTIR (UNE ODEUR)　　　Verbe irrégulier

TEMPS SIMPLES

MODE INDICATIF			
	Présent	**Imparfait**	**Passé simple**
yo	**huelo**	olía	olí
tú	**hueles**	olías	oliste
él/ella/Vd.	**huele**	olía	olió
nosotros, -as	olemos	olíamos	olimos
vosotros, -as	oléis	olíais	olisteis
ellos/ellas/Vds.	**huelen**	olían	olieron

	Futur simple	**Conditionnel**
yo	oleré	olería
tú	olerás	olerías
él/ella/Vd.	olerá	olería
nosotros, -as	oleremos	oleríamos
vosotros, -as	oleréis	oleríais
ellos/ellas/Vds.	olerán	olerían

MODE SUBJONCTIF				
	Présent	**Imparfait**		
yo	**huela**	oliera	ou	oliese
tú	**huelas**	olieras		olieses
él/ella/Vd.	**huela**	oliera		oliese
nosotros, -as	olamos	oliéramos		oliésemos
vosotros, -as	oláis	olierais		olieseis
ellos/ellas/Vds.	**huelan**	olieran		oliesen

MODE IMPÉRATIF	INFINITIF	GÉRONDIF	PARTICIPE PASSÉ
huele tú	oler	oliendo	olido
huela usted			
olamos nosotros, -as			
oled vosotros, -as			
huelan ustedes			

TEMPS COMPOSÉS

Les temps composés se forment, à la voix active, avec l'auxiliaire *haber* (tableau 1) et le participe passé du verbe à conjuguer: *olido*.

TEMPS SIMPLES

MODE INDICATIF			
	Présent	**Imparfait**	**Passé simple**
yo	**pido**	pedía	pedí
tú	**pides**	pedías	pediste
él/ella/Vd.	**pide**	pedía	**pidió**
nosotros, -as	pedimos	pedíamos	pedimos
vosotros, -as	pedís	pedíais	pedisteis
ellos/ellas/Vds.	**piden**	pedían	**pidieron**

	Futur simple	**Conditionnel**
yo	pediré	pediría
tú	pedirás	pedirías
él/ella/Vd.	pedirá	pediría
nosotros, -as	pediremos	pediríamos
vosotros, -as	pediréis	pediríais
ellos/ellas/Vds.	pedirán	pedirían

MODE SUBJONCTIF				
	Présent	**Imparfait**		
yo	**pida**	**pidiera**	ou	**pidiese**
tú	**pidas**	**pidieras**		**pidieses**
él/ella/Vd.	**pida**	**pidiera**		**pidiese**
nosotros, -as	**pidamos**	**pidiéramos**		**pidiésemos**
vosotros, -as	**pidáis**	**pidierais**		**pidieseis**
ellos/ellas/Vds.	**pidan**	**pidieran**		**pidiesen**

MODE IMPÉRATIF	INFINITIF	GÉRONDIF	PARTICIPE PASSÉ
pide tú	pedir	**pidiendo**	pedido
pida usted			
pidamos nosotros, -as			
pedid vosotros, -as			
pidan ustedes			

TEMPS COMPOSÉS

Les temps composés se forment, à la voix active, avec l'auxiliaire *haber* (tableau 1) et le participe passé du verbe à conjuguer: *pedido*.

28. Pensar → PENSER Verbe irrégulier

TEMPS SIMPLES

MODE INDICATIF

	Présent	Imparfait	Passé simple
yo	pienso	pensaba	pensé
tú	piensas	pensabas	pensaste
él/ella/Vd.	piensa	pensaba	pensó
nosotros, -as	pensamos	pensábamos	pensamos
vosotros, -as	pensáis	pensabais	pensasteis
ellos/ellas/Vds.	piensan	pensaban	pensaron

	Futur simple	Conditionnel
yo	pensaré	pensaría
tú	pensarás	pensarías
él/ella/Vd.	pensará	pensaría
nosotros, -as	pensaremos	pensaríamos
vosotros, -as	pensaréis	pensaríais
ellos/ellas/Vds.	pensarán	pensarían

MODE SUBJONCTIF

	Présent	Imparfait		
yo	piense	pensara	ou	pensase
tú	pienses	pensaras		pensases
él/ella/Vd.	piense	pensara		pensase
nosotros, -as	pensemos	pensáramos		pensásemos
vosotros, -as	penséis	pensarais		pensaseis
ellos/ellas/Vds.	piensen	pensaran		pensasen

MODE IMPÉRATIF	INFINITIF	GÉRONDIF	PARTICIPE PASSÉ
piensa tú	pensar	pensando	pensado
piense usted			
pensemos nosotros, -as			
pensad vosotros, -as			
piensen ustedes			

TEMPS COMPOSÉS

Les temps composés se forment, à la voix active, avec l'auxiliaire *haber* (tableau 1) et le participe passé du verbe à conjuguer: *pensado*.

TEMPS SIMPLES

MODE INDICATIF			
	Présent	**Imparfait**	**Passé simple**
yo	**pierdo**	perdía	perdí
tú	**pierdes**	perdías	perdiste
él/ella/Vd.	**pierde**	perdía	perdió
nosotros, -as	perdemos	perdíamos	perdimos
vosotros, -as	perdéis	perdíais	perdisteis
ellos/ellas/Vds.	**pierden**	perdían	perdieron

	Futur simple	**Conditionnel**
yo	perderé	perdería
tú	perderás	perderías
él/ella/Vd.	perderá	perdería
nosotros, -as	perderemos	perderíamos
vosotros, -as	perderéis	perderíais
ellos/ellas/Vds.	perderán	perderían

MODE SUBJONCTIF				
	Présent	**Imparfait**		
yo	**pierda**	perdiera	ou	perdiese
tú	**pierdas**	perdieras		perdieses
él/ella/Vd.	**pierda**	perdiera		perdiese
nosotros, -as	perdamos	perdiéramos		perdiésemos
vosotros, -as	perdáis	perdierais		perdieseis
ellos/ellas/Vds.	**pierdan**	perdieran		perdiesen

MODE IMPÉRATIF	INFINITIF	GÉRONDIF	PARTICIPE PASSÉ
pierde tú	perder	perdiendo	perdido
pierda usted			
perdamos nosotros, -as			
perded vosotros, -as			
pierdan ustedes			

TEMPS COMPOSÉS

Les temps composés se forment, à la voix active, avec l'auxiliaire *haber* (tableau 1)
et le participe passé du verbe à conjuguer : *perdido*.

30. Poder → POUVOIR · Verbe irrégulier

TEMPS SIMPLES

MODE INDICATIF

	Présent	Imparfait	Passé simple
yo	puedo	podía	pude
tú	puedes	podías	pudiste
él/ella/Vd.	puede	podía	pudo
nosotros, -as	podemos	podíamos	pudimos
vosotros, -as	podéis	podíais	pudisteis
ellos/ellas/Vds.	pueden	podían	pudieron

	Futur simple	Conditionnel
yo	podré	podría
tú	podrás	podrías
él/ella/Vd.	podrá	podría
nosotros, -as	podremos	podríamos
vosotros, -as	podréis	podríais
ellos/ellas/Vds.	podrán	podrían

MODE SUBJONCTIF

	Présent	Imparfait		
yo	pueda	pudiera	ou	pudiese
tú	puedas	pudieras		pudieses
él/ella/Vd.	pueda	pudiera		pudiese
nosotros, -as	podamos	pudiéramos		pudiésemos
vosotros, -as	podáis	pudierais		pudieseis
ellos/ellas/Vds.	puedan	pudieran		pudiesen

MODE IMPÉRATIF · INFINITIF · GÉRONDIF · PARTICIPE PASSÉ

puede tú · poder · pudiendo · podido
pueda usted
podamos nosotros, -as
poded vosotros, -as
puedan ustedes

TEMPS COMPOSÉS

Les temps composés se forment, à la voix active, avec l'auxiliaire *haber* (tableau 1) et le participe passé du verbe à conjuguer: *podido*.

TEMPS SIMPLES

MODE INDICATIF			
	Présent	**Imparfait**	**Passé simple**
yo	**pongo**	ponía	**puse**
tú	pones	ponías	**pusiste**
él/ella/Vd.	pone	ponía	**puso**
nosotros, -as	ponemos	poníamos	**pusimos**
vosotros, -as	ponéis	poníais	**pusisteis**
ellos/ellas/Vds.	ponen	ponían	**pusieron**

	Futur simple	**Conditionnel**
yo	**pondré**	**pondría**
tú	**pondrás**	**pondrías**
él/ella/Vd.	**pondrá**	**pondría**
nosotros, -as	**pondremos**	**pondríamos**
vosotros, -as	**pondréis**	**pondríais**
ellos/ellas/Vds.	**pondrán**	**pondrían**

MODE SUBJONCTIF			
	Présent	**Imparfait**	
yo	**ponga**	**pusiera** ou	**pusiese**
tú	**pongas**	**pusieras**	**pusieses**
él/ella/Vd.	**ponga**	**pusiera**	**pusiese**
nosotros, -as	**pongamos**	**pusiéramos**	**pusiésemos**
vosotros, -as	**pongáis**	**pusierais**	**pusieseis**
ellos/ellas/Vds.	**pongan**	**pusieran**	**pusiesen**

MODE IMPÉRATIF	INFINITIF	GÉRONDIF	PARTICIPE PASSÉ
pon tú	poner	poniendo	**puesto**
ponga usted			
pongamos nosotros, -as			
poned vosotros, -as			
pongan ustedes			

TEMPS COMPOSÉS

Les temps composés se forment, à la voix active, avec l'auxiliaire *haber* (tableau 1) et le participe passé du verbe à conjuguer: *puesto*.

32. Querer → VOULOIR, AIMER   Verbe irrégulier

TEMPS SIMPLES

	MODE INDICATIF		
	Présent	**Imparfait**	**Passé simple**
yo	quiero	quería	quise
tú	quieres	querías	quisiste
él/ella/Vd.	quiere	quería	quiso
nosotros, -as	queremos	queríamos	quisimos
vosotros, -as	queréis	queríais	quisisteis
ellos/ellas/Vds.	quieren	querían	quisieron
	Futur simple	**Conditionnel**	
yo	querré	querría	
tú	querrás	querrías	
él/ella/Vd.	querrá	querría	
nosotros, -as	querremos	querríamos	
vosotros, -as	querréis	querríais	
ellos/ellas/Vds.	querrán	querrían	

	MODE SUBJONCTIF			
	Présent	**Imparfait**		
yo	quiera	quisiera	ou	quisiese
tú	quieras	quisieras		quisieses
él/ella/Vd.	quiera	quisiera		quisiese
nosotros, -as	queramos	quisiéramos		quisiésemos
vosotros, -as	queráis	quisierais		quisieseis
ellos/ellas/Vds.	quieran	quisieran		quisiesen

MODE IMPÉRATIF	INFINITIF	GÉRONDIF	PARTICIPE PASSÉ
quiere tú	querer	queriendo	querido
quiera usted			
queramos nosotros, -as			
quered vosotros, -as			
quieran ustedes			

TEMPS COMPOSÉS

Les temps composés se forment, à la voix active, avec l'auxiliaire *haber* (tableau 1) et le participe passé du verbe à conjuguer: *querido*.

TEMPS SIMPLES

MODE INDICATIF			
	Présent	**Imparfait**	**Passé simple**
yo	**río**	reía	**reí**
tú	**ríes**	reías	**reíste**
él/ella/Vd.	**ríe**	reía	**rió**
nosotros, -as	**reímos**	reíamos	**reímos**
vosotros, -as	reís	reíais	**reísteis**
ellos/ellas/Vds.	**ríen**	reían	**rieron**

	Futur simple	**Conditionnel**
yo	reiré	reiría
tú	reirás	reirías
él/ella/Vd.	reirá	reiría
nosotros, -as	reiremos	reiríamos
vosotros, -as	reiréis	reiríais
ellos/ellas/Vds.	reirán	reirían

MODE SUBJONCTIF				
	Présent	**Imparfait**		
yo	**ría**	**riera**	ou	**riese**
tú	**rías**	**rieras**		**rieses**
él/ella/Vd.	**ría**	**riera**		**riese**
nosotros, -as	**riamos**	**riéramos**		**riésemos**
vosotros, -as	**riáis**	**rierais**		**rieseis**
ellos/ellas/Vds.	**rían**	**rieran**		**riesen**

MODE IMPÉRATIF	INFINITIF	GÉRONDIF	PARTICIPE PASSÉ
ríe tú	reír	**riendo**	**reído**
ría usted			
riamos nosotros, -as			
reíd vosotros, -as			
rían ustedes			

TEMPS COMPOSÉS

Les temps composés se forment, à la voix active, avec l'auxiliaire *haber* (tableau 1) et le participe passé du verbe à conjuguer: *reído*.

34. Saber → SAVOIR   Verbe irrégulier

TEMPS SIMPLES

MODE INDICATIF

	Présent	Imparfait	Passé simple
yo	sé	sabía	supe
tú	sabes	sabías	supiste
él/ella/Vd.	sabe	sabía	supo
nosotros, -as	sabemos	sabíamos	supimos
vosotros, -as	sabéis	sabíais	supisteis
ellos/ellas/Vds.	saben	sabían	supieron

	Futur simple	Conditionnel
yo	sabré	sabría
tú	sabrás	sabrías
él/ella/Vd.	sabrá	sabria
nosotros, -as	sabremos	sabríamos
vosotros, -as	sabréis	sabríais
ellos/ellas/Vds.	sabrán	sabrían

MODE SUBJONCTIF

	Présent	Imparfait		
yo	sepa	supiera	ou	supiese
tú	sepas	supieras		supieses
él/ella/Vd.	sepa	supiera		supiese
nosotros, -as	sepamos	supiéramos		supiésemos
vosotros, -as	sepáis	supierais		supieseis
ellos/ellas/Vds.	sepan	supieran		supiesen

MODE IMPÉRATIF	INFINITIF	GÉRONDIF	PARTICIPE PASSÉ
sabe tú	saber	sabiendo	sabido
sepa usted			
sepamos nosotros, -as			
sabed vosotros, -as			
sepan ustedes			

TEMPS COMPOSÉS

Les temps composés se forment, à la voix active, avec l'auxiliaire *haber* (tableau 1) et le participe passé du verbe à conjuguer: *sabido*.

Tableaux de conjugaison

Verbe irrégulier   **35. Salir** → SORTIR, PARTIR

TEMPS SIMPLES

	MODE INDICATIF		
	Présent	**Imparfait**	**Passé simple**
yo	**salgo**	salía	salí
tú	sales	salías	saliste
él/ella/Vd.	sale	salía	salió
nosotros, -as	salimos	salíamos	salimos
vosotros, -as	salís	salíais	salisteis
ellos/ellas/Vds.	salen	salían	salieron

	Futur simple	**Conditionnel**
yo	**saldré**	**saldría**
tú	**saldrás**	**saldrías**
él/ella/Vd.	**saldrá**	**saldría**
nosotros, -as	**saldremos**	**saldríamos**
vosotros, -as	**saldréis**	**saldríais**
ellos/ellas/Vds.	**saldrán**	**saldrían**

	MODE SUBJONCTIF		
	Présent	**Imparfait**	
yo	**salga**	saliera	ou saliese
tú	**salgas**	salieras	salieses
él/ella/Vd.	**salga**	saliera	saliese
nosotros, -as	**salgamos**	saliéramos	saliésemos
vosotros, -as	**salgáis**	salierais	salieseis
ellos/ellas/Vds.	**salgan**	salieran	saliesen

MODE IMPÉRATIF	INFINITIF	GÉRONDIF	PARTICIPE PASSÉ
sal tú	salir	saliendo	salido
salga usted			
salgamos nosotros, -as			
salid vosotros, -as			
salgan ustedes			

TEMPS COMPOSÉS

Les temps composés se forment, à la voix active, avec l'auxiliaire *haber* (tableau 1) et le participe passé du verbe à conjuguer: *salido*.

Tableaux de conjugaison

36. Sentir → SENTIR, ÊTRE DÉSOLÉ — Verbe irrégulier

TEMPS SIMPLES

MODE INDICATIF

	Présent	Imparfait	Passé simple
yo	siento	sentía	sentí
tú	sientes	sentías	sentiste
él/ella/Vd.	siente	sentía	sintió
nosotros, -as	sentimos	sentíamos	sentimos
vosotros, -as	sentís	sentíais	sentisteis
ellos/ellas/Vds.	sienten	sentían	sintieron

	Futur simple	Conditionnel
yo	sentiré	sentiría
tú	sentirás	sentirías
él/ella/Vd.	sentirá	sentiría
nosotros, -as	sentiremos	sentiríamos
vosotros, -as	sentiréis	sentiríais
ellos/ellas/Vds.	sentirán	sentirían

MODE SUBJONCTIF

	Présent	Imparfait		
yo	sienta	sintiera	ou	sintiese
tú	sientas	sintieras		sintieses
él/ella/Vd.	sienta	sintiera		sintiese
nosotros, -as	sintamos	sintiéramos		sintiésemos
vosotros, -as	sintáis	sintierais		sintieseis
ellos/ellas/Vds.	sientan	sintieran		sintiesen

MODE IMPÉRATIF
siente tú
sienta usted
sintamos nosotros, -as
sentid vosotros, -as
sientan ustedes

INFINITIF
sentir

GÉRONDIF
sintiendo

PARTICIPE PASSÉ
sentido

TEMPS COMPOSÉS

Les temps composés se forment, à la voix active, avec l'auxiliaire **haber** (tableau 1) et le participe passé du verbe à conjuguer : *sentido*.

TEMPS SIMPLES

	MODE INDICATIF		
	Présent	**Imparfait**	**Passé simple**
yo	**soy**	**era**	**fui**
tú	**eres**	**eras**	**fuiste**
él/ella/Vd.	**es**	**era**	**fue**
nosotros, -as	**somos**	**éramos**	**fuimos**
vosotros, -as	**sois**	**erais**	**fuisteis**
ellos/ellas/Vds.	**son**	**eran**	**fueron**

	Futur simple	**Conditionnel**
yo	seré	sería
tú	serás	serías
él/ella/Vd.	será	sería
nosotros, -as	seremos	seríamos
vosotros, -as	seréis	seríais
ellos/ellas/Vds.	serán	serían

	MODE SUBJONCTIF			
	Présent	**Imparfait**		
yo	**sea**	**fuera**	ou	**fuese**
tú	**seas**	**fueras**		**fueses**
él/ella/Vd.	**sea**	**fuera**		**fuese**
nosotros, -as	**seamos**	**fuéramos**		**fuésemos**
vosotros, -as	**seáis**	**fuerais**		**fueseis**
ellos/ellas/Vds.	**sean**	**fueran**		**fuesen**

MODE IMPÉRATIF	INFINITIF	GÉRONDIF	PARTICIPE PASSÉ
sé tú	ser	siendo	sido
sea usted			
seamos nosotros, -as			
sed vosotros, -as			
sean ustedes			

TEMPS COMPOSÉS

Les temps composés se forment, à la voix active, avec l'auxiliaire *haber* (tableau 1) et le participe passé du verbe à conjuguer: *sido*.

38. Tener → AVOIR, POSSÉDER   Verbe irrégulier

TEMPS SIMPLES

MODE INDICATIF

	Présent	Imparfait	Passé simple
yo	tengo	tenía	tuve
tú	tienes	tenías	tuviste
él/ella/Vd.	tiene	tenía	tuvo
nosotros, -as	tenemos	teníamos	tuvimos
vosotros, -as	tenéis	teníais	tuvisteis
ellos/ellas/Vds.	tienen	tenían	tuvieron

	Futur simple	Conditionnel
yo	tendré	tendría
tú	tendrás	tendrías
él/ella/Vd.	tendrá	tendría
nosotros, -as	tendremos	tendríamos
vosotros, -as	tendréis	tendríais
ellos/ellas/Vds.	tendrán	tendrían

MODE SUBJONCTIF

	Présent	Imparfait		
yo	tenga	tuviera	ou	tuviese
tú	tengas	tuvieras		tuvieses
él/ella/Vd.	tenga	tuviera		tuviese
nosotros, -as	tengamos	tuviéramos		tuviésemos
vosotros, -as	tengáis	tuvierais		tuvieseis
ellos/ellas/Vds.	tengan	tuvieran		tuviesen

MODE IMPÉRATIF	INFINITIF	GÉRONDIF	PARTICIPE PASSÉ
ten tú	tener	teniendo	tenido
tenga usted			
tengamos nosotros, -as			
tened vosotros, -as			
tengan ustedes			

TEMPS COMPOSÉS

Les temps composés se forment, à la voix active, avec l'auxiliaire *haber* (tableau 1)
et le participe passé du verbe à conjuguer : *tenido*.

Verbe irrégulier .... **39. Traducir** → TRADUIRE

TEMPS SIMPLES

MODE INDICATIF			
	Présent	**Imparfait**	**Passé simple**
yo	**traduzco**	traducía	**traduje**
tú	traduces	traducías	**tradujiste**
él/ella/Vd.	traduce	traducía	**tradujo**
nosotros, -as	traducimos	traducíamos	**tradujimos**
vosotros, -as	traducís	traducíais	**tradujisteis**
ellos/ellas/Vds.	traducen	traducían	**tradujeron**
	Futur simple	**Conditionnel**	
yo	traduciré	traduciría	
tú	traducirás	traducirías	
él/ella/Vd.	traducirá	traduciría	
nosotros, -as	traduciremos	traduciríamos	
vosotros, -as	traduciréis	traduciríais	
ellos/ellas/Vds.	traducirán	traducirían	

MODE SUBJONCTIF			
	Présent	**Imparfait**	
yo	**traduzca**	**tradujera** ou	**tradujese**
tú	**traduzcas**	**tradujeras**	**tradujeses**
él/ella/Vd.	**traduzca**	**tradujera**	**tradujese**
nosotros, -as	**traduzcamos**	**tradujéramos**	**tradujésemos**
vosotros, -as	**traduzcáis**	**tradujerais**	**tradujeseis**
ellos/ellas/Vds.	**traduzcan**	**tradujeran**	**tradujesen**

MODE IMPÉRATIF	INFINITIF	GÉRONDIF	PARTICIPE PASSÉ
traduce tú	traducir	traduciendo	traducido
traduzca usted			
traduzcamos nosotros, -as			
traducid vosotros, -as			
traduzcan ustedes			

TEMPS COMPOSÉS

Les temps composés se forment, à la voix active, avec l'auxiliaire *haber* (tableau 1) et le participe passé du verbe à conjuguer: *traducido*.

40. Traer → APPORTER   Verbe irrégulier

TEMPS SIMPLES

	MODE INDICATIF		
	Présent	**Imparfait**	**Passé simple**
yo	**traigo**	traía	**traje**
tú	traes	traías	**trajiste**
él/ella/Vd.	trae	traía	**trajo**
nosotros, -as	traemos	traíamos	**trajimos**
vosotros, -as	traéis	traíais	**trajisteis**
ellos/ellas/Vds.	traen	traían	**trajeron**

	Futur simple	**Conditionnel**
yo	traeré	traería
tú	traerás	traerías
él/ella/Vd.	traerá	traería
nosotros, -as	traeremos	traeríamos
vosotros, -as	traeréis	traeríais
ellos/ellas/Vds.	traerán	traerían

	MODE SUBJONCTIF		
	Présent	**Imparfait**	
yo	**traiga**	**trajera**	ou **trajese**
tú	**traigas**	**trajeras**	**trajeses**
él/ella/Vd.	**traiga**	**trajera**	**trajese**
nosotros, -as	**traigamos**	**trajéramos**	**trajésemos**
vosotros, -as	**traigáis**	**trajerais**	**trajeseis**
ellos/ellas/Vds.	**traigan**	**trajeran**	**trajesen**

MODE IMPÉRATIF	INFINITIF	GÉRONDIF	PARTICIPE PASSÉ
trae tú	traer	**trayendo**	**traído**
traiga usted			
traigamos nosotros, -as			
traed vosotros, -as			
traigan ustedes			

TEMPS COMPOSÉS

Les temps composés se forment, à la voix active, avec l'auxiliaire **haber** (tableau 1) et le participe passé du verbe à conjuguer: *traído*.

TEMPS SIMPLES

MODE INDICATIF			
	Présent	**Imparfait**	**Passé simple**
yo	**valgo**	valía	valí
tú	vales	valías	valiste
él/ella/Vd.	vale	valía	valió
nosotros, -as	valemos	valíamos	valimos
vosotros, -as	valéis	valíais	valisteis
ellos/ellas/Vds.	valen	valían	valieron

	Futur simple	**Conditionnel**
yo	**valdré**	**valdría**
tú	**valdrás**	**valdrías**
él/ella/Vd.	**valdrá**	**valdría**
nosotros, -as	**valdremos**	**valdríamos**
vosotros, -as	**valdréis**	**valdríais**
ellos/ellas/Vds.	**valdrán**	**valdrían**

MODE SUBJONCTIF				
	Présent	**Imparfait**		
yo	**valga**	valiera	ou	valiese
tú	**valgas**	valieras		valieses
él/ella/Vd.	**valga**	valiera		valiese
nosotros, -as	**valgamos**	valiéramos		valiésemos
vosotros, -as	**valgáis**	valierais		valieseis
ellos/ellas/Vds.	**valgan**	valieran		valiesen

MODE IMPÉRATIF	INFINITIF	GÉRONDIF	PARTICIPE PASSÉ
vale tú	valer	valiendo	valido
valga usted			
valgamos nosotros, -as			
valed vosotros, -as			
valgan ustedes			

TEMPS COMPOSÉS

Les temps composés se forment, à la voix active, avec l'auxiliaire *haber* (tableau 1) et le participe passé du verbe à conjuguer: *valido*.

42. Venir → VENIR   Verbe irrégulier

TEMPS SIMPLES

MODE INDICATIF

	Présent	Imparfait	Passé simple
yo	vengo	venía	vine
tú	vienes	venías	viniste
él/ella/Vd.	viene	venía	vino
nosotros, -as	venimos	veníamos	vinimos
vosotros, -as	venís	veníais	vinisteis
ellos/ellas/Vds.	vienen	venían	vinieron

	Futur simple	Conditionnel
yo	vendré	vendría
tú	vendrás	vendrías
él/ella/Vd.	vendrá	vendría
nosotros, -as	vendremos	vendríamos
vosotros, -as	vendréis	vendríais
ellos/ellas/Vds.	vendrán	vendrían

MODE SUBJONCTIF

	Présent	Imparfait		
yo	venga	viniera	ou	viniese
tú	vengas	vinieras		vinieses
él/ella/Vd.	venga	viniera		viniese
nosotros, -as	vengamos	viniéramos		viniésemos
vosotros, -as	vengáis	vinierais		vinieseis
ellos/ellas/Vds.	vengan	vinieran		viniesen

MODE IMPÉRATIF   INFINITIF   GÉRONDIF   PARTICIPE PASSÉ

MODE IMPÉRATIF	INFINITIF	GÉRONDIF	PARTICIPE PASSÉ
ven tú	venir	viniendo	venido
venga usted			
vengamos nosotros, -as			
venid vosotros, -as			
vengan ustedes			

TEMPS COMPOSÉS

Les temps composés se forment, à la voix active, avec l'auxiliaire **haber** (tableau 1) et le participe passé du verbe à conjuguer : *venido*.

TEMPS SIMPLES

MODE INDICATIF			
	Présent	**Imparfait**	**Passé simple**
yo	veo	veía	vi
tú	ves	veías	viste
él/ella/Vd.	ve	veía	vio
nosotros, -as	vemos	veíamos	vimos
vosotros, -as	veis	veíais	visteis
ellos/ellas/Vds.	ven	veían	vieron

	Futur simple	**Conditionnel**
yo	veré	vería
tú	verás	verías
él/ella/Vd.	verá	vería
nosotros, -as	veremos	veríamos
vosotros, -as	veréis	veríais
ellos/ellas/Vds.	verán	verían

MODE SUBJONCTIF			
	Présent	**Imparfait**	
yo	vea	viera	ou	viese
tú	veas	vieras	vieses
él/ella/Vd.	vea	viera	viese
nosotros, -as	veamos	viéramos	viésemos
vosotros, -as	veáis	vierais	vieseis
ellos/ellas/Vds.	vean	vieran	viesen

MODE IMPÉRATIF	INFINITIF	GÉRONDIF	PARTICIPE PASSÉ
ve tú	ver	viendo	visto
vea usted			
veamos nosotros, -as			
ved vosotros, -as			
vean ustedes			

TEMPS COMPOSÉS

Les temps composés se forment, à la voix active, avec l'auxiliaire **haber** (tableau 1) et le participe passé du verbe à conjuguer: *visto*.

Forme pronominale : Lavarse → SE LAVER   Verbe régulier

La conjugaison pronominale se forme avec les pronoms compléments : *me, te, se, nos, os, se*.
Ces pronoms se placent avant le verbe, à l'indicatif et au subjonctif, et après le verbe à l'infinitif, au gérondif et à l'impératif.

MODE INDICATIF

	Présent		Imparfait		Passé simple	
yo	me	lavo	me	lavaba	me	lavé
tú	te	lavas	te	lavabas	te	lavaste
él/ella/Vd.	se	lava	se	lavaba	se	lavó
nosotros, -as	nos	lavamos	nos	lavábamos	nos	lavamos
vosotros, -as	os	laváis	os	lavabais	os	lavasteis
ellos/ellas/Vds.	se	lavan	se	lavaban	se	lavaron

	Futur simple		Conditionnel	
yo	me	lavaré	me	lavaría
tú	te	lavarás	te	lavarías
él/ella/Vd.	se	lavará	se	lavaría
nosotros, -as	nos	lavaremos	nos	lavaríamos
vosotros, -as	os	lavaréis	os	lavaríais
ellos/ellas/Vds.	se	lavarán	se	lavarían

MODE SUBJONCTIF

	Présent		Imparfait				
yo	me	lave	me	lavara	ou	me	lavase
tú	te	laves	te	lavaras		te	lavases
él/ella/Vd.	se	lave	se	lavara		se	lavase
nosotros, -as	nos	lavemos	nos	laváramos		nos	lavásemos
vosotros, -as	os	lavéis	os	lavarais		os	lavaseis
ellos/ellas/Vds.	se	laven	se	lavaran		se	lavasen

MODE IMPÉRATIF	INFINITIF	GÉRONDIF	PARTICIPE
lávate tú	lavarse	lavándose	-
lávese usted			
lavémonos nosotros, -as			
lavaos vosotros, -as			
lávense ustedes			

Verbes irréguliers	modèle	traduction	tableau
Abastecer	obedecer	approvisionner, ravitailler	24
Abnegar	pensar	se dévouer, se sacrifier	28
Aborrecer	obedecer	détester, abandonner (animaux)	24
Absolver[1]	mover	absoudre, pardonner	22
Abstenerse	tener	s'abstenir	38
Abstraer	traer	abstraire	40
Acaecer	obedecer	arriver, survenir, avoir lieu	24
Acertar	pensar	atteindre, réussir, deviner	28
Acontecer	obedecer	arriver, avoir lieu, survenir	24
Acordar	contar	se mettre d'accord, décider	11
Acostar	contar	coucher	11
Acrecentar	pensar	accroître	28
Adherir	sentir	coller, fixer	36
Adolecer	obedecer	souffrir de, tomber malade	24
Adormecer	obedecer	endormir	24
Adquirir		**acquérir**	**5**
Aducir	traducir	alléguer	39
Advertir	sentir	remarquer, signaler, faire remarquer	36
Afluir	concluir	affluer	9
Agradecer	obedecer	remercier, être reconnaissant	24
Alentar	pensar	encourager	28
Almorzar	contar	déjeuner	11
Amanecer	obedecer	faire jour	24
Andar		**marcher**	**6**
Anochecer	obedecer	commencer à faire nuit	24
Anteponer	poner	mettre devant	31
Apacentar	pensar	paître, faire paître	28
Aparecer	obedecer	apparaître	24
Apetecer	obedecer	désirer, avoir envie	24
Apostar	contar	parier	11
Apretar	pensar	serrer, presser, pincer	28
Aprobar	contar	approuver, réussir un examen	11
Arrendar	pensar	louer (des terres, un local)	28
Arrepentirse	sentir	se repentir	36
Ascender	perder	monter, s'élever	29
Asentar	pensar	placer, asseoir, établir, convenir	28
Asentir	sentir	acquiescer	36
Aserrar	pensar	scier	28
Asestar	pensar	braquer, assener	28
Atardecer	obedecer	tomber (le jour)	24
Atender	perder	s'occuper de	29
Atenerse	tener	s'en tenir à, s'en remettre	38
Atraer	traer	attirer	40
Atravesar	pensar	mettre en travers, traverser	28
Atribuir	concluir	attribuer	9
Avenir	venir	se mettre d'accord, s'entendre	42
Aventar	pensar	éventer, disperser	28
Avergonzar	contar	faire honte	11
Bendecir[2]	decir	bénir	13

1. Le participe passé est *absuelto*

2. Il se conjugue comme *decir* sauf au futur, conditionnel et participe qui sont des temps réguliers. L'impératif se termine en -*dice*, -*diga*, etc.

Les principaux verbes irréguliers

Verbes irréguliers	modèle	traduction	tableau
Caber		**tenir (dans), entrer**	**7**
Caer		**tomber**	**8**
Calentar	pensar	chauffer, échauffer, faire chauffer	28
Carecer	obedecer	manquer, être dépourvu	24
Cegar	pensar	aveugler, devenir aveugle	28
Ceñir	pedir	se borner, se restreindre	27
Cernir	discernir	guetter, épurer, affiner	14
Cerrar	pensar	fermer, conclure, clore	28
Cocer	mover	cuire	22
Colar	contar	passer, filtrer	11
Colegir	pedir	déduire	27
Colgar	contar	pendre, suspendre, accrocher	11
Comenzar	pensar	commencer	28
Compadecer	obedecer	compatir, plaindre, avoir pitié de	24
Comparecer	obedecer	comparaître	24
Competir	pedir	concourir, être en concurrence, concurrencer, rivaliser	27
Complacer	nacer	complaire, plaire, réjouir	23
Componer	poner	composer, arranger	31
Comprobar	contar	vérifier, constater	11
Concebir	pedir	concevoir	27
Concernir	discernir	concerner	14
Concertar	pensar	concerter, s'entendre sur, négocier, conclure	28
Concluir		**conclure**	**9**
Concordar	contar	accorder, concilier, s'accorder	11
Condescender	perder	condescendre	29
Condolerse	mover	s'apitoyer	22
Conducir	traducir	conduire	39
Conferir	sentir	conférer, attribuer	36
Confesar	pensar	confesser, avouer	28
Confluir	concluir	confluer, se réunir	9
Conmover	mover	émouvoir, ébranler, toucher	22
Conocer		**connaître**	**10**
Conseguir	pedir	obtenir, atteindre, réussir	27
Consentir	sentir	consentir, permettre	36
Consolar	contar	consoler	11
Constituir	concluir	constituer	9
Constreñir	pedir	contraindre	27
Construir	concluir	construire	9
Contar		**compter, conter**	**11**
Contener	tener	contenir, retenir, renfermer	38
Contradecir[1]	decir	contredire	13
Contraer	traer	contracter, attraper (une maladie)	40
Contrahacer	hacer	contrefaire	17
Contraponer	poner	opposer	31
Contravenir	venir	enfreindre (la loi)	42
Contribuir	concluir	contribuer	9
Convalecer	obedecer	se remettre, être en convalescence	24
Convenir	venir	convenir, tomber d'accord	42
Convertir	sentir	changer, convertir	36
Corregir	pedir	corriger	27

■■■■■■■■■■

1. L'impératif est *contradice, contradicho,* etc.

Verbes irréguliers	modèle	traduction	tableau
Costar	contar	coûter, valoir	11
Crecer	obedecer	croître, grandir	24
Creer	leer	croire	20
Dar		**donner**	12
Decaer	caer	déchoir, décliner, dépérir	8
Decir		**dire**	13
Decrecer	obedecer	décroître, diminuer	24
Deducir	traducir	déduire	39
Defender	perder	défendre	29
Degollar	contar	égorger	11
Demoler	mover	démolir	22
Demostrar	contar	démontrer, prouver	11
Denegar	pensar	refuser, dénier	28
Denostar	contar	injurier	11
Deponer	poner	déposer	31
Derretir	pedir	fondre	27
Derruir	concluir	démolir	9
Desacertar	pensar	se tromper	28
Desalentar	pensar	essouffler, décourager	28
Desandar	andar	revenir, rebrousser chemin	6
Desaparecer	obedecer	disparaître	24
Desapretar	pensar	desserrer	28
Desaprobar	contar	désapprouver	11
Desarrendar	pensar	annuler un bail	28
Desatender	perder	ne pas prêter attention à, négliger	29
Descender	perder	descendre	29
Descolgar	contar	décrocher	11
Descollar	contar	surpasser, ressortir, se distinguer	11
Descomponer	poner	décomposer, déranger, irriter	31
Desconcertar	pensar	déconcerter	28
Desconocer	conocer	ne pas connaître, ignorer, méconnaître	10
Descontar	contar	déduire, enlever	11
Desempedrar	pensar	dépaver	28
Desentenderse	perder	se désintéresser de	29
Desenterrar	pensar	déterrer, tirer de l'oubli	28
Desenvolver[1]	mover	défaire, dérouler, développer	22
Desfallecer	obedecer	défaillir	24
Desfavorecer	obedecer	défavoriser	24
Desguarnecer	obedecer	dégarnir	24
Deshacer	hacer	défaire, dissoudre, délayer	17
Deshelar	pensar	dégeler, dégivrer	28
Desleír	reír	délayer	33
Deslucir	lucir	gâcher, discréditer	21
Desmembrar	pensar	démembrer	28
Desmentir	sentir	démentir	36
Desmerecer	obedecer	démériter	24
Desobedecer	obedecer	désobéir	24
Desoír	oír	ne pas écouter, faire fi de	25
Desollar	contar	dépouiller, écorcher, plumer	11
Desosar[2]	contar	désosser	11

■■■■■■■■■■

1. Le participe passé est *desenvuelto*.
2. Ce verbe introduit un *-h* devant la diphtongaison *ue*.

Les principaux verbes irréguliers

Verbes irréguliers	modèle	traduction	tableau
Despedir	pedir	jeter, congédier	27
Despertar	pensar	réveiller, éveiller, se réveiller	28
Desplegar	pensar	déplier, déployer	28
Despoblar	contar	dépeupler, déboiser	11
Desposeer	leer	déposséder, enlever	20
Desproveer	leer	démunir	20
Desteñir	pedir	déteindre	27
Desterrar	pensar	exiler	28
Destituir	concluir	destituer	9
Destruir	concluir	détruire	9
Desvanecer	obedecer	dissiper	24
Desvergonzarse	contar	manquer de respect, se dévergonder	11
Desvestir	pedir	dévêtir	27
Detener	tener	arrêter, garder	38
Devolver[1]	mover	rendre, renvoyer, retourner, rembourser	22
Diferir	sentir	différer	36
Digerir	sentir	digérer, assimiler	36
Diluir	concluir	diluer, délayer	9
Discernir		**discerner**	**14**
Discordar	contar	diverger, être en désaccord	11
Disentir	sentir	ne pas être du même avis	36
Disminuir	concluir	diminuer	9
Disolver[2]	mover	dissoudre, disperser	22
Disponer	poner	disposer	31
Distraer	traer	distraire, détourner	40
Distribuir	concluir	distribuer	9
Divertir	sentir	divertir, amuser	36
Doler	mover	avoir mal, faire mal	22
Dormir		**dormir**	**15**
Elegir	pedir	choisir, élire	27
Embellecer	obedecer	embellir	24
Embestir	pedir	attaquer, charger	27
Emblanquecer	obedecer	blanchir	24
Embravecer	obedecer	irriter	24
Embrutecer	obedecer	abrutir	24
Empedrar	pensar	empierrer	28
Empequeñecer	obedecer	rapetisser	24
Empezar	pensar	commencer	28
Empobrecer	obedecer	appauvrir	24
Enaltecer	obedecer	exalter	24
Enardecer	obedecer	exciter	24
Encanecer	obedecer	blanchir, grisonner, vieillir	24
Encarecer	obedecer	faire monter le prix, recommander, augmenter	24
Encender	perder	allumer, enflammer	29
Encerrar	pensar	enfermer, renfermer	28
Encomendar	pensar	recommander, confier	28
Encontrar	contar	trouver, rencontrer, heurter	11
Endurecer	obedecer	durcir, endurcir	24
Enflaquecer	obedecer	amaigrir, maigrir	24

1. Le participe passé est *devuelto*.
2. Le participe passé est *disuelto*.

Verbes irréguliers	modèle	traduction	tableau
Enfurecer	obedecer	rendre furieux	24
Engrandecer	obedecer	grandir, aggrandir, élever	24
Engreír	reír	enorgueillir	33
Enloquecer	obedecer	rendre fou, devenir fou	24
Enmendar	pensar	corriger, amender, réparer	28
Enmohecer	obedecer	moisir, rouiller	24
Enmudecer	obedecer	rendre muet, devenir muet, faire taire	24
Ennegrecer	obedecer	noircir	24
Ennoblecer	obedecer	anoblir	24
Enorgullecer	obedecer	enorgueillir	24
Enrarecerse	obedecer	se raréfier	24
Enriquecer	obedecer	enrichir	24
Enrojecer	obedecer	rougir	24
Enronquecer	obedecer	enrouer	24
Ensangrentar	pensar	ensanglanter	28
Ensombrecer	obedecer	assombrir	24
Ensordecer	obedecer	assourdir, rendre sourd, devenir sourd	24
Entender	perder	comprendre, entendre, s'y connaître	29
Enternecer	obedecer	attendrir	24
Enterrar	pensar	enterrer	28
Entontecer	obedecer	abrutir	24
Entorpecer	obedecer	engourdir, gêner	24
Entretener	tener	distraire, amuser, entretenir, occuper	38
Entrever	ver	entrevoir	43
Entristecer	obedecer	attrister	24
Entumecer	obedecer	engourdir, tuméfier	24
Envanecer	obedecer	enorgueillir	24
Envejecer	obedecer	vieillir	24
Envilecer	obedecer	avilir	24
Envolver[1]	mover	envelopper	22
Equivaler	valer	équivaloir, être égal à	41
Erguir[2]	sentir/pedir	dresser, lever	36/27
Errar[3]	pensar	errer, se tromper, rater	28
Escarmentar	pensar	donner une leçon, corriger	28
Escarnecer	obedecer	railler	24
Esclarecer	obedecer	éclairer, se lever (le jour)	24
Escocer	mover	brûler, piquer (une plaie, etc.)	22
Esforzar	contar	s'efforcer de	11
Establecer	obedecer	établir	24
Estar		**être**	**16**
Estatuir	concluir	statuer	9
Estremecer	obedecer	tressaillir, frémir	24
Estreñir	pedir	constiper	27
Excluir	concluir	exclure, excommunier	9
Expedir	pedir	expédier	27
Exponer	poner	exposer	31
Extender	perder	étendre	29
Extraer	traer	extraire	40
Fallecer	obedecer	décéder	24

■■■■■■■■■■

1. Le participe passé est *envuelto*.
2. Il peut se conjuguer comme *pedir* ou comme *sentir*.
3. Il se conjugue comme *pensar* avec la diphtongaison en *ye*.

Les principaux verbes irréguliers

Verbes irréguliers	modèle	traduction	tableau
Favorecer	obedecer	favoriser, avantager	24
Fenecer	obedecer	mourir	24
Florecer	obedecer	fleurir	24
Fluir	concluir	couler	9
Fortalecer	obedecer	fortifier	24
Forzar	contar	forcer	11
Fregar	pensar	récurer, faire la vaisselle	28
Freír	reír	frire	33
Gemir	pedir	gémir	27
Gobernar	pensar	gouverner	28
Guarecer	obedecer	protéger, abriter	24
Guarnecer	obedecer	garnir	24
Haber		avoir, être	1
Hacer		**faire**	**17**
Heder	perder	puer	29
Helar	pensar	geler	28
Henchir	pedir	emplir, remplir	27
Hendir	discernir	fendre	14
Herir	sentir	blesser	36
Herrar	pensar	ferrer	28
Hervir	sentir	bouillir	36
Holgar	contar	être oisif, souffler, être superflu	11
Hollar	contar	fouler, fouler aux pieds	11
Huir	concluir	fuir	9
Humedecer	obedecer	humidifier, humecter	24
Imbuir	concluir	inculquer	9
Impedir	pedir	empêcher	27
Imponer	poner	imposer	31
Incensar	pensar	encenser	28
Incluir	concluir	inclure, comprendre	9
Indisponer	poner	indisposer	31
Inducir	traducir	induire	39
Inferir	sentir	conclure, causer	36
Influir	concluir	influer	9
Ingerir	sentir	ingérer, avaler	36
Injerir	sentir	introduire	36
Inmiscuir	concluir	immiscer	9
Inquirir	adquirir	s'informer de	11
Instituir	concluir	instituer	9
Instruir	concluir	instruire	9
Interferir	sentir	interférer	36
Interponer	poner	interposer	31
Intervenir	venir	intervenir, participer	42
Introducir	traducir	introduire	39
Intuir	concluir	pressentir	9
Invertir	sentir	inverser, investir (des capitaux)	36
Investir	pedir	investir, conférer	27
Ir		**aller**	**18**
Jugar		**jouer**	**19**
Languidecer	obedecer	languir	24
Leer		**lire**	**20**
Lucir		**luire, briller**	**21**
Llover	mover	pleuvoir	22

Verbes irréguliers	modèle	traduction	tableau
Maldecir[1]	decir	maudire, médire	13
Malherir	sentir	blesser grièvement	36
Maltraer	traer	malmener, offenser	40
Manifestar	pensar	manifester, déclarer	28
Mantener	tener	nourrir, entretenir, garder	38
Medir	pedir	mesurer	27
Mentar	pensar	mentionner, nommer	28
Mentir	sentir	mentir, tromper	36
Merecer	obedecer	mériter	24
Merendar	pensar	goûter, prendre le goûter	28
Moler	mover	moudre, éreinter	22
Morder	mover	mordre	22
Morir[2]	dormir	mourir	15
Mostrar	contar	montrer	11
Mover		**bouger**	**22**
Nacer		**naître**	**23**
Negar	pensar	nier, refuser, démentir	28
Nevar	pensar	neiger	28
Obedecer		**obéir**	**24**
Obstruir	concluir	obstruer, entraver	9
Obtener	tener	obtenir	38
Ofrecer	obedecer	offrir	24
Oír		**entendre, écouter**	**25**
Oler		**sentir (une odeur)**	**26**
Oponer	poner	opposer	31
Oscurecer	obedecer	obscucir, commencer à faire nuit	24
Pacer	nacer	paître	23
Padecer	obedecer	souffrir, être atteint, subir, éprouver	24
Palidecer	obedecer	pâlir	24
Parecer	obedecer	avoir l'air, paraître, sembler	24
Pedir		**demander**	**27**
Pensar		**penser**	**28**
Perder		**perdre, rater, manquer de**	**29**
Perecer	obedecer	périr, mourir	24
Permanecer	obedecer	rester, demeurer	24
Perseguir	pedir	poursuivre, persécuter	27
Pertenecer	obedecer	appartenir, être concerné	24
Pervertir	sentir	pervertir	36
Placer	nacer	plaire	23
Plegar	pensar	plier, plisser	28
Poblar	contar	peupler, occuper	11
Poder		**pouvoir**	**30**
Poner		**mettre**	**31**
Poseer	leer	posséder	20
Posponer	poner	surbodonner, faire passer après	31
Preconcebir	pedir	préconcevoir	27
Predisponer	poner	prédisposer	31
Preferir	sentir	préférer, aimer mieux	36
Presentir	sentir	pressentir	36

■▪▪▪▪▪▪▪▪▪

1. Il se conjugue comme *decir* sauf au futur, conditionnel et participe qui sont des temps réguliers. L'impératif se termine en *-dice, -diga*, etc.

2. Le participe passé est *muerto*.

Verbes irréguliers	modèle	traduction	tableau
Presuponer	poner	présupposer	31
Prevalecer	obedecer	prévaloir	24
Prevenir	venir	prévenir, devancer	42
Prever	ver	prévoir	43
Probar	contar	éprouver, essayer, goûter	11
Producir	traducir	produire	39
Proferir	sentir	proférer	36
Promover	mover	promouvoir	22
Proponer	poner	proposer	31
Proseguir	pedir	poursuivre, continuer	27
Prostituir	concluir	prostituer	9
Proveer	leer	pourvoir, approvisionner	20
Provenir	venir	provenir	42
Quebrar	pensar	casser, briser, rompre	28
Querer		**vouloir, aimer**	**32**
Reaparecer	obedecer	réapparaître	24
Reblandecer	obedecer	ramollir	24
Recaer	caer	retomber, échoir	8
Recalentar	pensar	réchauffer	28
Recluir	concluir	enfermer	9
Recocer	mover	recuire	22
Recomendar	pensar	recommander	28
Recomenzar	pensar	recommencer	28
Recomponer	poner	recomposer	31
Reconducir	traducir	prolonger, reconduire	39
Reconocer	conocer	reconnaître	10
Reconstituir	concluir	reconstituer	9
Reconstruir	concluir	reconstruire	9
Recontar	contar	recompter	11
Reconvertir	sentir	reconvertir, recycler	36
Recordar	contar	rappeler, se rappeler, se souvenir de	11
Recostar	contar	appuyer	11
Recrudecer	obedecer	redoubler, s'intensifier	24
Redistribuir	concluir	redistribuer	9
Reducir	traducir	réduire	39
Reelegir	pedir	réélire	27
Reexpedir	pedir	réexpédier	27
Referir	sentir	rapporter, raconter	36
Reflorecer	obedecer	refleurir	24
Refluir	concluir	refluer	9
Reforzar	contar	renforcer	11
Refregar	pensar	frotter	28
Refreír	reír	refrire	33
Regar	pensar	arroser	28
Regir	pedir	régir, être en vigueur, gouverner	27
Rehacer	hacer	refaire	17
Rehuir	concluir	fuir, refuser	9
Reír		**rire**	**33**
Rejuvenecer	obedecer	rajeunir	24
Releer	leer	relire	20
Relucir	lucir	briller, luire	21
Remendar	pensar	raccommoder, rapiécer	28
Remorder	mover	ronger, causer du remords	22
Remover	mover	déplacer, remuer	22

Les principaux verbes irréguliers

Verbes irréguliers	modèle	traduction	tableau
Renacer	nacer	renaître	23
Rendir	pedir	vaincre, épuiser	27
Renegar	pensar	renier, blasphémer	28
Renovar	contar	renouveler, rénover	11
Reñir	pedir	se disputer, se fâcher, gronder	27
Repetir	pedir	répéter, redoubler, refaire, être en double	27
Replegar	pensar	replier	28
Repoblar	contar	repeupler, reboiser	11
Reponer	poner	remettre, replacer	31
Reprobar	contar	réprouver, blâmer	11
Reproducir	traducir	reproduire	39
Requebrar	pensar	faire la cour à	28
Requerir	sentir	requérir, prier, intimer	36
Resentirse	sentir	se ressentir	36
Resolver[1]	mover	résoudre	22
Resonar	contar	résonner	11
Resplandecer	obedecer	resplendir, rayonner	24
Restablecer	obedecer	rétablir	24
Restituir	concluir	restituer	9
Restregar	pensar	frotter énergiquement	28
Retener	tener	retenir, garder	38
Retorcer	mover	retordre, tordre	22
Retraer	traer	détourner de	40
Retribuir	concluir	rétribuer	9
Reventar	pensar	crever, éclater, mourir d'envie	28
Reverdecer	obedecer	reverdir	24
Revertir	sentir	retourner, restituer	36
Revestir	pedir	revêtir, recouvrir	27
Revolcar	contar	renverser	11
Revolver[2]	mover	remuer, fouiller, mettre sens dessus dessous	22
Robustecer	obedecer	fortifier	24
Rodar	contar	rouler, dégringoler, traîner	11
Rogar	contar	prier, supplier	11
Saber		**savoir, apprendre**	**34**
Salir		**sortir**	**35**
Satisfacer	hacer	satisfaire, subvenir	17
Seducir	traducir	séduire	39
Segar	pensar	faucher	28
Seguir	pedir	suivre	27
Sembrar	pensar	semer, répandre	28
Sentar	pensar	asseoir, aller, convenir, inscrire	28
Sentir		**sentir, être désolé**	**36**
Ser		**être**	**37**
Serrar	pensar	scier	28
Servir	pedir	servir, être utile	27
Sobreponer	poner	superposer	31
Sobresalir	salir	dépasser, ressortir, se distinguer	36
Sobrevenir	venir	survenir	42
Sobrevolar	contar	survoler	11
Soldar	contar	souder	11

1. Le participe passé est *resuelto*.
2. Le participe passé est *revuelto*.

Les principaux verbes irréguliers

Verbes irréguliers	modèle	traduction	tableau
Soler[1]	mover	avoir l'habitude de, arriver souvent	22
Soltar	contar	lâcher, dégager, défaire	11
Sonar	contar	sonner, tinter, avoir un son, dire quelque chose, moucher	11
Sonreír	reír	sourire	33
Soñar	contar	rêver	11
Sosegar	pensar	calmer, reposer	28
Sostener	tener	soutenir, supporter, tenir	38
Soterrar	pensar	enterrer, enfouir	28
Subarrendar	pensar	sous-louer	28
Subvenir	venir	subvenir, pourvoir	42
Sugerir	sentir	suggérer	36
Superponer	poner	superposer, faire passer avant	31
Suponer	poner	supposer	31
Sustituir	concluir	substituer, remplacer, mettre à la place	9
Sustraer	traer	soustraire	40
Temblar	pensar	trembler	28
Tender	perder	étendre, tendre, dresser, viser	29
Tener		**avoir, posséder**	**38**
Tentar	pensar	tenter, tâter	28
Teñir	pedir	teindre	27
Torcer	mover	tordre, tourner	22
Tostar	contar	griller, bronzer	11
Traducir		**traduire**	**39**
Traer		**apporter**	**40**
Transferir	sentir	transférer	36
Tra(n)scender	perder	transcender	29
Trasegar	pensar	déranger, transvaser	28
Traslucirse	lucir	être translucide	21
Trasponer	poner	transposer	31
Travestirse	pedir	se travestir	27
Trocar	contar	troquer, échanger	11
Tronar	contar	tonner	11
Tropezar	pensar	trébucher, buter, tomber sur	28
Valer		**valoir**	**41**
Venir		**venir**	**42**
Ver		**voir**	**43**
Verter	perder	verser, renverser	29
Vestir	pedir	habiller, couvrir, être habillé	27
Volar	contar	voler, faire sauter	11
Volcar	contar	renverser, capoter	11
Volver[2]	mover	tourner, retourner, rendre, revenir	22
Yuxtaponer	poner	juxtaposer	31
Zaherir	sentir	critiquer, blâmer, railler, mortifier	36

Remarque

Certains verbes n'ont pour seule irrégularité que leur participé passé : *abrir* (et sescomposés), *abierto*; *escribir* (et sescomposés), *escrito*; *pudrir*, *podrido*; *romper*, *roto*.

■■■■■■■■■■

1. C'est un verbe défectif. Il s'utilise uniquement aux présents de l'indicatif et du subjonctif, à l'imparfait, au passé simple, au passé composé et au subjonctif imparfait.
2. Le participe passé est *vuelto*.

A

abajo	dessous; en bas
aborto (el)	l'avortement
abrazar	embrasser *(étreindre, serrer dans ses bras)*
abrazo (el)	l'accolade
abrigo (el)	le manteau
abril	avril
abrir, abierto	ouvrir, ouvert
abuelo, -a (el, la)	le grand-père, la grand-mère
aburrirse	s'ennuyer
acabar	finir
acabar de + infinitif	venir de + infinitif
acaso	peut-être
accidente (el)	l'accident
acción (la)	l'action
aceite (el)	l'huile
aceituna (la)	l'olive
acento (el)	l'accent
aceptable	acceptable
acera (la)	le trottoir
acercarse a	s'approcher de
acertar	réussir, deviner
acompañar	accompagner
aconsejar	conseiller
acontecimiento (el)	l'événement
acostarse	se coucher
actitud (la)	l'attitude
actor (el)	l'acteur
actriz (la)	l'actrice
actualizar	actualiser
actuar	agir
acuerdo (el)	l'accord
¡de acuerdo!	d'accord!
estar de acuerdo	être d'accord
adaptar	adapter
adelantar	dépasser, devancer, doubler (un véhicule)
adelante	en avant, plus loin
¡adelante!	entrez!
adelgazar	maigrir
además	en plus
adentro	dedans
¡adiós!	au revoir!
decir adiós	dire au revoir
adquirir	acquérir
adrede	exprès
aduana (la)	la douane
advertir	avertir, prévenir
aeropuerto (el)	l'aéroport
afeitarse	se raser
aficionado, -a	amateur
ser aficionado, -a	être amateur de
afuera	dehors
agencia de viajes (la)	l'agence de voyages
agosto	août
agradable	agréable
agradecer	remercier
estar agradecido, -a	être reconnaissant, -e
agricultura (la)	l'agriculture
agua (el)	l'eau
agua con/sin gas (el)	l'eau gazeuse/plate
agua del grifo (el)	l'eau du robinet
agua mineral (el)	l'eau minérale
aguantar	supporter
ahí	là
ahora	maintenant
ahorrar	économiser
aire (el)	l'air
aislar	isoler
alcohol (el)	l'alcool
alegre	joyeux, -euse
alegría (la)	la joie
algo	quelque chose
alguien	quelqu'un
alguno, -a; algún	quelque; un peu de; quelqu'un
alimentar	alimenter
allí	là-bas
alma (el)	l'âme
almohada (la)	l'oreiller
almorzar	déjeuner
almuerzo (el)	le déjeuner *(à midi)*
alojamiento (el)	le logement
alquilar	louer
alquiler (el)	le loyer; la location
alrededor (de)	autour (de)
alto, -a	grand, -e; haut, -e
altura (la)	la hauteur
alumno, -a (el, la)	l'élève
amable	aimable
amante (el, la)	l'amant, la maîtresse
amarillo, -a	jaune
ambicioso, -a	ambitieux, -euse
ambiente (el)	l'ambiance
amenazar	menacer
amigo, -a (el, la)	l'ami, -e
amistad (la)	l'amitié
amor (el)	l'amour
análisis (el)	l'analyse
ancho, -a	large
andaluz, -a	andalou, -ouse
andar	marcher
andén (el)	le quai
animal (el)	l'animal
aniversario (el)	l'anniversaire
¡feliz aniversario!	joyeux anniversaire!
anoche	hier soir; la nuit dernière
anormal	anormal, -e

anteayer	avant-hier
anterior	antérieur, -e ; précédent, -e
antes (de)	avant (de)
antes que	plutôt
antiguo, -a	ancien, enne ; vieux, vieille
anunciar	annoncer
anuncio (el)	l'annonce ; la publicité
añadir	ajouter
año (el)	l'an, l'année
Año Nuevo (el)	la nouvelle année
¡Feliz Año Nuevo!	bonne année !
apagar	éteindre
aparcamiento (el)	le parking
aparcar	se garer
aparecer	apparaître
apariencia (la)	l'apparence
apartamento (el)	l'appartement
apellido (el)	le nom de famille
apetecer	désirer
apetito (el)	l'appétit
apodo (el)	le surnom
aprender	apprendre
aprobar un examen	réussir un examen
aprovechar	profiter
que te, os … aproveche!	bon appétit !
aquí	ici
árbol (el)	l'arbre
archivo (el)	le dossier (informatique)
arena (la)	le sable
armario (el)	l'armoire
arreglar(se)	(s')arranger
arriba	en haut
arroba (@) (la)	l'arobase (@)
arroz (el)	le riz
arte (el)	l'art
artículo (el)	l'article
artista (el, la)	l'artiste
asar	rôtir, griller
ascensor (el)	l'ascenseur
aseos (los)	les toilettes
así	ainsi, comme cela
así así	comme ci, comme ça
asiento (el)	le siège ; la place
asomarse	se montrer ; se pencher
asombrar	étonner
asunto (el)	l'affaire ; le sujet
atar	attacher
atasco (el)	l'embouteillage
atención (la)	l'attention
prestar atención	prêter attention
atentado (el)	l'attentat
atento, -a	attentif, -ive
estar atento	être attentif
atletismo (el)	l'athlétisme
atrás	derrière ; en arrière
atravesar	traverser
atreverse	oser
atún (el)	le thon
aula (el)	la salle de classe
aumentar	augmenter
aun	même
aún	encore, toujours
aunque	bien que ; même si
ausencia (la)	l'absence
autobús (el)	l'autobus
autopista (la)	l'autoroute
autor, -a (el, la)	l'auteur
autoridad (la)	l'autorité
auxilio (el)	le secours
avenida (la)	l'avenue
avería (la)	la panne
avión (el)	l'avion
avisar	avertir, prévenir
ayer	hier
ayuda (la)	l'aide
ayudar	aider
ayuntamiento (el)	la mairie
azafata (la)	l'hôtesse
azúcar (el)	le sucre
azucarado, -a	sucré, -e
azul	bleu, -e

B

bailar	danser
baile (el)	le bal, la danse
bajar	descendre
bajo, -a	bas, basse ; petit, -e
bajo	sous ; dessous
balcón (el)	le balcon
balón (el)	le ballon
baloncesto (el)	le basket-ball
balonmano (el)	le hand-ball
banco (el)	le banc ; la banque
bandera (la)	le drapeau
bañarse	se baigner
baño (el)	le bain ; la salle de bains
bar (el)	le bar
barato, -a	bon marché
barba (la)	la barbe
barco (el)	la bateau
barrio (el)	le quartier (d'une ville)

¡basta!, ¡basta ya! — ça suffit !
bastante — assez
beber — boire
bebida (la) — la boisson
belga — belge
besar — embrasser
beso (el) — le baiser
bicicleta (la) — la bicyclette
bien — bien
  ¡que te, os ...
  vaya bien! — bonne chance !
bienvenido, -a — bienvenu, -e
bigote (el) — la moustache
billar (el) — le billard
billete (el) — le billet
  billete de ida
  solamente (el) — le billet aller simple
  billete de ida
  y vuelta (el) — le billet aller
  — et retour
biología (la) — la biologie
bistec (el) — le bifteck
blanco, -a — blanc, blanche
blando, -a — mou, molle
blusa (la) — la blouse
boca (la) — la bouche
bocadillo (el) — le sandwich
boli (el) — le stylo
bolígrafo (el) — le stylobille
bolsa (la) — le sac
bolsillo (el) — la poche
bolso (el) — le sac à main
bonito (el) — le thon
bonito, -a — joli, -e
borracho, -a (el, la) — l'ivrogne, -esse
  borracho, -a — ivre
borrar — effacer
bosque (el) — la forêt
botella (la) — la bouteille
botón (el) — le bouton
boxco (el) — la boxe
brasileño, -a — brésilien, -enne
brazo (el) — le bras
brindar por — porter un toast à
broma (la) — la plaisanterie
buen(o), buena — bon, bonne
  ¡buenas noches! — bonsoir !
  ¡buenas tardes! — bon après-midi !
  bueno, pues (...) — eh, bien !
  ¡buenos días! — bonjour !
burro, -a (el, la) — l'âne, l'ânesse
buscador (el) — le moteur de
  — recherche (internet)
buscar — chercher
búsqueda (la) — la recherche
buzón (el) — la boîte aux lettres

C

caballo (el) — le cheval
cabello (el) — le cheveu
caber — tenir, entrer
cabeza (la) — la tête
cada uno/una — chacun, chacune
cada — chaque
  cada día — chaque jour
  cada año — chaque année
  cada mes — chaque mois
  cada semana — chaque semaine
cadena (la) — la chaîne
  cadena de música /
  de sonido/musical (la) — la chaîne HI-FI
  cadena — la chaîne
  de televisión (la) — de télévision
caer(se) — tomber
caer bien/mal — tomber/aller bien/mal
café (el) — le café
  un café solo/uno solo — un café
  un café con leche/ — un café au lait
  uno con leche
  un cortado — un crème
cafetería (la) — la cafétéria
caída (la) — la chute
caja (la) — la boîte, la caisse
calcetín (el) — la chaussette
calculadora (la) — la calculatrice
calefacción (la) — le chauffage
calendario (el) — le calendrier
calentar — chauffer
calidad (la) — la qualité
caliente — chaud, -e
callar(se) — se taire
calle (la) — la rue
calor (el) — la chaleur
  hace calor — il fait chaud
caluroso, -a — chaud, -e ;
  — chaleureux, -euse
cama (la) — le lit
cámara fotográfica (la) — l'appareil photo
camarero (el) — le garçon, le serveur
cambiar — changer
cambio (el) — le change (monnaie) ;
  — le changement
  tengo / no tengo — j'ai de la/je n'ai pas
  cambio — de monnaie
camino (el) — le chemin
camión (el) — le camion
camisa (la) — la chemise
camiseta (la) — le maillot (de corps)
campana (la) — la cloche
campesino, -a (el, la) — le paysan,
  — la paysanne
camping (el) — le camping

campo (el)	la campagne	castillo (el)	le château
canadiense	canadien, -enne	casualidad (la)	le hasard
canal de televisión (el)	la chaîne	por casualidad	par hasard
	de télévision	catalán, -ana	catalan, -e
canción (la)	la chanson	catedral (la)	la cathédrale
canguro (el, la)		causa (la)	la cause
(langage familier)	le/la baby-sitter	a causa de	à cause de
cansancio (el)	la fatigue	caza (la)	la chasse
cansar(se)	(se) fatiguer	cazador (el)	le chasseur
estar cansado, -a	être fatigué, -e	cazar	chasser
cantante (el, la)	le chanteur,	cebolla (la)	l'oignon
	la chanteuse	cederrón, CD-ROM (el)	le CD-ROM
cantar	chanter	celebrar	célébrer
caña (la)	le demi	celoso, -a	jaloux, -ouse
caña de cerveza (la)	le demi de bière	cena (la)	le dîner
capaz	capable	cenar	dîner
ser capaz de	être capable de	cenicero (el)	le cendrier
capital (la)	la capitale	centímetro (el)	le centimètre
capítulo (el)	le chapitre	céntimo (el)	le centime
cara (la)	la face, le visage	centro (el)	le centre
caramelo (el)	le bonbon	cepillo (el)	la brosse
caricia (la)	la caresse	cepillo de dientes (el)	la brosse à dents
cariño (el)	la tendresse,	cepillo del pelo (el)	la brosse à cheveux
	l'affection	cerca (de)	près (de)
cariñoso, -a	affectueux, -euse	cerebro (el)	le cerveau
carne (la)	la viande	cereza (la)	la cerise
carné (el)	le permis	cerilla (la)	l'allumette
carné de conducir (el)	le permis	cero	zéro
	de conduire	cerrar	fermer
carné de identidad (el)	la carte d'identité	cerveza (la)	la bière
carnicería (la)	la boucherie	champiñón (el)	le champignon
caro, -a	cher, chère (prix)	chaqueta (la)	la veste
carrera (la)	la course;	charla en línea (la)	la discussion en ligne
	la carrière		(internet)
	(profession)	charlar	bavarder
carretera (la)	la route	cheque (el)	le chèque
carta (la)	la lettre	chicle (el)	le chewing-gum
cartel (el)	l'affiche	chico, -a (el, la)	le garçon, la fille
cartera (la)	le portefeuille	chileno, -a	chilien, -enne
cartero (el)	le facteur	chino, -a	chinois, -e
casa (la)	la maison	chocolate (el)	le chocolat
casar(se)	(se) marier	chófer (el)	le chauffeur
estar casado, -a	être marié, -e	chorizo (el)	le saucisson au
caseta (la)	le stand		piment , le « chorizo »
	(foire-exposition)	churro (el)	le beignet
casete (el ou la)	la cassette	ciclismo (el)	le cyclisme
casete (el)	le magnétophone	ciego, -a	aveugle
	à cassette	cielo (el)	le ciel
casi	presque	ciencias (las)	les sciences
caso (el)	le cas	cierto, -a	sûr, -e
hacerle caso	faire attention à	cifra (la)	le chiffre
a algo /alguien	quelque chose/	cigarrillo (el)	la cigarette
	quelqu'un	cine (el)	le cinéma
castellano, -a	castillan, -e	cinta (la)	la bande (film)
castigar	punir	cinta de vídeo (la)	la cassette vidéo
castigo (el)	la punition	cinturón (el)	la ceinture

cinturón	la ceinture
de seguridad (el)	de sécurité
cita (la)	le rendez-vous
ciudad (la)	la ville
ciudadano, -a	citoyen, -enne
claro, -a	clair, -e
¡claro!	bien sûr!
clase (la)	le cours, la classe
clic (hacer clic)	cliquer (informatique)
cliente, -a (el, la)	le client, la cliente
clima (el)	le climat
clip (el)	le trombone (pour tenir des feuilles)
cobrar	percevoir (de l'argent)
cocer	cuire
coche (el)	la voiture
cocido (el)	le pot-au-feu
cocina (la)	la cuisine
cocinar	cuisiner, faire la cuisine
coger	prendre
colegio (el)	le collège
colombiano, -a	colombien, -enne
color (el)	la couleur
colorado, -a	rouge
comedor (el)	la salle à manger
comer	manger
comerciante (el, la)	le commerçant, la commerçante
comercio (el)	le commerce
comida (la)	la nourriture; le repas
comienzo (el)	le début
como	comme
cómo	comment
compañero, -a (el, la)	le compagnon, la compagne
compañía (la)	la compagnie
comparación (la)	la comparaison
comparar	comparer
competir	rivaliser
completamente	complètement
completo, -a	complet, -ète
comprar	acheter
comprender	comprendre
comprensible	compréhensible
comprobar	contrôler, vérifier
comunicar	communiquer
comunista (el, la)	le, la communiste
concierto (el)	le concert
concluir	conclure
conducir	conduire
conductor, -a (el, la)	le conducteur, la conductrice
conejo (el)	le lapin
confianza (la)	la confiance
conforme	conforme
estar conforme	être d'accord
confortable	confortable
conjugación (la)	la conjugaison
conocer	connaître
conseguir	arriver à, parvenir à; obtenir
consejo (el)	le conseil
conservar	conserver
considerar	considérer
consiguiente	conséquent
por consiguiente	par conséquent
constipado (el)	le rhume
constiparse	s'enrhumer
consulado (el)	le consulat
consumo (el)	la consommation
contaminación (la)	la pollution
contar	conter; compter
contento, -a	content, -e
estar contento	être content
contestador	le répondeur
automático (el)	(téléphonique)
contestar	répondre
continuar	continuer
contra	contre
estar en contra (de)	être contre
contrato (el)	le contrat
control (el)	le contrôle
controlar	contrôler
convencer	convaincre
estar convencido, -a	être convaincu, -e
conveniente	convenable
conversación (la)	la conversation, l'entretien
convidado, -a (el, la)	l'invité, -e
convidar	inviter
copa (la)	la coupe, le verre
tomar una copa	prendre un verre
corazón (el)	le cœur
cordero (el)	l'agneau, le mouton
cordillera (la)	la chaîne de montagnes
correcto, -a	correct, -e
corregir	corriger
correo (el)	le courrier
correo electrónico (el)	le courrier électronique
correos	la Poste
oficina de correos (la)	le bureau de poste
correr	courir
correspondencia (la)	la correspondance
corriente	courant, -e
estar al corriente	être au courant
cortado (el)	le café crème
cortar(se)	(se) couper
corto, -a	court, -e

cosa (la)	la chose
coser	coudre
costa (la)	la côte *(mer, océan)*
costar	coûter
costumbre (la)	l'habitude ; la coutume
cristal (el)	la vitre ; le verre
cruz (la)	la croix
cruzar	traverser
cuaderno (el)	le cahier
cuarto (el)	la chambre
cuarto, -a	quatrième
cuarto de baño (el)	la salle de bains
cuarto de estar (el)	la salle de séjour
cuarto de hora (un)	un quart d'heure
cubano, -a	cubain, -e
cubiertos (los)	les couverts
cubrir, cubierto	couvrir, couvert
cuchara (la)	la cuillère
cuchillo (el)	le couteau
cuello (el)	le cou
cuenta (la)	l'addition ; le compte
cuero (el)	le cuir
cuerpo (el)	le corps
cuidado	attention
tener cuidado	faire attention
¡cuidado!	attention !
culpable	coupable
cumpleaños (el)	l'anniversaire
¡feliz cumpleaños!	joyeux anniversaire !
cura (el)	le curé
curar(se)	(se) soigner
curioso, -a	curieux, -euse
curso (el)	la classe *(année scolaire)* ; le cours *(évolution, taux)*

D

danés, -esa	danois, -e
danza (la)	la danse
daño (el)	le mal ; le dommage, le tort
hacerse daño	se faire mal
dar	donner
darse a	s'adonner à
debajo	dessous ; sous
debajo de	en dessous de
deber	devoir
deber de	devoir *(probabilité)*
débil	faible
debilidad (la)	la faiblesse
decena (la)	la dizaine
decepcionar	décevoir
decidir	décider
decir, dicho	dire, dit

dedicar	dédier
dedo (el)	le doigt
deducir	déduire
defecto (el)	le défaut
defender	défendre
dejar	laisser
(no) dejar de	(ne pas) cesser de
delante (de)	devant
deletrear	épeler
delgado, -a	mince
delicado, -a	délicat, -e
demás (los/las demás)	les autres
demasiado, -a,	trop (de)
dentista (el, la)	le, la dentiste
dentro de x minutos, horas, etc.	dans x minutes, heures, etc.
depender	dépendre
dependiente, -a (el, la)	le vendeur, la vendeuse
deporte (el)	le sport
deportista (el, la)	le sportif, la sportive
deprisa	vite
derecha (la)	la droite
a la derecha	à droite
desagradable	désagréable
desaparecer	disparaître
desarrollar	développer
desayunar	prendre le petit déjeuner
desayuno (el)	le petit déjeuner
descansar	se reposer
descanso (el)	le repos, la détente
desconocido, -a	inconnu, -e
describir	décrire
descubrir	découvrir
descuidar	négliger
desde	depuis
desde hace mucho	depuis longtemps
desde hace poco	depuis peu
desde x tiempo	depuis x temps
desde ahora	désormais
desde luego	bien entendu, bien sûr, évidemment
desear	désirer
deseo (el)	le désir
desgracia (la)	le malheur
desgraciado, -a	malheureux, -euse
desierto (el)	le désert
desorden (el)	le désordre
despacio	lentement
despedida (la)	l'adieu
despedirse	prendre congé, dire au revoir
despertador (el)	le réveil
despertar(se)	(se) réveiller
despreciar	mépriser

desprecio (el)	le mépris
después (de)	après, ensuite
destino (el)	la destination
con destino a	à destination de
desviar	dévier, détourner
detalle (el)	le détail
detener(se)	(s')arrêter
detrás (de)	derrière
deuda (la)	la dette
devolver	rendre
día (el)	le jour
diario (el)	le journal; le quotidien
diario, -a	quotidien, -enne
a diario	tous les jours
dibujar	dessiner
dibujo (el)	le dessin
diccionario (el)	le dictionnaire
diciembre	décembre
dictado (el)	la dictée
dictadura (la)	la dictature
diente (el)	la dent
diferencia (la)	la différence
diferente	différent, -e
difícil	difficile
dificultad (la)	la difficulté
¿diga?, ¿dígame?	allo?
digerir	digérer
dinero (el)	l'argent
dios, -a (el, la)	le dieu, la déesse
dirección (la)	l'adresse
dirección	l'adresse
electrónica (la)	électronique
director, -a (el, la)	le directeur, la directrice
director de cine (el)	le metteur en scène
dirigente	dirigeant, -e
disco (el)	le disque
discurso (el)	le discours
disfrazar(se)	(se) déguiser
disfrutar	profiter; jouir
disgusto (el)	le désagrément
disminuir	diminuer
disparar	tirer (arme à feu)
disponer	disposer
dispuesto:	
estar dispuesto a	être disposé, -e à
disquete (el)	la disquette
distancia (la)	la distance
distinto, -a	différent, -e
divertido, -a	amusant, -e
divertirse	s'amuser
dividir	diviser
doblar	doubler; plier
doble	double
docena (la)	la douzaine
doctor, -a (el, la)	le docteur

documentación (la)	les papiers (d'identité)
documento (el)	le document
dólar (el)	le dollar
doler	avoir mal à; faire mal
dolor (el)	la douleur
domingo	dimanche
dominio (el)	le pouvoir; la propriété, le domaine
donde	où
dormir	dormir
dormitorio (el)	le dortoir, la chambre à coucher
droga (la)	la drogue
drogadicto, -a	drogué, -e
ducha (la)	la douche
duda (la)	le doute
dudar en	hésiter à
dueño, -a (el, la)	le, la propriétaire
dulce	doux, douce
durante	pendant
durar	durer
duro (el)	le douro (monnaie)
duro, -a	dur, -e

E

echar	jeter
echar de menos	regretter (l'absence)
echar una carta	envoyer une lettre
economía (la)	l'économie
edad (la)	l'âge
edición (la)	l'édition
edificar	construire
edificio (el)	le bâtiment, l'édifice; l'immeuble
educación (la)	l'éducation
efectivamente	effectivement
efecto (el)	l'effet
eficaz	efficace
ejecutivo (el)	le cadre (dans une entreprise)
ejemplo (el)	l'exemple
por ejemplo	par exemple
ejercicio (el)	l'exercice
ejército (el)	l'armée
elección (la)	l'élection; le choix
electricidad (la)	l'électricité
elegir	choisir; élire
embajada (la)	l'ambassade
embarazo (el)	la grossesse
emborracharse	s'enivrer
emisora (la)	la station (de radio)
empezar	commencer
empleado, -a (el, la)	l'employé, -e
emplear	employer

empleo (el)	l'emploi
empresa (la)	l'entreprise
empresario (el)	l'entrepreneur
empujar	pousser
en fin	enfin
en medio (de)	au milieu (de)
en resumen	en résumé
enamorado, -a	amoureux, -euse
encantar	enchanter
encargar	commander
encender	allumer
encerrar	enfermer
enchufe (el)	la prise de courant
encima	dessus ; sur
encima (de)	au-dessus (de)
encontrar(se)	(se) trouver
encuentro (el)	la rencontre
encuesta (la)	l'enquête
enemigo, -a (el, la)	l'ennemi, -e
enero	janvier
enfadar(se)	(se) fâcher
enfermedad (la)	la maladie
enfermero, -a (el, la)	l'infirmier, ère
enfermo, -a (el, la)	le, la malade
enfrente (de)	devant
engañar	tromper
engordar	grossir
¡enhorabuena!	félicitations !
enlace (el)	le lien (internet)
ensalada (la)	la salade
ensayar	essayer ; répéter
	(une pièce
	de théâtre)
enseñante (el, la)	l'enseignant, -e
enseñanza (la)	l'enseignement
enseñar	enseigner ;
	apprendre ; montrer
ensuciar	salir
entender	comprendre
entenderse	s'entendre
enterarse de	s'informer de
entero, -a	entier, -ère
entonces	alors
entrada (la)	l'entrée
entrar	entrer
entre	entre
entregar	remettre
entremeses (los)	les hors-d'œuvre
entrenarse	s'entraîner
entrevista (la)	l'entrevue, l'interview
envejecer	vieillir
enviar	envoyer
envidia (la)	la jalousie, l'envie
envío (el)	l'envoi
envolver	envelopper
equipaje (el)	les bagages

el equipaje de mano	les bagages à main
equipo (el)	l'équipe ;
	l'équipement
equivocarse	se tromper
error (el)	l'erreur
escalera (la),	l'escalier,
escaleras (las)	les escaliers
escándalo (el)	le scandale
escaparate (el)	la vitrine,
	la devanture
escolar	scolaire
escribir, escrito	écrire, écrit
escritor, -a (el, la)	l'écrivain
escritura (la)	l'écriture
escuchar	écouter
escuela (la)	l'école
escultura (la)	la sculpture
esfuerzo (el)	l'effort
esgrima (el)	l'escrime
eso	cela
por eso	c'est pourquoi
espada (la)	l'épée
espalda (la)	le dos
español, -a	espagnol, -e
especial	spécial, -e
espejo (el)	le miroir
espera (la)	l'attente
esperar	attendre ; espérer
espíritu (el)	l'esprit
esposo, -a (el, la)	l'époux, -ouse
esquí náutico (el)	le ski nautique
esquina (la)	le coin
establecer	établir
estación	
de autobuses (la)	la station de bus
estación	
de servicio (la)	la station-service
estación de tren (la)	la gare
estadio (el)	le stade
estado (el)	l'état
estanco (el)	le bureau de tabac
estar	être ; se trouver
estar bien/mal	aller bien/mal
estatura (la)	la stature, la taille
estilo (el)	le style
estómago (el)	l'estomac
estrecho, -a	étroit, -e
estrecho (el)	le détroit
estrella (la)	l'étoile
estropear(se)	(s')abîmer
estructura (la)	la structure
estudiante (el, la)	l'étudiant, -e
estudiar	étudier
estudio (el)	l'étude
¡estupendo!	formidable !
estúpido, -a	stupide

Lexique de base

eterno, -a	éternel, -elle
exacto, -a	exact, -e
examen (el)	l'examen
examinarse	passer un examen
excelente	excellent, -e
excepto	sauf
excursión (la)	l'excursion
existir	exister
éxito (el)	le succès
experimentar	éprouver, ressentir
explicar	expliquer
explotar	exploiter
exponer	exposer
exposición (la)	l'exposition
expresar	exprimer
exprimir	presser (un fruit)
extender	étendre
extraer	extraire
extranjero, -a	étranger, ère
extraño, -a	étonnant, -e
extraordinario, -a	extraordinaire

F

fábrica (la)	l'usine
fácil	facile
falda (la)	la jupe
falso, -a	faux, fausse
falta (la)	la faute
faltar	manquer
hace falta	il faut
fama (la)	la célébrité, la renommée
familia (la)	la famille
famoso, -a	fameux, euse, renommé, -e
fantástico, -a	fantastique
farmacia (la)	la pharmacie
fastidiar	ennuyer
favor: por favor	s'il te/vous plaît
estar a favor de	être partisan de
hacer el favor de	rendre un service à
favoritos (los)	les signets, les favoris (Internet)
fax (el)	le fax
febrero	février
fecha (la)	la date
felicitar	féliciter
feliz	heureux, -euse
¡felices fiestas!	joyeuses fêtes !
¡felicidades!,	(toutes mes)
¡muchas felicidades!	félicitations !
feo, -a	laid, -e
feria (la)	la foire
ferrocarril	le chemin de fer
festivo	de fête

el día festivo	le jour férié
fichero (el)	le fichier (informatique)
fiebre (la)	la fièvre
fiel	fidèle
fiesta (la)	la fête
día de fiesta (el)	le jour de fête
fijarse en	remarquer, observer
fin (el)	la fin
fin de semana (el)	le week-end
en fin, por fin	enfin
final (el)	la fin , le final
al final de	à la fin de, au bout de
firma (la)	la signature
firmar	signer
físico (el)	le physique
flamenco (el)	le flamenco
flor (la)	la fleur
fondo (el)	le fond
fontanero (el)	le plombier
forastero, -a	étranger, -ère à la ville, à la région, au pays où l'on vit
forma (la)	la forme
en forma de	sous forme de
foto (la)	la photo
fotografía (la)	la photographie
hacer fotos	faire des photos
fracasar	échouer
fracaso (el)	l'échec
francés, -esa	français, -e
franco, -a	franc, franche
franqueza (la)	la franchise
frase (la)	la phrase
freír, frito	frire, frit
frente (la)	le front
frente a	en face de
fresa (la)	la fraise
fresco, -a	frais, fraîche
hace fresco	il fait frais
frío (el)	le froid
hace frío	il fait froid
tener frío	avoir froid
frontera (la)	la frontière
fruta (la)	le fruit, les fruits
fuego (el)	le feu
fuente (la)	la source, la fontaine
fuera	dehors
fuera de	en dehors de
fuerte	fort, -e
fumar	fumer
funcionar	fonctionner, marcher
funeral (el)	les funérailles
fusible (el)	le fusible
fútbol (el)	le football
futbolista (el)	le footballeur

G

gafas (las)	les lunettes
gafas de sol (las)	les lunettes de soleil
gallego, -a	galicien, -enne
gallina (la)	la poule
gallo (el)	le coq
gambas (las)	les crevettes
ganar	gagner
garaje (el)	le garage
garganta (la)	la gorge
gas (el)	le gaz
gaseosa (la)	la limonade
gasolina (la)	l'essence
gastar	dépenser
gato, -a (el, la)	le chat, la chatte
general	général
por lo general	en général
género (el)	le genre
gente (la)	les gens
geografía (la)	la géographie
gestión (la)	la gestion
gigante (el)	le géant
gimnasia (la)	la gymnastique
gobierno (el)	le gouvernement
golf (el)	le golf
golpe (el)	le coup
gordo, -a	gros, grosse
gozar	jouir
grabación (la)	l'enregistrement (son, image)
grabar	enregistrer (son, image)
gracias	merci
muchas gracias	merci beaucoup
grado (el)	le degré
gramática (la)	la grammaire
gramo (el)	le gramme
grande; gran	grand, -e
gratuito, -a	gratuit, -e
griego, -a	grec, grecque
gris	gris, -e
gritar	crier
grupo (el)	le groupe
guante (el)	le gant
guapo, -a	joli, -e
guardar	garder
guardia civil (el)	le gendarme
guardia civil (la)	la gendarmerie
guerra (la)	la guerre
guía (el, la)	le guide
guía telefónica (la)	l'annuaire
guión (el)	le scénario
guisantes (los)	les petits pois
guisar	cuisiner
guitarra (la)	la guitare

gustar	plaire
gusto (el)	le goût
mucho gusto	enchanté, -e
con mucho gusto	volontiers

H

haber	avoir (auxiliaire)
habitación (la)	la chambre
habitación doble	chambre double
habitación individual	chambre simple
hablar	parler
hablar por teléfono	téléphoner
hacer, hecho	faire, fait
hacer falta	falloir
hace poco	il y a peu (de temps)
hace un momento	il y a un moment
hace x tiempo	il y a x temps
hacerse	devenir
hacia	vers
hambre (el)	la faim
hamburguesa (la)	le hamburger
harina (la)	la farine
harto, ta	rassasié, -e
estar harto	en avoir marre
hasta	jusqu'à
¡hasta luego!	à tout à l'heure!
¡hasta pronto!	à bientôt!
¡hasta ahora!	à tout de suite!
¡hasta mañana!	à demain!
¡hasta la tarde!	à cet après-midi!
¡hasta la semana que viene!	à la semaine prochaine!
¡hasta la vista!	au revoir!
hay	il y a
hay que + infinitivo	il faut + infinitif
no hay de qué	il n'y a pas de quoi
¿qué hay?	comment ça va?
hecho (el)	le fait
helado (el)	la glace (à manger)
helar	geler
hembra (la)	la femelle
heredar	hériter
herida (la)	la blessure
hermano, -a (el, la)	le frère, la sœur
hermoso, -a	beau, belle
héroe (el), **heroína** (la)	le héros, l'héroïne
herramientas (las)	les outils
hielo (el)	la glace, le verglas
hierba (la)	l'herbe
hijo, -a (el, la)	le fils, la fille
hispanohablante (el)	l'hispanophone
historia (la)	l'histoire
hogar (el)	le foyer (maison)
hoja (la)	la feuille; la lame
¡hola!	salut!

holandés, -esa — hollandais, -e
hombre (el) — l'homme
  ¡hombre, pues…! — eh, bien !
hombro (el) — l'épaule
hondo, -a — profond, -e
hora (la) — l'heure
  ¿qué hora es? — quelle heure est-il ?
horario (el) — l'horaire
horizonte (el) — l'horizon
hospital (el) — l'hôpital
hotel (el) — l'hôtel
hoy — aujourd'hui
  hoy en día — de nos jours
huelga (la) — la grève
huerta (la) — la plaine irriguée
hueso (el) — l'os
huevo (el) — l'œuf
huida (la) — la fuite
huir — fuir
humedad (la) — l'humidité
humilde — humble
humo (el) — la fumée

I

ida (la) — l'aller
  ida y vuelta — aller et retour
idea (la) — l'idée
ideal — idéal, -e
idioma (el) — la langue (étrangère)
iglesia (la) — l'église
igual — égal, -e
  me da igual — cela m'est égal
igualdad (la) — l'égalité
igualmente — également
iluminar — éclairer
imagen (la) — l'image
impedir — empêcher
importancia (la) — l'importance
importante — important, -e
importar — importer
imposible — impossible
impresora (la) — l'imprimante
imprimir — imprimer
impuesto (el) — l'impôt
inaceptable — inacceptable
incapaz — incapable
  ser incapaz (de) — être incapable (de)
inclinarse — se pencher
incluido, -a — inclus, -e
incluso — même
incorrecto, -a — incorrect, -e
increíble — incroyable
industria (la) — l'industrie
información (la) — l'information
informar — informer

informática (la) — l'informatique
informe (el) — le rapport, le compte rendu
ingeniero (el) — l'ingénieur
inglés, -esa — anglais, -e
injusto, -a — injuste
insecto (el) — l'insecte
insistir en — insister sur
instituto (el) — le lycée
instrucciones
  de uso (las) — le mode d'emploi
intención (la) — l'intention
intentar — essayer, tenter
intercambio (el) — l'échange
interés (el) — l'intérêt
interesante — intéressant, -e
interesar(se) — (s')intéresser
internauta (el, la) — l'internaute
internet (la) — (l')internet
interpretar — interpréter
intervenir — intervenir
introducir — introduire
inútil — inutile
inventar — inventer
inversión (la) — l'investissement
invertir — investir
invierno (el) — l'hiver
invitación (la) — l'invitation
invitado, -a (el, la) — l'invité, -e
invitar — inviter
ir — aller
  ir en bicicleta/
  en tren/avión — aller en vélo/
  en train/en avion
irse de — s'en aller
  irse de vacaciones / — partir en vacances/
  ir de paseo/ — faire une promenade/
  ir de compras — faire les courses
isla (la) — l'île
italiano, -a — italien, -enne
izquierda (la) — la gauche
  a la izquierda — à gauche

J

jabón (el) — le savon
jamás — jamais
jamón (el) — le jambon
japonés, -esa — japonais, -e
jardín (el) — le jardin
jarra (la) — le pot
jefe de gobierno (el) — le chef de gouvernement
jefe, -a (el, la) — le chef
jersey (el) — le pull-over
joven (el, la) — le, la jeune
joya (la) — le bijou

judía (la)	le haricot
judía verde (la)	le haricot vert
judío, -a	juif, juive
judo (el)	le judo
juez, jueza (el, la)	le, la juge
juego (el)	le jeu
jueves	jeudi
jugar	jouer
jugo (el)	le jus
juguete (el)	le jouet
julio	juillet
junio	juin
juntar	assembler
junto	ensemble
junto (a)	près (de)
juntos, -as	ensemble
justo	juste
juventud (la)	la jeunesse
juzgar	juger

K

kárate (el)	le karaté
kilo(gramo) (el)	le kilo(gramme)
kilómetro (el)	le kilomètre
kilómetro por hora	kilomètre/heure

L

labio (el)	la lèvre
lado (el)	le côté
al lado de	à côté de
ladrón (el)	le voleur
lago (el)	le lac
lágrima (la)	la larme
lamentar	déplorer
lámpara (la)	la lampe
lana (la)	la laine
lápiz (el)	le crayon
largo, -a	long, longue
lástima	pitié, peine
¡qué lástima!	quel dommage!
lationamericano, -a	latino-américain, -e
lavabo (el)	les toilettes
lavadora (la)	la machine à laver
lavar(se)	(se) laver
lección (la)	la leçon
leche (la)	le lait
lechuga (la)	la laitue
leer	lire
legumbre (la)	le légume
lejano, -a	lointain, -e
lejos (de)	loin (de)
lengua (la)	la langue
lento, -a	lent, -e
león (el)	le lion

letra (la)	l'écriture ; les paroles (d'une chanson)
levantar(se)	(se) lever
ley (la)	la loi
libertad (la)	la liberté
librería (la)	la librairie
libro (el)	le livre
ligar	draguer
ligero, -a	léger, -ère
limón (el)	le citron
limpiar	laver, nettoyer
limpieza (la)	le nettoyage
limpio, -a	propre
lindo, -a	joli, -e
línea (la)	la ligne
línea aérea (la)	la ligne aérienne
en línea	en ligne, on-line
lista (la)	la liste
lista de correo (la)	la poste restante
lista de distribución (la)	la liste de diffusion
lista de espera (la)	la liste d'attente
listo, -a	intelligent, -e
estar listo, -a	être prêt, -e
ser listo, -a	être malin, -igne
literatura (la)	la littérature
litro (el)	le litre
llamada (la)	l'appel
llamar(se)	(s')appeler
llamar por teléfono	téléphoner
llanto (el)	les pleurs
llave (la)	la clé
llegada (la)	l'arrivée
llegar	arriver
llegar a ser	devenir
llenar	remplir
lleno, -a	rempli, -e
llevar	porter; emporter
llevarse bien/mal (con alguien)	s'entendre bien/mal (avec quelqu'un)
llorar	pleurer
llover	pleuvoir
lluvia (la)	la pluie
loco, -a	fou, folle
lógico, -a	logique
lograr	obtenir, réussir
lucha (la)	la lutte
luego	après, ensuite
lugar (el)	le lieu
luna (la)	la lune
lunes	lundi
luz (la)	la lumière

M

madera (la)	le bois
madre (la)	la mère

madrileño, -a	madrilène	mayoría (la)	la majorité
madrugada (la)	l'aube, le petit matin	mecánico (el, la)	le mécanicien,
maduro, -a	mûr, -e		la mécanicienne
maestro, -a (el, la)	le maître,	media hora	une demi-heure
	la maîtresse	medias (las)	les bas; les
mal	mal		chaussettes
saber mal	avoir mauvais goût	medicina (la)	le médicament
salir mal	ne pas réussir	médico, -a (el, la)	le médecin
sentirse mal	se sentir mal	medida (la)	la mesure
maleta (la)	la valise	medio (el)	le moyen
malo, -a	mauvais, -e	medio ambiente (el)	l'environnement
estar malo, -a	être malade	en medio	au milieu
ser malo, -a	être méchant, -e	medio, -a	demi, -e
mamá (la)	la maman	medio kilo/litro	un demi-kilo/-litre
mancha (la)	la tache	mediodía	midi
mandar	envoyer	medios (los)	les moyens
manera (la)	la manière	medios de	
de esta manera	de cette manière	comunicación (los)	les médias
de ninguna manera	en aucune manière	medir	mesurer
manga (la)	la manche	mejor	mieux
mano (la)	la main	a lo mejor	peut-être
manta (la)	la couverture	es mejor que	il est préférable que
mantel (el)	la nappe	sentirse mejor	se sentir mieux
mantener(se)	(se) maintenir	mejorar	améliorer
mantequilla (la)	le beurre	melocotón (el)	la pêche (fruit)
manzana (la)	la pomme	melón (el)	le melon
mañana (la)	le matin	menor	plus petit, -e;
mañana	demain		mineur, -e
¡hasta mañana!	à demain!	menos	moins
mañana por la mañana	demain matin	menos … que	moins … que
por la mañana	le matin	mensaje (el)	le message
máquina (la)	la machine	mentira (la)	le mensonge
mar (el)	la mer	mentiroso, -a	menteur, -euse
maravilla (la)	la merveille	menudo, -a	menu, -e
marcharse	s'en aller, partir	a menudo	souvent
marido (el)	le mari	mercado (el)	le marché
marrón	marron	mercancía (la)	la marchandise
marroquí	marocain, -e	merecer	mériter
martes	mardi	merendar	goûter
marzo	mars	merienda (la)	le goûter
más	plus	mermelada (la)	la confiture
más … que	plus… que	mes (el)	le mois
más bien	plutôt	el mes pasado	le mois dernier
más o menos	plus ou moins	el mes que viene	le mois prochain
masticar	mâcher, mastiquer	dentro de un mes	dans un mois
matar	tuer	mesa (la)	la table
matemáticas (las)	les mathématiques	quitar la mesa	desservir
materia (la)	la matière	metal (el)	le métal
material (el)	le matériel	meter	mettre, introduire
matrimonio (el)	le mariage	método (el)	la méthode
máximo, -a	maximum	metro (el)	le mètre; le métro
mayo	mai	mexicano, a	mexicain, -e
mayonesa (la)	la mayonnaise	mezclar	mélanger
mayor	plus grand, -e;	miedo (el)	la peur
	majeur, -e	miel (la)	le miel
mayor (el, la)	l'aîné, -e	miembro (el)	le membre

mientras	pendant
mientras que	tandis que
miércoles	mercredi
milagro (el)	le miracle
militar (el, la)	le, la militaire
millón (el)	le million
mínimo, -a	minimum
ministerio (el)	le ministère
minuto (el)	la minute
mirada (la)	le regard
mirar	regarder
misa (la)	la messe
mismo (el, la, lo)	le, la même, la même chose
ahora mismo	tout de suite
lo mismo	la même chose
misterio (el)	le mystère
mitad (la)	la moitié
mochila (la)	le sac à dos
moda (la)	la mode
de moda	à la mode
modelo (el)	le modèle
modelo (el, la)	le mannequin
modem (el)	le modem
moderno, -a	moderne
modo (el)	la manière
de modo que	de manière que
mojar(se)	(se) mouiller
molestar(se)	(se) déranger
molestia (la)	la gêne, le dérangement
momento (el)	le moment
de momento	pour le moment
hace un momento	il y a un moment
en este momento	en ce moment
monarquía (la)	la monarchie
moneda (la)	la monnaie
montaña (la), monte (el)	la montagne
montón (el)	le tas
morder	mordre
moreno, -a	brun, -e
morir(se), muerto	mourir, mort
mosca (la)	la mouche
mosquito (el)	le moustique
mostaza (la)	la moutarde
mostrar	montrer
motivo (el)	le motif
moverse	bouger
móvil (el)	le portable
muchacho, -a (el, la)	le garçon, la fille
mucho, -a, os, -as	beaucoup
mucho gusto	enchanté, -e
con mucho gusto	volontiers
mueble (el)	le meuble
muela (la)	la dent, la molaire

muerte (la)	la mort
mujer (la)	la femme
multa (la)	l'amende, la contravention
mundial	mondial, -e
mundo (el)	le monde
muñeca (la)	le poignet; la poupée
muralla (la)	la muraille
museo (el)	le musée
música (la)	la musique
muslo (el)	la cuisse
muy	très
muy bien	très bien

N

nacer	naître
nacimiento (el)	la naissance
nacionalidad (la)	la nationalité
nada	rien
de nada	de rien
nadar	nager
nadie	personne
naranja (la)	l'orange
nariz (la)	le nez
narrador (el)	le narrateur
nata (la)	la crème (produit laitier)
natación (la)	la natation
natural	naturel, -elle
naturaleza (la)	la nature
naturalmente	naturellement
navegador (el)	le navigateur
navegar	naviguer
Navidad(es)	Noël
¡Feliz(ces) Navidad(es)!	joyeux Noël!
necesario, -a	nécessaire
ser necesario	être nécessaire
necesidad (la)	le besoin
necesitar	avoir besoin de
negarse a	se refuser à
negativo, -a	négatif, -ive
negocio (el)	l'affaire; le commerce
negro, -a	noir, -e
nervioso, -a	nerveux, -euse
neumático (el)	le pneu(matique)
nevar	neiger
nevera (la)	le réfrigérateur
niebla (la)	le brouilllard
nieto, -a (el, la)	le petit-fils, la petite-fille
nieve (la)	la neige
ninguno, -a; ningún	aucun, -e
niñez (la)	l'enfance

niño, -a (el, la)	l'enfant
no	non
no … nada/nadie /	ne … rien/personne/
nunca	jamais
no … sino	ne … que
noche (la)	la nuit
por la noche	le soir
ser de noche	faire nuit
Noche buena (la)	la nuit du 24 décembre
Nochevieja (la)	la nuit de
	la Saint-Sylvestre
¡Feliz Nochevieja!	bon réveillon!
nombrar	nommer
nombre (el)	le prénom
normal	normal, -e
normalmente	normalement
norte (el)	le nord
norteamericano, -a	nord-américain, -e
noruego, -a	norvégien, -enne
nota (la)	la note
noticia (la)	la nouvelle
novela (la)	le roman
noviembre	novembre
novio, -a (el, la)	le fiancé, la fiancée
nube (la)	le nuage
nuevo, -a	neuf, neuve
nulo, -a	nul, nulle
número (el)	le numéro; le nombre
el número	le numéro
de teléfono	de téléphone
numeroso, -a	nombreux, -euse
nunca	jamais

O

o	ou
o sea	c'est-à-dire
obedecer	obéir
obediente	obéissant, -e
obispo (el)	l'évêque
objetivo (el)	l'objectif
objeto (el)	l'objet
obra (la)	l'œuvre; l'ouvrage;
	la pièce (de théatre)
las obras	les travaux,
	le chantier
obrero (el)	l'ouvrier
obtener	obtenir
ocio (el)	le loisir
ocioso, -a	oisif, -ive
octubre	octobre
ocupar	occuper
ocurrir	arriver, se produire
odiar	haïr
oeste (el)	l'ouest
ofender	offenser

oferta (la)	l'offre
oficina (la)	le bureau (le local)
oficio (el)	le métier
oído (el)	l'ouïe; l'oreille
oír	entendre
ojo (el)	l'œil
¡ojo!	attention!
ola (la)	la vague
oler	sentir (une odeur)
¡qué bien huele!	ça sent bon!
olor (el)	l'odeur
olvidar	oublier
omitir	omettre
operación (la)	l'opération
opinar	penser,
	donner son avis
opinión (la)	l'opinion
oponer	opposer
oportunidad (la)	l'occasion
ordenador (el)	l'ordinateur
oreja (la)	l'oreille
oro (el)	l'or
oscuro, -a	obscur, -e
otoño (el)	l'automne
otro, -a	autre
otra vez	une autre fois
oxígeno (el)	l'oxygène

P

padre (el)	le père
padres (los)	les parents
pagar	payer
página (la)	la page
país (el)	le pays
paisaje (el)	le paysage
pájaro (el)	l'oiseau
palabra (la)	le mot; la parole
palacio (el)	le palais
pálido, -a	pâle
pan (el)	le pain
panadería (la)	la boulangerie
panadero, -a (el, la)	le boulanger, -ère
pantalla (la)	l'écran
pantalón (el)	le pantalon
pantalones (los)	le pantalon
pañuelo (el)	le mouchoir
Papa (el)	le Pape
papá (el)	le papa
papel (el)	le papier
desempeñar un papel	jouer un rôle
paquete (el)	le paquet
par (el)	la paire
parada (la)	l'arrêt
parada de	
autobuses (la)	l'arrêt de bus

parado, -a	chômeur, -euse	pensión (la)	la pension
parador (el)	en Espagne, hôtel luxueux administré par l'État	peor	pire
		pequeño, -a	petit, -e
		pera (la)	la poire
parar(se)	(s')arrêter	perder	perdre ; manquer, rater
parecer	paraître		
pared (la)	le mur	perdón (el)	le pardon
paro (el)	le chômage	perdonar	pardonner
parque (el)	le jardin public	pereza (la)	la paresse
parte (la)	la partie ; la part	perezoso, -a	paresseux, -euse
de parte de	de la part de	perfectamente	parfaitement
en parte	en partie	periódico (el)	le journal
en todas partes	partout	periodista (el, la)	le, la journaliste
por una/otra parte	d'un côté/de l'autre	período (el)	la période
partido (el)	le match	permanecer	demeurer, rester
partir	diviser, partager	permiso (el)	la permission
pasajero (el)	le passager	tener permiso para	avoir la permisssion de
pasaporte (el)	le passeport	permitir	permettre
pasar	passer	pero	mais
pasarlo bien/mal	s'amuser/ ne pas s'amuser	perro, -a (el, la)	le chien, la chienne
		persona (la)	la personne
pasearse por	se promener sur/dans	persona mayor (la)	la personne âgée
		personal (el)	le personnel
paseo (el)	la promenade	pertenecer a	appartenir à
dar un paseo	faire une promenade	peruano, -a	péruvien, -enne
ir de paseo	faire un tour	pesadilla (la)	le cauchemar
pasillo (el)	le couloir	pesar	peser
paso (el)	le pas ; le passage	pesar	peine, regret
paso de peatones (el)	le passage pour piétons	a pesar de	malgré
		pesca (la)	la pêche (aux poissons)
pastel (el)	le gâteau	pescado (el)	le poisson (sorti de l'eau)
pastelería (la)	la pâtisserie		
patata (la)	la pomme de terre	peseta (la)	la peseta (monnaie espagnole)
patatas fritas (las)	les pommes de terre frites, les frites		
		peso (el)	le poids ; le peso (monnaie latino-américaine)
patín (el)	le patin		
patinar	glisser ; faire du patin		
patio (el)	la cour	pez (el)	le poisson (dans l'eau)
patrón (el)	le patron		
pausa (la)	la pause	pie (el)	le pied
paz (la)	la paix	a pie	à pied
peaje (el)	le péage	de pie	debout
peatón (el)	le piéton	estar de pie	être debout
pecho (el)	la poitrine	piedra (la)	la pierre
pedir	demander	piel (la)	la peau
pegar	coller ; frapper	pierna (la)	la jambe
peinarse	se peigner	pieza (la)	la pièce
peine (el)	le peigne	píldora (la)	la pilule
película (la)	le film ; la pellicule	pimienta (la)	le poivre
peligro (el)	le danger	pinchar	cliquer (informatique)
peligroso, -a	dangeureux, -euse	pintar	peindre
pelo (el)	les cheveux	pintor, -a (el, la)	le, la peintre
pelota (la)	la balle (pour jouer)	piso (el)	l'étage ; l'appartement
pena (la)	la peine	plan (el)	le plan
pensar (en)	penser (à)	hacer planes	faire des plans

plancha : a la plancha	au grill	pregunta (la)	la question
plancha (la)	le fer à repasser	hacer una pregunta	poser une question
planchar	repasser	preguntar	demander
plano, -a	plat, -e ; plan, -e	premio (el)	le prix
planta (la)	la plante	prensa (la)	la presse
planta baja (la)	le rez-de-chaussée	preocuparse	se préoccuper
plástico , -a	plastique	preparación (la)	la préparation
plata (la)	l'argent	preparar	préparer
plátano (el)	la banane	presentación (la)	la présentation
plato (el)	l'assiette	presentar(se)	(se) présenter
plato del día (el)	le plat du jour	preservativo (el)	le préservatif
playa (la)	la plage	prevenir	prévenir
plaza (la)	la place	prever	prévoir
plaza de toros (la)	l'arène	primavera (la)	le printemps
plazo (el)	le délai	primer(o), -a	premier, ère
población (la)	la population	primero	tout d'abord
pobre	pauvre	primo, -a (el, la)	le cousin, la cousine
pobreza (la)	la pauvreté	princesa (la)	la princesse
poco	peu	príncipe (el)	le prince
poco a poco	peu à peu	principio (el)	le principe ; le début
hace poco	il y a peu de temps	a principios de	au début de
poder (el)	le pouvoir	al principio	au début
poder	pouvoir	prisa (la)	la hâte
polaco, -a	polonais, -e	darse prisa	se presser, se dépêcher
policía (el, la)	le policier, l'agent de police	de prisa, deprisa	vite
policía (la)	la police	probar	goûter
política (la)	la politique	probarse la ropa	essayer des vêtements
político, -a (el, la)	l'homme, la femme politique	proceder	procéder
pollo (el)	le poulet	producir	produire
polvo (el)	la poussière	producto (el)	le produit
poner, puesto	mettre, mis ; placer, placé	profesión (la)	la profession
		profesional	professionnel, -elle
ponerse	devenir	profesor, -a (el, la)	le, la professeur
por	par, pour	profundo, -a	profond, -e
por consiguiente	par conséquent	programa (el)	le programme
por eso (es por lo que)	c'est pourquoi	progreso (el)	le progrès
por fin	enfin	prohibir	interdire
por la mañana	le matin	promesa (la)	la promesse
por la tarde	l'après-midi	prometer	promettre
por la noche	le soir	pronto	bientôt ; vite
¿por qué?	pourquoi ?	de pronto	tout à coup
por supuesto	bien entendu	pronunciar	prononcer
porque	parce que	propina (la)	le pourboire
portero, -a (el, la)	le, la concierge	propio, -a	propre
portugués, -esa	portugais, -e	ser propio, -a de	être propre à
posible	possible	proponer	proposer
postal (la)	la carte postale	próspero, -a	prospère
postre (el)	le dessert	provecho	profit
potable	potable	¡buen provecho!	bon appétit !
practicar	pratiquer	provincia (la)	la province
práctico, -a	pratique	próximo, -a	prochain, -e
precio (el)	le prix	proyecto (el)	le projet
preferir	préférer	prueba (la)	la preuve ; l'essai ; le test
prefijo (el)	le préfixe		

psicología (la)	la psychologie	recuerdo (el)	le souvenir
publicar	publier	recurso (el)	le recours
publicidad (la)	la publicité	red (la)	le réseau
público (el)	le public	redactar	rédiger
pueblo (el)	le village ; le peuple	redondo, -a	rond, -e
puente (el)	le pont	reducir	réduire
puerta (la)	la porte	reemplazar	remplacer
puerto (el)	le port	reflejar	réfléchir *(lumière)*
pues	car ; or ; donc	reflexionar	réfléchir *(penser)*
puesto (el)	le poste	refrán (el)	le proverbe
puesto de trabajo (el)	le poste de travail	refresco (el)	le rafraîchissement
puesto que	puisque	regalar	offrir, faire cadeau de
pulmón (el)	le poumon	regalo (el)	le cadeau
pulsar	cliquer	regar	arroser, irriguer
(informatique)		región (la)	la région
punta (la)	la pointe	registrar	enregistrer ; fouiller
punto (el)	le point	regresar	rentrer ; retourner
en punto	à l'heure juste, pile	regular	régulier, -ère
		reina (la)	la reine
		reinar	régner

Q

		reír	rire
¡que te diviertas!	amuse-toi bien !	reírse de	se moquer de
quedar(se)	rester	relato (el)	le récit
quedar en algo	convenir de	relieve (el)	le relief
queja (la)	la plainte	religión (la)	la religion
querer	aimer ; vouloir	reloj (el)	l'horloge ; la montre
queso (el)	le fromage	remedio (el)	le remède
quieto, -a	tranquille	renunciar	renoncer
química (la)	la chimie	reñir	se disputer
quinielas (las)	le loto sportif	reparar	réparer
quitar	enlever, retirer	repente (el)	le sursaut, l'accès
quitarse la ropa	retirer ses vêtements	de repente	tout à coup
quizá(s)	peut-être	repetir	répéter
		representante	représentant, -e
		resbalar	glisser

R

		reservar	réserver
radio (la)	la radio	resfriado (el)	le rhume
rápidamente	rapidement	resfriarse	s'enrhumer
rápido, -a	rapide	respecto a	en ce qui concerne
raro, -a	étrange	respeto (el)	le respect
rato (un)	un moment	respirar	respirer
ratón (el)	la souris	responder	répondre
razón (la)	la raison	respuesta (la)	la réponse
rebajas (las)	les soldes	restaurante (el)	le restaurant
recado (el)	la commission,	resultar	résulter, ressortir
	le message	resulta que	il se trouve que
receta (la)	la recette (de cuisine)	resumen (el)	le résumé
rechazar	rejeter, refuser	retirar	retirer
recibir	recevoir	retrasar	retarder
recientemente	récemment	estar retrasado	être en retard
recoger	ramasser, recueillir	retraso (el)	le retard
recomendar	recommander	retrato (el)	le portrait
recordar	rappeler	retroceder	reculer
recreo (el)	la récréation	reunión (la)	la réunion
recto, -a	droit, -e	reunirse con	retrouver

revés (el)	l'envers
al revés	à l'envers
revista (la)	la revue
rey (el)	le roi
rezar	prier, faire une prière
rico, -a	riche
riesgo (el)	le risque
rincón (el)	le coin
riña (la)	la dispute
riñón (el)	le rein
río (el)	la rivière ; le fleuve
risa (la)	le rire
ritmo (el)	le rythme
robar	voler, dérober
robo (el)	le vol
rodar	rouler
rodilla (la)	le genou
rogar a alguien que	prier quelqu'un de
rojo, -a	rouge
romper, roto	casser, cassé
roncar	ronfler
ropa (la)	le linge ; le vêtement
ropa interior (la)	les sous-vêtements, les dessous
rostro (el)	le visage
rubio, -a	blond, -e
rueda (la)	la roue
rugby (el)	le rugby
ruido (el)	le bruit
ruidoso, -a	bruyant, -e
ruso, -a	russe

S

sábado	samedi
sábana (la)	le drap
saber	savoir
sabor (el)	la saveur
sacar	sortir ; tirer ; enlever
sacerdote (el)	le prêtre
sal (la)	le sel
salado, -a	salé, -e
salario (el)	le salaire
salida (la)	la sortie, le départ
salir	sortir
salir bien/mal	réussir/échouer
salir de viaje	partir en voyage
salir en la televisión	passer à la télévision
salud (la)	la santé
¡salud!, ¡a tu/su/ ... salud!	à ta/votre santé !, à la tienne/vôtre !
saludo (el)	le salut
salvaje	sauvage
salvar	sauver
sangre (la)	le sang

sanidad (la)	le service sanitaire
santo (el)	le saint ; la fête
santo, -a/san	saint, -e
satélite (el)	le satellite
satisfacer	satisfaire
sea, o sea	c'est-à-dire
sea... sea	soit... soit
secar	sécher ; essuyer
seco, -a	sec, sèche
sed (la)	la soif
tener sed	avoir soif
seguido, -a	suivi, -e
en seguida	tout de suite
seguir	suivre, continuer
según	selon
segundo (el)	la seconde
seguramente	sûrement
seguridad (la)	la sécurité ; l'assurance
seguro (el)	l'assurance (contrat)
seguro, -a	sûr, -e
sello (el)	le timbre ; le cachet
semáforo (el)	le feu de signalisation
semana (la)	la semaine
Semana Santa (la)	la semaine sainte
sencillo, -a	simple
sentarse	s'asseoir
sentimiento (el)	le sentiment
sentir	sentir ; regretter
lo siento	je suis désolé
señal de tráfico (la)	le panneau de signalisation
señor	monsieur
señor (el)	le monsieur
señora	madame
señora (la)	la dame
señorita	mademoiselle
señorita (la)	la demoiselle
septiembre	septembre
ser	être
serie (la)	la série
serio, -a	sérieux, -euse
servicios (los)	les toilettes
servilleta (la)	la serviette (de table)
servir	servir
sesión (la)	la séance
si	si
sí	oui
siempre	toujours
siglo (el)	le siècle
significar	signifier
siguiente	suivant, -e
sílaba (la)	la syllabe
silencio (el)	le silence
silla (la)	la chaise

sillón (el)	le fauteuil
símbolo (el)	le symbole
simpático, -a	sympathique
sin embargo	cependant
sindicato (el)	le syndicat
sinfonía (la)	la symphonie
sino	mais
sinónimo (el)	le synonyme
síntesis (la)	la synthèse
síntoma (el)	le symptôme
sitio (el)	le lieu ; l'endroit ; la place
sitio internet (el)	le site internet
sitio web (el)	le site Web
sobre (el)	l'enveloppe
sobre	sur ; dessus
sobre todo	surtout
sobrino, -a (el, la)	le neveu, la nièce
socialista	socialiste
sol (el)	le soleil
tomar el sol	prendre le soleil
solamente, sólo	seulement
soldado (el)	le soldat
soler	avoir l'habitude de
solo, -a	seul, -e
soltar	lâcher ; lancer
soltero, -a	célibataire
sombra (la)	l'ombre
sombrero (el)	le chapeau
sonreír	sourire
sonrisa (la)	le sourire
soñar (con)	rêver (de)
sopa (la)	la soupe
sordo, -a	sourd, -e
sorprender	surprendre, étonner
stand (el)	le stand (foire-exposition)
subir	monter
suburbio (el)	le faubourg
suceder	arriver, survenir
sucesivo:	
en lo sucesivo	désormais
suceso (el)	l'événement
suciedad (la)	la saleté
sucio, -a	sale
sudar	suer
sudor (el)	la sueur
sueco, -a	suédois, -e
suegro, -a (el, la)	le beau-père, la belle-mère
sueldo (el)	le salaire
suelo (el)	le sol
suelto (el)	la monnaie
tener/no tener suelto	avoir/ne pas avoir de petite monnaie

sueño (el)	le sommeil ; le rêve
suerte (la)	la chance
suficiente	suffisant, -e
sufrir	souffrir
sugerir	suggérer
suicidio (el)	le suicide
suizo, -a	suisse
sujeto (el)	le sujet
suma (la)	la somme
superar	surmonter, surpasser
superficie (la)	la surface
supermercado (el)	le supermarché
suponer	supposer
sur (el)	le sud
suspender	échouer ; interrompre
susto (el)	la frayeur

T

tabaco (el)	le tabac
tal	tel, telle
¿qué tal?	ça va ?
tal vez	peut-être
talla (la)	la taille
taller (el)	l'atelier
tamaño (el)	la taille, la dimension
también	aussi
tampoco	non plus
tan pronto como	dès que
tanto, -a	tant de
tan(to) … como	aussi, autant… que
por lo tanto	par conséquent, donc
tapa (la)	le couvercle
tapa (la)	l'amuse-gueule
ir de tapas	aller de bar en bar prendre l'apéritif avec des « tapas »
tardar	mettre x temps
tardar mucho/ poco (tiempo)	mettre beaucoup/ peu de temps
tarde (la): por la tarde	l'après-midi
tarjeta (la)	la carte
tarjeta de crédito (la)	la carte de crédit
tarjeta de embarque (la)	la carte d'embarquement
tarta (la)	la tarte
taxi (el)	le taxi
taxista (el)	le chauffeur de taxi
taza (la)	la tasse
té (el)	le thé
teatro (el)	le théâtre
techo (el)	le plafond
tecla (la)	la touche
tejado (el)	le toit
telediario (el)	le journal télévisé
telefonear	téléphoner

teléfono (el)	le téléphone
televisión (la)	la télévision
ver la televisión	regarder la télévision
tele (la)	la télé
temer	craindre
temor (el)	la crainte
temperatura (la)	la température
tempestad (la)	la tempête
temprano	tôt
tenedor (el)	la fourchette
tener	avoir, posséder
tener que	devoir
tener retraso	avoir du retard
tenis (el)	le tennis
teñir	teindre
teoría (la)	la théorie
terminar	terminer, finir
termómetro (el)	le thermomètre
ternero (el)	le veau
ternura (la)	la tendresse
terraza (la)	la terrasse
terreno (el)	le terrain
terror (el)	la terreur
terrorista (el, la)	le, la terroriste
tesoro (el)	le trésor
testigo (el)	le témoin
tiempo (el)	le temps
tienda (la)	la boutique ; la tente
tierra (la)	la terre
tijeras (las)	les ciseaux
tío, -a (el, la)	l'oncle, la tante
tirar	jeter
tiro (el)	le jet ; le tir
titular (el)	le gros titre
título (el)	le titre
tiza (la)	la craie
toalla (la)	la serviette (de bain)
tocadiscos (el)	le tourne-disques
tocar	toucher ; jouer
	(de la musique)
todavía	encore
todo	tout
tomar	prendre
tomate (el)	la tomate
tonto, -a	stupide
torcer	tordre ; tourner
tormenta (la)	l'orage, la tempête
toro (el)	le taureau
torre (la)	la tour
tortilla (la)	l'omelette
tos (la)	la toux
toser	tousser
tostar	griller
total	total, -e
total que	bref
trabajador, -a	travailleur, -euse

trabajar	travailler ; étudier
trabajar en el teatro	faire du théâtre
trabajo (el)	le travail
traducir	traduire
traer	porter, amener
tragar	avaler
traje (el)	le costume
traje de baño (el)	le maillot de bain
tranquilo, -a	tranquille
tranvía (el)	le tramway
trapo (el)	le chiffon
tratar	traiter
tratar de	essayer
tratarse de	s'agir
se trata de	il s'agit de
trayecto (el)	le trajet
tren (el)	le train
triple	triple
tripulación (la)	l'équipage
triste	triste
tristeza (la)	la tristesse
triunfar	triompher
triunfo (el)	le triomphe
tropezar con	trébucher
	sur/contre ; heurter
trozo (el)	le morceau
tumba (la)	la tombe
túnel (el)	le tunnel
turista (el, la)	le, la touriste
turrón (el)	le nougat

U

último, -a	dernier, ère
por último	enfin ; finalement
uña (la)	l'ongle
únicamente	uniquement
único, -a	unique
unidad (la)	l'unité
universidad (la)	l'université
uno, una	un, une
cada uno	chacun
unos, unas	des ; quelques ;
	environ
urgencias (las)	les urgences
urgente	urgent, -e
usar	utiliser ; se servir de
útil	utile
utilizar	utiliser
uva (la)	le raisin
las uvas	en Espagne,
de la suerte	les 12 grains de
	raisin que l'on mange
	quand sonnent les
	12 coups de minuit
	le 31 décembre

V

vaca (la)	la vache
vacaciones (las)	les vacances
vacío, -a	vide
¡vale!	d'accord !
valer	valoir
valle (el)	la vallée
vaquero (el)	le jean
varios, -as	plusieurs
varias veces	plusieurs fois
varón (el)	le mâle *(homme)*
vasco, -a	basque
Vasco (el País)	le Pays basque
vaso (el)	le verre
vecino, -a (el, la)	le voisin, la voisine
vejez (la)	la vieillesse
velocidad (la)	la vitesse
vena (la)	la veine
vencer	vaincre
vendedor, -a (el, la)	le vendeur, la vendeuse
vender	vendre
vendimia (la)	les vendanges
veneno (el)	le poison
venezolano, -a	vénézuélien, -enne
vengar	venger
venir	venir
venta (la)	la vente
ventana (la)	la fenêtre
ver, visto	voir, vu
veraneo (el)	les grandes vacances
verano (el)	l'été
verdad (la)	la vérité
¿verdad?	n'est-ce pas ?
de verdad	vrai, vraiment
verdadero, -a	vrai, -e ; véritable
verde	vert, -e
vergüenza (la)	la honte
vestido (el)	l'habit ; la robe
vestir(se)	(s')habiller
vez (la)	la fois
algunas veces	parfois
cada vez más	de plus en plus
cada vez menos	de moins en moins
de vez en cuando	de temps en temps
otra vez	une autre fois
vía (la)	la voie
viajar	voyager
viaje (el)	le voyage
viajero, -a (el, la)	le voyageur, la voyageuse
vid (la)	la vigne
vida (la)	la vie
vídeo (el)	le magnétoscope ; l'enregistrement vidéo
vídeoclip (el)	le clip (vidéo)
vídeo(casete) (el)	la cassette vidéo
videocámara (la)	la caméra vidéo
vídeoclub (el)	le club vidéo
viejo, -a	vieux, vieille
viento (el)	le vent
vientre (el)	le ventre
viernes	vendredi
vigilar	surveiller
vinagre (el)	le vinaigre
vino (el)	le vin
virgen (la)	la vierge
virtud (la)	la vertu
visado (el)	le visa
visita (la)	la visite
hacer una visita	rendre visite
visitar	visiter
víspera (la)	la veille
vista (la)	la vue
víveres (los)	les vivres
vivir	vivre ; habiter
volar	voler *(dans les airs)*
voleibol (el)	le volley-ball
volumen (el)	le volume
voluntad (la)	la volonté
volver, vuelto	tourner, tourné ; revenir, revenu
volverse	se retourner ; devenir
voz (la)	la voix
vuelo (el)	le vol *(dans les airs)*
vuelta (la)	le tour, le retour
dar una vuelta	faire un tour

W

wáter (el)	les toilettes
web (la)	le web *(internet)*

Y

y	et
ya	déjà
ya que	puisque
yerno (el)	le gendre, le beau-fils
yogur (el)	le yaourt

Z

zapato (el)	la chaussure
zarzuela (la)	l'opérette ; plat de poisson
zumo (el)	le jus de fruit
zumo de naranja/ limón…	jus d'orange/ de citron…

Les faux amis sont des mots espagnols ayant une ressemblance de forme avec des mots français mais qui n'ont pas le même sens.

● *Abrazar* (*dar un abrazo*), serrer, prendre dans ses bras
≠
Embrasser, donner un baiser, *besar, dar un beso*
➤ *¡Enhorabuena, hijo mío! Ven que te dé un abrazo.*
   Félicitations, mon fils! Viens que je te serre dans mes bras.
➤ *Se despidió de ella dándole un beso en la frente.*
   Il lui dit au revoir en l'embrassant sur le front.

● *Alumbrar*, éclairer
≠
Allumer (la lumière, le feu, etc.), *encender*
➤ *El sol nos alumbra.* Le soleil nous éclaire.
➤ *Voy a encender la luz.* Je vais allumer la lumière.

● *Anciano, -a*, personne âgée, vieux, vieille
≠
Ancien, vieux (ne s'applique pas aux personnes), *antiguo, -a*
➤ *Mi abuelo es muy anciano.* Mon grand-père est très vieux.
➤ *Este mueble es muy antiguo.* Ce meuble est très ancien.

● *Aniversario*, anniversaire (commémoration d'un événement)
≠
Anniversaire (de naissance), *cumpleaños* (*el*)
➤ *Hoy es el aniversario de boda de mis padres.*
   Aujourd'hui, c'est l'anniversaire de mariage de mes parents.
➤ *El cumpleaños de Ana es el 17 de diciembre.*
   L'anniversaire d'Anne est le 17 décembre.

● *Arribar*, accoster (un navire au port)
≠
Arriver (rentrer), *llegar*
➤ *¡Mira, el barco arriba al puerto!* Regarde, le bateau accoste dans le port!
➤ *Eve no ha llegado a casa todavía.* Eve n'est pas encore rentrée à la maison.

● *Atender*, s'occuper de
≠
Attendre, *esperar*
➤ *Un momento, señor, en seguida le atiendo.*
   Un moment, Monsieur, je m'occupe de vous tout de suite.
➤ *Perdone, ¿está Vd. esperando un taxi?*
   Excusez-moi, attendez-vous un taxi?

● *Bala*, balle (projectile)
≠
Balle (pour jouer au tennis, etc.), *pelota*
➤ *El policía no pudo disparar porque no le quedaban balas.*
   Le policier n'a pas pu tirer car il n'avait plus de balles.
➤ *No podemos seguir jugando al ping-pong, se ha roto la pelota.*
   Nous ne pouvons plus jouer au tennis de table, la balle est cassée.

Faux amis

● *Balón*, ballon (de football, de rugby, etc.)
≠
Ballon (baudruche), *globo.*
➤ *Le he regalado un balón de fútbol para su cumpleaños.*
   Je lui ai offert un ballon de football pour son anniversaire.
➤ *Ese niño llora porque se le ha ido el globo volando.*
   Cet enfant pleure parce que son ballon s'est envolé.

● *Campaña*, campagne (de presse, publicitaire, militaire)
≠
Campagne (champ), *campo*
➤ *Esa empresa siempre hace muy buenas campañas de prensa.*
   Cette entreprise fait toujours de très bonnes campagnes de presse.
➤ *Me gusta pasear por el campo y respirar aire puro.*
   J'aime me promener dans la campagne et respirer l'air pur.

● *Canas (las)*, cheveux blancs (les)
≠
Canne (la), *bastón (el)*
➤ *Aunque tiene canas, no se tiñe el pelo.*
   Bien qu'il ait des cheveux blancs, il ne les teint pas.
➤ *Tiene que andar con bastón porque está cojo.*
   Comme il boite, il doit marcher avec une canne.

● *Carta (la)*, lettre (la)
≠
Carte (la), *mapa (el)*
➤ *¡Qué alegría! He recibido carta de mi amiga Paca.*
   Quelle joie ! J'ai reçu une lettre de mon amie Françoise.
➤ *Mira en el mapa para saber dónde está Valdepeñas.*
   Regarde sur la carte pour savoir où se trouve Valdepeñas.

● *Carta (la)*, lettre (la)
≠
Carte postale, *tarjeta postal (la)*
➤ *¿Has echado la carta al buzón?* As-tu posté la lettre ?
➤ *Le he mandado una tarjeta a Luisa para que vea dónde veraneamos.*
   J'ai envoyé une carte postale à Louise pour qu'elle voie où nous passons nos vacances.

● *Cintura (la)*, taille (la)
≠
Ceinture (la), *cinturón (el)*
➤ *Estos pantalones me aprietan en la cintura.* Ce pantalon me serre à la taille.
➤ *Me gustan los cinturones de piel.* J'aime les ceintures en cuir.

● *Cocinera*, cuisinière (femme qui prépare la cuisine)
≠
Cuisinière (appareil), *cocina*
➤ *No es muy buena cocinera; siempre hace platos congelados.*
   Elle n'est pas très bonne cuisinière ; elle prépare toujours des plats surgelés.
➤ *¡Apaga la cocina, que no se queme el pollo!*
   Éteins la cuisinière sinon le poulet va brûler !

● *Codo*, coude
≠
Code, *código*
➤ *¡Quita los codos de la mesa!* Enlève tes coudes de la table!
➤ *Todos los productos del supermercado llevan un código de barras.*
Tous les produits du supermarché portent un code barres.

● *Cofre*, coffre (meuble)
≠
Coffre (à bagages d'une voiture), *maletero*
➤ *Dicen que el cofre del tesoro estaba en aquella isla.*
On dit que le coffre du trésor se trouvait sur cette île.
➤ *No se puede cerrar el maletero, hay demasiado equipaje.*
On ne peut pas fermer le coffre, il y a trop de bagages.

● *Comisión*, commission (pourcentage)
≠
Commissions (courses), *recado*
➤ *El banco cobra una comisión.* La banque prend une commission.
➤ *Tengo que hacer un recado esta tarde.* Je dois faire une commission cet après-midi.

● *Constipado, -a*, enrhumé, -e
≠
Constipé, -e, *estreñido, -a*
➤ *Tiene la nariz roja porque está constipado.*
Il a le nez rouge parce qu'il est enrhumé.
➤ *Hay que comer fibra para no estar estreñido.*
Il faut manger des fibres pour ne pas être constipé.

● *Costumbre*, habitude
≠
Costume, *traje*
➤ *Tiene costumbre de dar un paseo después de cenar.*
Il a l'habitude de faire une promenade après le dîner.
➤ *El novio llevaba un traje muy elegante.*
Le marié portait un costume très élégant.

● *Criar*, élever
≠
Crier, *gritar*
➤ *Para criar a tantos hijos hay que tener mucha energía.*
Pour élever autant d'enfants il faut avoir beaucoup d'énergie.
➤ *¡No me grites, que no estoy sordo!* Ne crie pas, je ne suis pas sourd!

● *Cuadro*, tableau
≠
Cadre, *marco*
➤ *«Las Señoritas de Avignon» es un cuadro de Picasso.*
«Les Demoiselles d'Avignon» est un tableau de Picasso.
➤ *A ese cuadro habría que ponerle un marco oscuro.*
Il faudrait mettre un cadre foncé à ce tableau.

Faux amis

● **Cultura**, culture (intellectuelle)
≠
Culture (la) (de la terre), *cultivo (el)*
➤ *Es una persona de gran cultura.* C'est une personne d'une grande culture.
➤ *Le gusta cultivar sus campos.* Il aime cultiver ses champs.

● **Curso** *(el)*, année scolaire (l')
≠
Cours (le), *clase (la)*
➤ *Este año, el curso empezará el 15 de septiembre.*
   Cette année, l'année scolaire commencera le 15 septembre.
➤ *La clase de geografía es a las diez.* Le cours de géographie est à dix heures.

● **Débil**, faible
≠
Débile (mental), *retrasado, -a mental*
➤ *Tiene anemia, está muy débil.* Il est anémié, il est très faible.
➤ *No sabe lo que hace, es un poco retrasado.*
   Il ne sait pas ce qu'il fait, il est un peu débile.

● **Discutir**, contester, discuter
≠
Discuter, *parler, hablar*
➤ *¡No me discutas lo que digo!* Ne discute pas ce que je dis !
➤ *Le gusta mucho hablar con los demás.* Il aime beaucoup discuter avec les autres.

● **Disputar**, disputer (une place)
≠
Disputer (gronder, réprimander), *reñir*
➤ *Varios candidatos se disputan el puesto de alcalde.*
   Plusieurs candidats disputent la place de maire.
➤ *Debes reñirle a tu hijo para que no haga eso.*
   Tu dois disputer ton fils pour qu'il ne fasse pas cela.

● **Doblar**, plier
≠
Doubler (dépasser), *adelantar*
➤ *Dobla bien la ropa, si no se arrugará en la maleta.*
   Plie bien le linge, sinon il va se froisser dans la valise.
➤ *¡Cuidado! Aquí está prohibido adelantar.* Attention ! Ici il est interdit de dépasser.

● **Elevar**, se monter à
≠
Élever, *criar*
➤ *El total de la cuenta se eleva a 188.925 pts.*
   Le total du compte s'élève à 188 925 pesetas.
➤ *En esta granja crían pollos.* Dans cette ferme, on élève des poulets.

● **Ensayar**, répéter (un spectacle).
≠
Essayer (de faire quelque chose), *intentar*
➤ *Hoy tengo que ensayar en el teatro a las cuatro.*
   Aujourd'hui, j'ai une répétition au théâtre à quatre heures.
➤ *Voy a intentar dejar de fumar.* Je vais essayer d'arrêter de fumer.

Faux amis

● *Entender*, comprendre

≠

Entendre, *oír*

➤ *¿Has entendido bien la lección?* As-tu bien compris la leçon ?

➤ *Desde aquí no podemos oír bien la música.*
D'ici, nous ne pouvons pas bien entendre la musique.

● *Entretenerse*, se distraire, s'amuser

≠

Entretenir (quelqu'un), *mantener (a alguien)*

➤ *El niño está muy entretenido jugando con los peluches.*
L'enfant s'amuse beaucoup en jouant avec les peluches.

➤ *Nunca dejaré de trabajar; no me gusta que nadie me mantenga.*
Je ne m'arrêterai jamais de travailler ; je n'aime pas que quelqu'un m'entretienne.

● *Equipaje* (el), bagages (les)

≠

Équipage (l')(d'un avion, d'un bateau), *tripulación (la)*

➤ *Con tanto equipaje, parece que te vas para un año.*
Avec tous ces bagages, on dirait que tu t'en vas pour un an.

➤ *Toda la tripulación estaba preocupada por el extraño ruido del avión.*
Tout l'équipage était préoccupé par l'étrange bruit de l'avion.

● *Espalda* (la), dos (le)

≠

Épaule (l'), *hombro (el)*

➤ *A Alberto le duele la espalda de ir siempre con la mochila llena de libros.*
Albert a mal au dos à force de porter son cartable plein de livres.

➤ *Esteban tiene los hombros muy desarrollados de tanto nadar.*
Esteban a les épaules très développées à force de nager.

● *Exprimir*, presser

≠

Exprimer, *expresar*

➤ *Exprime varias naranjas, que haya zumo para todos.*
Presse plusieurs oranges, qu'il y ait du jus pour tous.

➤ *Usted se expresa muy bien en inglés, ¿dónde lo ha aprendido?*
Vous vous exprimez très bien en anglais. Où l'avez-vous appris ?

● *Falta*, erreur, absence

≠

Faute, *culpa*

➤ *Has tenido once faltas en el dictado, ¡no puede ser!*
Tu as fait onze fautes à la dictée, c'est inadmissible !

➤ *Si se ha roto el jarrón, no ha sido culpa mía.*
Ce n'est pas de ma faute si le vase s'est cassé.

● *Fama*, renommée, réputation

≠

Femme, *mujer*

➤ *Desde que sale con esa actriz, ese hombre tiene mucha fama.*
Cet homme est célèbre depuis qu'il sort avec cette actrice.

➤ *Les presento a Aurora, mi mujer.* Je vous présente Aurore, ma femme.

- *Fiero, -a*, féroce

≠

Fier, fière, *orgulloso, -a*
- *El león es un animal muy fiero.* Le lion est un animal très féroce.
- *Está muy orgulloso de su hijo.* Il est très fier de son fils.

- *Figura*, forme

≠

Figure (visage), *cara*
- *Esta figura geométrica se llama rombo.* Cette figure géométrique s'appelle un losange.
- *Andrés le parece mucho a su madre en la cara.*
  De visage, André ressemble beaucoup à sa mère.

- *Fuego*, feu

≠

Feux de signalisation, *semáforo*
- *Los bomberos han conseguido apagar el fuego.*
  Les pompiers sont parvenus à éteindre le feu.
- *No puedes pasar; el semáforo está rojo.* Tu ne peux pas passer ; le feu est rouge.

- *Gustar*, aimer, plaire

≠

Goûter, *probar*
- *Me gustan mucho las películas de ciencia-ficción.*
  J'aime beaucoup les films de science-fiction.
- *¿Has probado el pastel de mi madre? ¡Está riquísimo!*
  As-tu goûté le gâteau de ma mère ? Il est délicieux !

- *Jardín*, jardin

≠

Jardin potager, *huerto*
- *Mi tía tiene muchas flores en el jardín.* Ma tante a beaucoup de fleurs dans son jardin.
- *Estos tomates vienen de nuestro propio huerto.*
  Ces tomates viennent de notre propre potager.

- *Jornal*, salaire

≠

Journal, *periódico*
- *El jornal mínimo ha subido un poco últimamente.*
  Le salaire minimum a un peu augmenté ces derniers temps.
- *Acabo de leer la noticia en el periódico.* Je viens de lire la nouvelle dans le journal.

- *Jugar*, jouer (à un jeu)

≠

Jouer (d'un instrument), *tocar*
- *¿Por qué no jugamos a las cartas?* Pourquoi ne jouons-nous pas aux cartes ?
- *Miguel toca muy bien la guitarra.* Michel joue très bien de la guitare.

- *Justo, -a*, juste

≠

Juste (correct), *correcto, -a*
- *Tu castigo no me parece justo.* Ta punition ne me paraît pas juste.
- *La respuesta ha sido correcta.* La réponse a été juste.

Faux amis

● *Largo, -a*, long, longue
≠
Large, *ancho, -a*
➛ *Esta película es demasiado larga, ¡qué aburrimiento!*
  Ce film est trop long, quel ennui !
➛ *Pueden ir los dos en bicicleta sin problema ; es un camino muy ancho.*
  Ils peuvent aller tous les deux à bicyclette sans problème ; le chemin est très large.

● *Letra*, lettre (de l'alphabet)
≠
Lettre (courrier), *carta*
➛ *La letra eñe es española.* La lettre ñ est espagnole.
➛ *Hoy he escrito cuatro cartas. Me falta ponerles el sello.*
  Aujourd'hui, j'ai écrit quatre lettres. Je n'ai plus qu'à mettre les timbres.

● *Limonada*, citronnade, citron pressé
≠
Limonade, *gaseosa*
➛ *Con una limonada se te quitarán las ganas de vomitar.*
  Un citron pressé fera passer tes nausées.
➛ *No me gusta añadirle gaseosa al vino.*
  Je n'aime pas mettre de la limonade dans le vin.

● *Mal*, mal
≠
Mal (douleur), *dolor*
➛ *Criticar a los demás está muy mal.* Critiquer les autres c'est très mal.
➛ *Tengo dolor de cabeza.* J'ai mal à la tête.

● *Meter*, mettre (introduire)
≠
Mettre (placer), *poner*
➛ *Métete el pañuelo en el bolsillo para que no se te pierda.*
  Mets ton mouchoir dans ta poche pour ne pas le perdre.
➛ *Voy a poner la mesa.* Je vais mettre la table.

● *Moneda*, pièce de monnaie
≠
Monnaie (ne pas avoir de monnaie), *cambio (no tener cambio)*
➛ *Han vuelto a hacer monedas de plata.* Ils ont refait des pièces en argent.
➛ *No tengo cambio.* Je n'ai pas de monnaie.

● *Montar*, monter (à cheval, à bicyclette, etc.)
≠
Monter, *subir*
➛ *Sabe montar a caballo.* Il sait monter à cheval.
➛ *Hay que subir al quinto piso.* Il faut monter au cinquième étage.

● *Mundo*, monde
≠
Monde (les gens), *gente (la)*
➛ *He dado dos veces la vuelta al mundo.* J'ai fait deux fois le tour du monde.
➛ *Aquí hay demasiada gente.* Il y a trop de monde ici.

Faux amis

● *Nombre*, prénom
≠
Nom, *apellido*
➤ *Su nombre es Isabel.* Son prénom est Isabelle.
➤ *Y su apellido Corbalán.* Et son nom Corbalán.

● *Nombre*, nom, (substantif)
≠
Nombre, *número*
➤ *Casa es un nombre común.* « Maison » est un nom commun.
➤ *Di un número de uno a cinco.* Dis un nombre de un à cinq.

● *Paisano, -a*, compatriote
≠
Paysan, -anne, *campesino, -a*
➤ *Estos son paisanos míos, y de mi misma ciudad.*
  Ce sont des compatriotes, et de la même ville que moi.
➤ *Los campesinos protestan por la bajada del precio de las patatas.*
  Les paysans protestent contre la baisse du prix des pommes de terre.

● *Pana (la)*, velours (le)
≠
Panne, *avería*
➤ *Los pantalones de pana abrigan mucho.* Les pantalons en velours tiennent bien chaud.
➤ *El técnico arregla las averías.* Le technicien répare les pannes.

● *Parientes*, parents (membres de la famille)
≠
Parents (père et mère), *padres*
➤ *Ahí viven otros Fernández, ¿serán parientes tuyos?*
  Il y a d'autres Fernández qui habitent là. Seraient-ils de ta famille ?
➤ *La niña no quería quedarse más que con sus padres.*
  La gamine ne voulait rester qu'avec ses parents.

● *Pasaje*, billet
≠
Passage, *paso*
➤ *Ya he sacado los pasajes para el barco.* J'ai déjà pris les billets pour le bateau.
➤ *Por aquí hay un paso para ir a la escuela.* Par ici il y a un passage pour aller à l'école.

● *Prender*, mettre le feu
≠
Prendre (saisir), *coger*
➤ *Le han prendido fuego al bosque.* On a mis le feu à la forêt.
➤ *Coge ese papel y tíralo a la basura.* Prends ce papier et mets-le à la poubelle.

● *Refrán*, proverbe
≠
Refrain (d'une chanson), *estribillo*
➤ *Hay un refrán que dice: «de tal palo, tal astilla».*
  Il y a un proverbe qui dit : « tel père, tel fils ».
➤ *No conozco bien la canción, sólo me sé el estribillo.*
  Je ne connais pas bien la chanson, je n'en connais que le refrain.

● *Registrar*, fouiller
≠
Enregistrer, *grabar*
➤ *¿Quién te manda registrarme los cajones?*
  Qui t'a demandé de fouiller dans mes tiroirs ?
➤ *Te he grabado este disco porque sé que te gusta.*
  Je t'ai enregistré ce disque parce que je sais qu'il te plaît.

● *Repasar*, réviser
≠
Repasser, *planchar*
➤ *Repásate la lección, que no te la sabes bien.*
  Révise ta leçon, tu ne la sais pas bien.
➤ *Estoy harta de planchar; ¡ya llevo doce camisas!*
  J'en ai assez de repasser ; j'en suis à la douzième chemise !

● *Ropa* (la), vêtement (le), habit (l')
≠
Robe (la), *vestido* (el)
➤ *¡No sabe qué ponerse, con toda la ropa que tiene…!*
  Avec tous les vêtements qu'elle a, elle ne sait pas quoi mettre… !
➤ *Me gusta más el vestido rojo que el azul.* Je préfère la robe rouge à la bleue.

● *Ruta*, itinéraire, direction
≠
Route, *carretera*
➤ *¿Conoces la ruta? ¿Sabes por dónde hay que pasar?*
  Connais-tu la direction ? Sais-tu par où il faut passer ?
➤ *La carretera es muy mala; mejor coger la autopista.*
  La route est très mauvaise ; il vaut mieux prendre l'autoroute.

● *Saco*, sac
≠
Sac à main, *bolso*
➤ *Con esta ropa parezco un saco de patatas.*
  Avec ces habits, je ressemble à un sac de pommes de terre.
➤ *¡Al ladrón! ¡Me acaba de robar el bolso!*
  Au voleur ! Il vient de me voler mon sac !

● *Sentir*, sentir, regretter
≠
Sentir (une odeur), *oler*
➤ *Siento mucho no poder ayudarte.*
  Je regrette beaucoup de ne pas pouvoir t'aider.
➤ *Huele a quemado.* Ça sent le brûlé.

● *Servilleta*, serviette (de table)
≠
Serviette (de toilette), *toalla*
➤ *Mastica bien y límpiate la boca con la servilleta.*
  Mâche bien et essuie-toi la bouche avec la serviette.
➤ *Sécate bien las manos con la toalla.* Essuie-toi bien les mains avec la serviette.

● *Suceso*, événement, fait divers

≠

Succès, *éxito*

➤ *Me enteré del accidente en la página de sucesos.*
   J'ai appris l'accident à la page des faits divers.

➤ *¡Qué éxito tiene tu hijo con las mujeres!* Quel succès ton fils a avec les femmes !

● *Sujeto* (participe passé de *sujetar*), soumis

≠

Sujet (le), *tema (el)*

➤ *Eso no está sujeto a ninguna norma.* Cela n'est soumis à aucune norme.

➤ *El tema que tratan en la conferencia no me interesa.*
   Le sujet traité dans la conférence ne m'intéresse pas.

● *Tabla*, planche

≠

Table, *mesa*

➤ *Faltan algunas tablas para terminar la cabaña.*
   Il manque quelques planches pour terminer la cabane.

➤ *En esta mesa no pueden comer ocho, es demasiado pequeña.*
   Cette table est trop petite pour que huit personnes puissent y manger.

● *Tapar*, boucher

≠

Taper (battre, frapper), *pegar*

➤ *El albañil tiene que tapar ese agujero.* Le maçon doit boucher ce trou.

➤ *No hay que pegarles a los niños.* Il ne faut pas frapper les enfants.

● *Tapiz* (el), tapisserie (la)

≠

Tapis (le), *alfombra (la)*

➤ *El tapiz de aquella pared es muy antiguo.* La tapisserie de ce mur est très vieille.

➤ *No piséis la alfombra, que se estropea.* Ne marchez pas sur le tapis, ça l'abîme.

● *Vaso*, verre

≠

Vase, *jarrón*

➤ *Otro vaso de agua, por favor, tengo mucha sed.*
   Un autre verre d'eau, s'il vous plaît, j'ai très soif.

➤ *Hay que meter esas flores en el jarrón.* Il faut mettre ces fleurs dans le vase.

● *Volar*, voler, s'envoler

≠

Voler (dérober), *robar*

➤ *Este pájaro está herido y no puede volar.*
   Cet oiseau est blessé et il ne peut pas voler.

➤ *El ladrón ha robado todo lo que había en la caja fuerte.*
   Le voleur a dérobé tout ce qu'il y avait dans le coffre-fort.

1 L'alphabet espagnol

◄ énoncés p. 10-11

1 ▶ a. e ene erre i cu e – **b.** jota u a ene – **c.** pe i ele a erre – **d.** i erre e ene e – **e.** ge u i elle e erre eme o – **f.** e ele uve i erre a – **g.** uve i ce e ene te e – **h.** pe e de erre o – **i.** ge i ene e ese – **j.** eme a erre i ene a

2 ▶ a. González – **b.** Prieto – **c.** Valera – **d.** Gironés – **e.** López – **f.** Maestre – **g.** García – **h.** Jiménez – **i.** Hernández – **j.** Guirao

3 ▶ ayudante – bolígrafo – cachete – cine – claridad – chaqueta – chimenea – espejo – farmacia – habitación – jefe – llama – novela – recuerdo – sitio – uniforme – vaso – verdad – vino – viña – yate – zapato

4 ▶ [g] colegio – [j] hijo – [ñ] niños – [r] otros ; ahora ; veré ; expulsaré – [rr] comportarse ; correctamente ; prescindir – [z] capaz

5 ▶ a. incorrectes – **b.** correctes – **c.** correctes – **d.** incorrectes – **e.** incorrectes – **f.** correctes – **g.** incorrectes – **h.** incorrectes – **i.** incorrectes – **j.** correctes

2 Les coupures de syllabes...

◄ énoncés p. 12

1 ▶ a. pró/xi/mo – **b.** se/ma/na – **c.** es/ta/ción – **d.** tie/rra – **e.** gua/po – **f.** le/er – **g.** eu/ro – **h.** pá/gi/na – **i.** tem/pe/ra/tu/ra – **j.** ca/lor – **k.** li/bro – **l.** fre/ír

2 ▶ a. ru<u>i</u>do – **c.** f<u>ie</u>sta – **d.** m<u>au</u>llar – **e.** ant<u>i</u>guo – **f.** v<u>iu</u>da – **h.** p<u>ei</u>ne – **i.** j<u>ue</u>ves – **j.** v<u>ie</u>rnes

3 ▶ a. raíz – **b.** reí – **c.** queso – **d.** mohíno – **e.** correo

4 ▶ a. U/ru/guay – **b.** ci/güe/ña – **c.** e/té/re/o – **d.** a/rre/glar – **e.** hue/co – **f.** siem/pre – **g.** su/cia – **h.** buey – **i.** ro/er – **j.** a/e/ro/puer/to

5 ▶ a. ac<u>ei</u>te – **c.** r<u>ui</u>na – **d.** memor<u>ia</u> – **h.** ans<u>ie</u>dad – **j.** p<u>ie</u>dra

3 L'accent tonique

◄ énoncés p. 13

1 ▶ ven<u>ta</u>na – gri<u>tar</u> – <u>fra</u>se – le<u>ón</u> – albor<u>noz</u> – <u>ár</u>bol – re<u>loj</u> – <u>tu</u>bo – pali<u>dez</u> –

cono – comer – película – apagaban – Ma<u>drid</u> – felici<u>dad</u> – restau<u>ran</u>te

2 ▶ es<u>co</u>ba – ve<u>ra</u>no – a<u>mor</u> – <u>me</u>nos – fa<u>vor</u> – lau<u>rel</u> – compa<u>ñe</u>ro – <u>fuen</u>tes – fan<u>tas</u>ma – recu<u>rrir</u> – perso<u>na</u>je – capaci<u>dad</u>

3 ▶ a. ac<u>ción</u>, ac<u>cio</u>nes – **b.** pa<u>red</u>, pa<u>re</u>des – **c.** ca<u>rác</u>ter, ca<u>rac</u>teres – **d.** mu<u>jer</u>, mu<u>je</u>res – **e.** <u>ú</u>til, <u>ú</u>tiles – **f.** <u>se</u>rio, <u>se</u>rios – **g.** di<u>fí</u>cil, di<u>fí</u>ciles – **h.** <u>ré</u>gimen re<u>gí</u>menes – **i.** cora<u>zón</u>, cora<u>zo</u>nes – **j.** es<u>ta</u>tua, es<u>ta</u>tuas

4 ▶ a. fran<u>cés</u>, fran<u>ce</u>sa – **b.** in<u>glés</u>, in<u>gle</u>sa – **c.** cata<u>lán</u>, cata<u>la</u>na – **d.** es<u>pon</u>táneo, espon<u>tá</u>nea – **e.** baila<u>rín</u>, baila<u>ri</u>na – **f.** tra<u>idor</u>, trai<u>do</u>ra – **g.** anda<u>luz</u>, anda<u>lu</u>za – **h.** <u>tí</u>o, <u>tí</u>a – **i.** espa<u>ñol</u>, espa<u>ño</u>la – **j.** embaja<u>dor</u>, embaja<u>do</u>ra

5 ▶ correr – pared – profesor – coged – papel : mots terminés par une consonne autre que n ou s ; sastre – colegio – revista – manzana – inteligente : mots terminés par une voyelle ; cosas : mot terminé par un s.

4 L'accentuation écrite (1)

◄ énoncés p. 14

1 ▶ frío – oía – sicología – púa – reí – bulerías – reúnete – río

2 ▶ Mi tío siempre leía novelas fantásticas. Se pasaba los días enteros ensimismado en sus lecturas. Cuando yo me atrevía a interrumpir su concentración, me hacía que siguiera yo leyendo en voz alta y después comentábamos las páginas leídas y dábamos rienda suelta a nuestra imaginación. ¡Qué bien nos lo pasábamos entonces!

3 ▶ a. grúa – **b.** ciudad – **c.** dolía – **d.** ruina – **e.** cuidado

4 ▶ b. haría

5 ▶ a. r<u>ei</u>na – **d.** r<u>ue</u>go

5 L'accentuation écrite (2)

◄ énoncés p. 15

1 ▶ camión – Almería – parchís – árbol – inglés – lámpara – escalón – síquico – romántico – revés – librería – matrícula – máquina

2 ▶ bombón – bebé – anís – hábito – bolígrafo – institución – boletín

3 ▶ burgués – lección – nariz – japonés – resbalón – caimán – papel – ruin – andén – calcetín

4 ▶ **a.** también – **b.** café – **c.** patata – **d.** acción – **e.** diréis – **f.** éxito – **g.** útil – **h.** cadáver – **i.** Luis – **j.** país

5 ▶ Mots correctement accentués : huir – día – irás – veintidós – alemán – fácil. Mots incorrectement accentués : oid – frances – ultimo – periodico – arbol. Correction des mots : oíd – francés – último – periódico – árbol.

6 L'accentuation écrite (3)

◀ énoncés p. 16-17

1 ▶ **a.** No sé qué hacer. – **b.** ¿Cuándo te casas? – **c.** ¿Cómo te llamas? – **d.** Ese regalo es para mí. – **e.** Me gusta este vestido.

2 ▶ **a.** Te llama tu padre. – **b.** ¿Aún estás aquí? – **c.** Sólo tengo un hijo. – **d.** Se alquila ese piso. – **e.** Como no viene, me voy.

3 ▶ **a.** ¿Cómo vas?– **b.** ¿Quién es Vd.? – **c.** ¿Dónde vives? – **d.** ¿Cuánto vale? – **e.** ¿Cuál prefieres?

4 ▶ **a.** ¿Cómo te llamas? – **b.** ¡Qué horror! – **c.** ¿Dónde está? – **d.** ¿Por qué no viene? – **e.** ¿Para qué lo quieres? – **f.** ¡Qué bien! – **g.** ¿Cuándo se va? – **h.** ¿Qué te pasa?

5 ▶ **a.** Sí, lo sé. – **b.** ¿Es para mí? – **c.** Se levanta más tarde que yo. – **d.** ¿Cómo saberlo? – **e.** Este niño está solo.

7 L'article (1)

◀ énoncés p. 20-21

1 ▶ **a.** la prima – **b.** la gata – **c.** las niñas – **d.** las empleadas – **e.** la nieta

2 ▶ **a.** las maestras – **b.** los cocineros – **c.** los chicos – **d.** las camareras – **e.** los amigos

3 ▶ **a.** Los niños van al campo. – **b.** Venimos del restaurante. – **c.** Salen de la discoteca. – **d.** Juegan al baloncesto. – **e.** ¿Te llevo a la biblioteca?

4 ▶ **a.** Vengo del mercado. – **b.** Vamos al teatro. – **c.** Marcos es el hijo de la vecina. – **d.** Vuelve de la escuela. – **e.** Es el mejor vino del país.

5 ▶ **a.** el habla – **b.** el águila – **c.** la ambulancia – **d.** la agricultura – **e.** el hambre

8 L'article (2)

◀ énoncés p. 21-22

1 ▶ **a.** el hermano – **b.** la profesora – **c.** la botella – **d.** el cubo – **e.** los bolígrafos – **f.** los discos – **g.** las sillas – **h.** el cielo – **i.** las cartas – **j.** las campanas

2 ▶ **a.** el libro – **b.** el suelo – **c.** la puerta – **d.** la doctora – **e.** la amapola – **f.** el agua – **g.** las diez – **h.** la una – **i.** la nieve – **j.** el señor

3 ▶ **a.** Hemos quedado a las ocho. – **b.** Los domingos como en casa de mis padres. – **c.** Son las siete y media. – **d.** A los tres años ya hablaba inglés. – **e.** Pasen, señoras.

4 ▶ **a.** Los lunes no suelo trabajar. – **b.** El domingo voy a la playa. – **c.** Se jubiló a los sesenta. – **d.** Estaré aquí hasta el martes. – **e.** Suele jugar al tenis los jueves.

5 ▶ **a.** ¿Y la señorita García, no ha venido hoy? – **b.** ¿Puedo hablar con el señor director? – **e.** No conozco a la señora Abril.

9 L'article (3)

◀ énoncés p. 22-23

1 ▶ **a.** Voy a clase de inglés. – **c.** Me gusta mucho Portugal. – **d.** ¿Vienes a casa de Juan?

2 ▶ **a.** Son los zapatos más caros que he tenido. – **d.** Saludan al cartero. – **e.** El tren llega a las cuatro.

3 ▶ **b.** Me gusta el campo. – **d.** Compramos en el supermercado.

4 ▶ **a.** Ésta es la casa que quiero comprarme.– **c.** En este barrio las casas son caras. – **d.** La casa de mis abuelos está en ruinas.

5 ▶ **c.** la China – **e.** el Salvador

10 L'article (4)

◀ énoncés p. 24

1 ▶ **a.** unos limones – **b.** un papel – **c.** unos secretos – **d.** un profesor – **e.** una chica – **f.** unos consejos – **g.** una cartera – **h.** una mesa – **i.** unas serpientes – **j.** una carta

2 ▶ a. Seremos **unos** cuarenta. – **b.** Tiene **una** hija de diez años. – **c.** Eran **unos** hombres muy raros. – **d.** He comprado **unas** cerezas.

3 ▶ a. He estado media hora esperando. – **b.** Dame otro caramelo. – **d.** Déjalo para otro día.

4 ▶ a. 4 – **b.** 3 – **c.** 5 – **d.** 2 – **e.** 1

5 ▶ a. Dame agua. – **b.** Quiero música. – **c.** Añade sal. – **d.** Me apetece comer pescado.

11 L'article (5)
◀ énoncés p. 25

1 ▶ a. ¡Lo rápido que conduce! – **b.** ¡Lo tarde que ha llegado! – **c.** ¡Lo pronto que se ha levanta! – **d.** ¡Lo inteligente que es Julián! – **e.** ¡Lo simpático que es Pedro!

2 ▶ a. Cuidado con **lo que** dices. – **b.** ¿Has visto **lo que** has hecho? – **c.** ¿Recuera Vd. **lo que** le dije? – **d.** Ya he olvidado **lo de** ayer. – **e.** Lo de Rafael es muy complicado.

3 ▶ a. Ancho es **lo** contrario de estrecho. – **b.** Andrés es **el** más justo de los tres. – **c.** **Lo** curioso es que nunca conteste al teléfono. – **d.** Ayudarle sería **lo** justo. – **e.** El protagonista no es **el** malo.

4 ▶ a. Lo malo es que no sé su dirección. – **b.** No entiendo lo que quiere. – **c.** Aquí lo bonito son las puestas de sol. – **d.** Lo ridículo sería vestirse como ella. – **e.** No olvides lo del año pasado.

5 ▶ a. el tonto – **b.** lo increíble – **c.** lo preocupante – **d.** el antipático – **e.** lo seguro

12 Le genre du nom (1)
◀ énoncés p. 26-27

1 ▶ a. masculino – **b.** femenino – **c.** masculino – **d.** femenino – **e.** masculino

2 ▶ a. el amor – **b.** la alegría – **c.** el fuerte – **d.** la flor – **e.** la noche

3 ▶ a. día – **b.** labor – **c.** mano – **d.** sobre – **e.** ardor

4 ▶ a. Hace **mucho** calor. – **b.** Me gusta **ese** coche. – **c.** ¿**Cuál** es la verdad? – **d.** Está en **la** flor de la vida. – **e.** **La** inquietud no es buena.

5 ▶ a. la canción – **b.** el alhelí – **c.** los corazones – **d.** los días – **e.** la coliflor

13 Le genre du nom (2)
◀ énoncés p. 28

1 ▶ a. la niña – **b.** la perra – **c.** la dependienta – **d.** la profesora – **e.** la suegra

2 ▶ a. el jardinero – **b.** el lector – **c.** el chico – **d.** el cliente – **e.** el inventor

3 ▶ a. 4 – **b.** 1 – **c.** 2 – **d.** 5 – **e.** 3

4 ▶ a. la reina – **b.** la oveja – **c.** la gallina – **d.** la princesa – **e.** la madre

5 ▶ a. el papá – **b.** el emperador – **c.** el vicepresidente – **d.** el actor – **e.** el locutor

14 Le genre du nom (3)
◀ énoncés p. 29

1 ▶ a. la espalda – **b.** la frente – **c.** la nariz – **d.** la pantorrilla – **e.** la uña

2 ▶ a. el diente – **b.** el hombro – **c.** el labio – **d.** el muslo – **e.** el pecho – **f.** el tobillo

3 ▶ a. 3 – **b.** 4 – **c.** 5 – **d.** 2 – **e.** 1

4 ▶ a. la legumbre – **b.** el análisis – **c.** el origen – **d.** la serpiente – **e.** el dolor

5 ▶ a. la necesidad – **b.** la leche – **c.** el equipo – **d.** el mapa/la tarjeta – **e.** el calor

15 Le genre du nom (4)
◀ énoncés p. 30-31

1 ▶ a. Isabel es **una** joven muy guapa.
b. Jaime es **un** artista.
c. Ese chico es **un** idiota.
d. Ha venido **una** intérprete que se llama Rosa.
e. Ese hombre es **un** socialista de los de antes.

2 ▶ a. el hambre – **b.** la avaricia – **c.** la anilla – **d.** el alma – **e.** el ámbar

3 ▶ a. el agua – **b.** la abadesa – **c.** el haba – **d.** el habla – **e.** el ama

4 ▶ a. Je me suis acheté un guide de l'Italie.
b. La police a arrêté le voleur.
c. C'est un capital important.
d. Il a le front très chaud.
e. J'ai perdu une boucle d'oreille.

5 ▶ a. el corte – **b.** la cólera – **c.** la orden – **d.** la cometa – **e.** la cura

16 Le nombre du nom (1)

◄ énoncés p. 31-32

1 ▶ a. los pisos – **b.** las calles – **c.** las cocinas – **d.** los puentes – **e.** los cuadros

2 ▶ a. los alhelíes – **b.** los tiempos – **c.** los martes – **d.** los jarrones – **e.** las carteras

3 ▶ b. Viene a casa todos los **jueves**. **c.** No rompas esos **papeles**. **d.** Esos **caballos** son preciosos. **e.** Nunca he estado en esos **países**.

4 ▶ a. el león – **b.** el domingo – **c.** el viernes – **d.** el juego – **e.** el alemán – **f.** la opinión – **g.** el esquí – **h.** el árbol – **i.** la razón – **j.** el rey

5 ▶ a. singulier – **b.** pluriel – **c.** pluriel – **d.** singulier-pluriel – **e.** singulier-pluriel

17 Le nombre du nom (2)

◄ énoncés p. 32-33

1 ▶ a. Enlève-lui les menottes. – **b.** As-tu vu mes lunettes ? – **c.** Ces ciseaux ne coupent pas. – **d.** Tu connais beaucoup de gens. – **e.** Andrés a déjà eu deux épouses.

2 ▶ a. los primos – **b.** los nietos – **c.** los hermanos – **d.** los sobrinos – **e.** los novios

3 ▶ a. interacción – **b.** carácter – **c.** pared – **d.** régimen – **e.** carmín

4 ▶ a. el/los lavavajillas – **b.** el/los posa-vasos – **c.** el archiduque – **d.** las gafas – **e.** la contracorriente

5 ▶ a. los quitamanchas – **b.** las lavadoras – **c.** los sacacorchos – **d.** las contradicciones – **e.** los interfonos

18 Les cardinaux

◄ énoncés p. 34

1 ▶ a. Velázquez pintó *Las Meninas* en **mil quinientos cincuenta y seis**. – **b.** Almodóvar recibió en el año **dos mil** un óscar por su película *Todo sobre mi madre*, de **mil novecientos noventa y nueve**. – **c.** García Lorca murió en **mil novecientos treinta y seis**. – **d.** Cervantes vivió de **mil quinientos cuarenta y siete** a **mil seiscientos dieciséis**. – **e.** La Constitución española fue aprobada en **mil novecientos setenta y ocho**.

2 ▶ a. seiscientos cuarenta y cuatro **c.** cuatro mil doscientos sesenta y cinco **d.** setenta y ocho.

3 ▶ a. 2 – **b.** 5 – **c.** 1 – **d.** 4 – **e.** 3

4 ▶ a. Sólo pasamos **un** día con ellos. – **b.** ¿Cuántos hermanos tienes? – No tengo más que **uno**. – **c.** Son **unos** antipáticos. – **d.** Con **un** paquete no hay bastante para todos. – **e.** Póngame **un** kilo de manzanas, por favor.

5 ▶ a. Tiene **treinta y tres** años. – **b.** Hay **ciento veinticuatro** fotos. – **c.** Me ha rebajado **setecientas** pesetas. – **d.** La velocidad está limitada a **noventa**. – **e.** Este coche tiene ya **ciento diez mil** kilómetros.

19 Les ordinaux

◄ énoncés p. 35

1 ▶ a. segundo – **b.** séptimo – **c.** quinto – **d.** noveno – **e.** tercero

2 ▶ a. Tapear es una tradición que data del siglo **trece**. – **b.** Carlos **Primero** de España y **Quinto** de Alemania. – **c.** Vivimos en el **octavo** piso. – **d.** América se descubrió en el siglo **quince**, en **mil cuatrocientos noventa y dos**. – **e.** La semana **veintisiete** tendré vacaciones.

3 ▶ a. Mi hijo está en **cuarto** de arquitectura. – **b.** Junio es el **sexto** mes del año. – **c.** Hoy es el día **quince** del mes. – **d.** Paco es el **décimo** de la clase. – **e.** Es el libro número **treinta y siete** de la colección.

4 ▶ a. primero – **b.** primera – **c.** primer – **d.** primeros – **e.** primer

5 ▶ a. Es el **tercer** pastel que te comes. – **b.** A la **tercera** va la vencida. – **c.** Hay dos delante de ti : tú eres el **tercero**. – **d.** Ya es la **tercera** vez que te lo digo. – **e.** Es su **tercer** marido.

20 Chiffres et calculs

◄ énoncés p. 36-37

1 ▶ a. un octavo – **b.** un cuarto (de kilo) – **c.** medio kilo – **d.** tres cuartos (de kilo) – **e.** un kilo

2 ▶ a. Doce huevos son **una docena**. – **b.** Diez mejillones son **una decena**. – **c.** Cien personas son **una centena**. – **d.** Si me refiero a mis dos hijos, puedo decir **ambos**. – **e.** Seis melones son **media docena**.

3 ▶ **a.** ciento noventa y cinco menos setenta y siete igual a ciento dieciocho. – **b.** doscientos sesenta y ocho mil cuatrocientos cuatro (dividido) entre quinientos dieciséis igual a quinientos veinte coma dieciséis. – **c.** veintiocho coma ochenta y dos (multiplicado) por cien igual a dos mil ochocientos ochenta y dos. – **d.** setecientos noventa y uno más/y cuarenta y dos coma nueve igual a ochocientos treinta y tres coma nueve. – **e.** novecientos treinta y tres (multiplicado) por ciento veintidós igual a ciento trece mil ochocientos veintiséis.

4 ▶ **a.** En estas elecciones ha participado el **sesenta por ciento** de la población. – **b.** Se gasta el **diez por ciento** del sueldo en bares. – **c.** La mayor Comunidad Autónoma de España es Castilla y León, con una superficie de **noventa y cuatro mil doscientos kilómetros cuadrados**. – **d.** Madrid es la ciudad más poblada de España: tiene **tres millones cien mil** habitantes. – **e.** Toledo sólo tiene **sesenta y tres mil quinientos** habitantes.

5 ▶ **a. cuatrocientas** pesetas – **b. ciento veintidós** dólares – **c. setenta coma cincuenta** francos – **d. mil seiscientas** liras – **e. cien** pesos.

21 Expression de la date et de l'heure

◀ énoncés p. 38

1 ▶ **a.** martes – **b.** domingo – **c.** sábados – **d.** miércoles – viernes – **e.** sábados – domingos

2 ▶ **a.** El **veintiuno de septiembre** ya es otoño. – **b.** El **seis de enero** es el día de los Reyes Magos. – **c.** La reunión fue el **dieciséis de mayo de dos mil uno/del año dos mil uno**. – **d.** El **diecinueve de marzo** es el día principal de las Fallas de Valencia. – **e.** Nos escribió desde Nerja el **treinta y uno de octubre de dos mil/del año dos mil**.

3 ▶ **a.** Hoy estamos a doce de diciembre de dos mil. – **b.** Mañana estaremos a trece de diciembre del año dos mil. – **c.** Ayer fue jueves uno de febrero. – **d.** Saldremos el nueve de agosto del año próximo. – **e.** Cervantes nació en mil quinientos cuarenta y siete.

4 ▶ **a.** Son las tres menos cuarto (de la tarde). – **b.** Son las cuatro y cinco (de la tarde). – **c.** Son las once y media (de la noche). – **d.** Son las nueve y cuarto (de la mañana). – **e.** Es la una menos veinte (del mediodía).

5 ▶ **a. Son** las siete y veinte. – **b. Es** la una y veinticinco. – **c.** Ya **es** hora de levantarse. – **d.** ¿**Son** ya las tres? – **e. Son** las doce menos diez.

22 L'adjectif (1)

◀ énoncés p. 39-40

1 ▶ **a.** alta – **b.** criticona – **c.** habladora – **d.** cara – **e.** grandota

2 ▶ **a.** flaco – **b.** inteligente – **c.** devorador – **d.** parlanchín – **e.** cabezón

3 ▶ **a.** Una cuenta **cabal**. – **b.** Es una mujer muy **calurosa**. – **c.** Esta tarta está demasiado **dulce**. – **d.** Andrés siempre está comiendo : es muy **glotón**. – **e.** ¡Qué **agria** está esta naranja!

4 ▶ **a.** masculin – **b.** invariable – **c.** féminin – **d.** invariable – **e.** invariable – **f.** féminin – **g.** masculin – **h.** invariable – **i.** féminin – **j.** invariable

5 ▶ **a.** Una buena hija. – **b.** Es mi hermana mayor. – **c.** Una abuela joven. – **d.** Una mujer feliz. – **e.** Su anterior mujer.

23 L'adjectif (2)

◀ énoncés p. 41

1 ▶ **a.** una suiza – **b.** una argentina – **c.** una alemana – **d.** una belga – **e.** una estadounidense.

2 ▶ **a.** venezolano – **b.** brasileño – **c.** costarriqueño/costarricense – **d.** francés – **e.** europeo

3 ▶ **a.** 4 – **b.** 1 – **c.** 3 – **d.** 5 – **e.** 2

4 ▶ Par exemple : **a.** finlandés, finlandesa **b.** escocés, escocesa – **c.** danés, danesa – **d.** francés, francesa – **e.** holandés, holandesa – **f.** inglés, inglesa – **g.** irlandés, irlandesa – **h.** japonés, japonesa – **i.** polonés, polonesa – **j.** portugués, portuguesa

5 ▶ **a.** un canadiense – **b.** un turco – **c.** un panameño – **d.** un nicaragüense – **e.** un español.

24 L'adjectif (3)

◄ énoncés p. 42

1 ▶ a. Son unos infelices. – **b.** Son unos buenos decoradores. – **c.** Son unas mujeres muy hábiles. – **d.** Son unas reuniones importantes. – **e.** Son unos chicos jóvenes.

2 ▶ a. Los ejercicios están claros. – **b.** ¿Son unos turistas finlandeses? – **c.** No, son noruegos. – **d.** Ésos son todavía peores. – **e.** Son unos desastres.

3 ▶ a. precoz – **b.** interior – **c.** patriarcal – **d.** agrícola – **e.** indulgente

4 ▶ a. ¿Son felices? – **b.** Esas cajas son muy pequeñas. – **c.** Han venido unos alemanes. – **d.** Son portugueses. – **e.** Son muy independientes.

5 ▶ a. No me gustan los **gandules**. – **b.** Son personas **interesantes**. – **c.** Son unas mujeres **encantadoras**. – **d.** Unos abrigos **grises**. – **e.** ¡Qué **agradables** son tus amigas!

25 L'adjectif (4)

◄ énoncés p. 43-44

1 ▶ a. Cristina es menos deportista que María. – **b.** Encarna es más joven que Josefina. – **c.** Jaime es tan egoísta como Manolo. – **d.** El vestido es más caro que el traje. – **e.** Eduardo es menos goloso que Javier.

2 ▶ a. 3 – **b.** 1 – **c.** 4 – **d.** 2

3 ▶ a. Es **tan** guapo como su padre. – **b.** Son más aplicados **que** los otros. – **c.** Es menos simpática **que** Marta. – **d.** Se ha vuelto **tan** egoísta **como** ella. – **e.** Parece tan preocupado **como** ayer.

4 ▶ a. Este colchón es mejor que el nuestro. – **b.** Es tan alto como David. – **c.** Es más feo que su último novio. – **d.** Fue el peor día de mi vida. – **e.** Es menor que su hermano.

5 ▶ a. C'est son plus grand problème. – **b.** Il est aussi fier qu'avant. – **c.** Le film est moins bon que le livre. – **d.** Il n'est pas plus intelligent que toi. – **e.** Ricardo est le plus âgé de la classe.

26 L'adjectif (5)

◄ énoncés p. 45

1 ▶ a. Es un cuadro muy caro. – **b.** Su casa está muy sucia. – **c.** El director está muy ocupado. – **d.** Es un chico muy tímido. – **e.** Es una carta muy larga.

2 ▶ a. cansadísimos – **b.** estropeadísima – **c.** rarísimo – **d.** baratísimas – **e.** antipatiquísimo

3 ▶ a. Es la canción más popular de Francia. – **b.** Es el trabajo más aburrido que pueda existir. – **c.** Es el mantel más caro de la tienda. – **d.** Es el vecino más desagradable del barrio. – **e.** Es la ley más estúpida que conozco.

4 ▶ a. muy bueno ; buenísimo ; óptimo **b.** muy grande ; grandísimo ; máximo **c.** muy malo ; malísimo ; pésimo **d.** muy pequeño ; pequeñísimo ; mínimo

5 ▶ a. grande – **b.** peor – **c.** mejor – **d.** mínimo

27 L'adjectif (6)

◄ énoncés p. 46-47

1 ▶ a. Me ha dicho **cien** veces lo mismo. – **b.** Es una **buena** mujer. – **c.** Lo **primero** es lo **primero**. – **d.** Hay **un** restaurante argentino en mi barrio. – **e.** ¿Has visto **algún** periódico por aquí?

2 ▶ a. ¿Quién es el **primero**? – **b.** Es la **primera** vez que voy a Australia. – **c.** Es mi **primer** día de vacaciones. – **d.** Los últimos serán los **primeros**. – **e.** Mi **primer** amor fue Juan.

3 ▶ a. doscientos – **b.** mala – **c.** cualquiera – **d.** San – **e.** tercer

4 ▶ a. 4 – **b.** 3 – **c.** 5 – **d.** 1 – **e.** 2

5 ▶ a. Te voy a dar un buen consejo. – **b.** No tengo ningún problema. – **c.** Es una gran experiencia. – **d.** Es un mal ejemplo. – **e.** Este helado no está bueno.

28 L'adjectif (7)

◄ énoncés p. 48-49

1 ▶ a. Es un piso cercano **al** metro. – **b.** Eso es muy difícil **de** creer. – **c.** Jorge está loco **por** Elvira. – **d.** Están conformes **con** lo propuesto. – **e.** Es muy ingrato **con** sus amigos.

2 ▶ a. C'est une rue facile à trouver. – **b.** Cette boîte peut être utile à quelque chose. – **c.** Il est amateur de football. – **d.** Il y a un arrêt proche de la Faculté. – **e.** Ils sont très contents des notes de leur fils.

3 ▶ a. con – b. de – c. con – d. por – e. en.

4 ▶ a. 2 ; 4 – b. 1 – c. 1 ; 2 ; 4 ; 5 – d. 3 ; 5 – e. 1 ; 2 ; 4

5 ▶ a. Está descontento con el resultado. – b. Es un problema imposible de resolver. – c. Las vitaminas son necesarias para la salud. – d. Ana está satisfecha con su trabajo. – e. Muchos apasionados por la pintura abstracta han venido a ver la exposición.

29 L'adjectif (8)

◄ énoncés p. 50-51

1 ▶ a. este – b. aquellas – c. Esta – d. aquellos – e. esa

2 ▶ a. 2 – b. 1 – c. 5 – d. 3 – e. 4

3 ▶ a. Esta – b. Ese – c. Ese – d. esta – e. Esas

4 ▶ a. Esta chica es mi amiga. – b. Aquel monumento es la catedral. – c. Ese hombre es raro. – d. Ese abrigo es bonito. – e. Este problema no es grave.

5 ▶ a. estos – b. ese – c. esos – d. aquellos - estos – e. Esas

30 L'adjectif (9)

◄ énoncés p. 52

1 ▶ a. mi – b. tu – c. mi – d. su – e. mi

2 ▶ a. Esos sombreros son suyos. – b. No me gustan sus formas de vestir. – c. No conocemos a tus invitados. – d. Han sido ideas tuyas. – e. Vuestras comidas están servidas.

3 ▶ a. Son sus cosas. – b. Son sus bancos. – c. Es su bici. – d. Es su disco. – e. Son sus gallinas.

4 ▶ a. Son mías. – b. Son suyos. – c. Es nuestro. – d. Son tuyas. – e. Es mío.

5 ▶ a. Escuchan a su profesor. – b. Sus (vuestros) hijos están fuera. – c. Señor, su coche está listo. – d. Conozco a su marido. – e. Manolo es su hermano menor.

31 Le pronom (1)

◄ énoncés p. 53-54

1 ▶ a. Me han regalado éste. – b. No me viene ésa. – c. No confío en aquéllas. – d. Viven en ése. – e. Buscáis aquél.

2 ▶ a. Este – b. ese – c. Ésta – d. Estos - aquéllos – e. Esas

3 ▶ a. Qu'est-ce que c'est que cela ? – b. Qui est celui-ci ? – c. Qui sont ceux-là (là-bas) ? – d. Cela je ne le sais pas. – e. C'est cela.

4 ▶ a. Este periódico es el de ayer. b. Eso es lo que quiero. c. Estas flores son las del jardín. d. Aquellas playas son las que conocemos. e. ¿No sabes lo de Silvia?

5 ▶ a. Estos alumnos están aprobados y éstos otros suspensos. b. Estas botas me están pequeñas, ¿no serán más grandes ésas del escaparate? c. ¿Y eso por qué? d. Estos calcetines están rotos; me pondré ésos que me compré la semana pasada. e. Éste es el primer cumpleaños que celebro.

32 Le pronom (2)

◄ énoncés p. 55

1 ▶ a. Los tuyos están estropeados. – b. El vuestro es muy caro. – c. El suyo tiene malas notas. – d. Los nuestros quieren venir a vernos. – e. Los míos están esperando.

2 ▶ a. 4 – b. 5 – c. 1 – d. 3 – e. 2

3 ▶ a. ¿Este libro es el tuyo? – b. Sí, es el mío. – c. ¿Estas llaves son las nuestras? – d. ¡Mira qué coche tienen! - ¿De verdad es el suyo? – e. Esa voz no es la suya.

4 ▶ a. negro – b. la mía – c. las nuestras – d. las suyas – e. los míos

5 ▶ a. No es la suya/la vuestra. – b. Prefiero las mías. – c. ¿Defectos?, tienen los suyos. – d. Los nuestros son más grandes/mayores. – e. El tuyo es muy bonito.

33 Le pronom (3)

◄ énoncés p. 56-57

1 ▶ a. vosotros – b. tú – c. ellos – d. nosotros – e. yo

2 ▶ a. Sales – b. Vienes – c. Tomas – d. Estás – e. Crees

3 ▶ a. ¿Es usted el profesor? – b. ¿Va a decírselo? – c. ¿Se queda usted con nosotros? – d. ¿Conoce usted la noticia? – e. ¿Habla usted italiano?

4 ▶ **a.** ¿Oyen ese ruido? – **b.** ¿Llegarán pronto? – **c.** ¿Están Vds. matriculados? – **d.** ¿Saben lo que ha pasado? – **e.** ¿Se van ya?

5 ▶ **a.** No tenéis sitio. – **b.** Estudiáis tres idiomas. – **c.** Vais de veraneo a Marbella. – **d.** Leéis mucho en español. – **e.** Abrís a las nueve.

34 Le pronom (4)

◄ énoncés p. 58

1 ▶ **a.** 5 – **b.** 1 – **c.** 2 – **d.** 4 – **e.** 3

2 ▶ **a.** No les he entendido bien. – **b.** Me alegro de conocerles. – **c.** Os llaman por teléfono. – **d.** Nos parece muy buena idea. – **e.** Los vio él.

3 ▶ **a.** le – **b.** nos – **c.** os – **d.** se – **e.** les

4 ▶ **a.** Offre-le-lui. – **b.** Mets-les. **c.** Signe-le. – **d.** Je vais le voir. – **e.** En te concentrant, tu apprendras plus vite.

5 ▶ **a.** prepáraselo – **b.** cómprasela – **c.** llénalo – **d.** apágala – **e.** ordénalas

35 Le pronom (5)

◄ énoncés p. 59-60

1 ▶ **a.** él – **b.** mí – **c.** tú – **d.** usted – **e.** yo.

2 ▶ **a.** 3 – **b.** 4 – **c.** 5 – **d.** 1 – **e.** 2

3 ▶ **a.** Lo hago por ti. – **b.** Quédate conmigo. – **c.** Iremos con usted. – **d.** Creo en ti. – **e.** ¿Está ella contigo?

4 ▶ **a.** Georges parle beaucoup de toi. – **b.** Il se fâche avec lui-même. – **c.** L'enfant reste avec vous. – **d.** D'après vous, les affaires prospèrent. – **e.** Il est très fier de lui.

5 ▶ **a.** No los quiero ver contigo. – **b.** Según tú, vienen con nosotros. – **c.** Con ustedes no hay quien hable. – **d.** Lo hago por ellos. – **e.** Entre tú y ella todo va mal.

37 Le pronom (7)

◄ énoncés p. 61-62

1 ▶ **a.** mange-le – **b.** assieds-toi – **c.** habille-toi – **d.** tais-toi – **e.** monte-le

2 ▶ **a.** Házmelo. – **b.** Pienso hacerlo. – **c.** Arréglela. – **d.** Vamos a cambiarla. – **e.** Ven a vernos.

3 ▶ **a.** comiéndotelo – **b.** dejárselo – **c.** impidiéndonoslo – **d.** preguntándoselo – **e.** comunícaselo

4 ▶ **a.** lavaos – **b.** concentrémonos – **c.** dejásela – **d.** poneos – **e.** calentemos

5 ▶ **a.** No quiero saberlo. – **b.** No te vayas. – **c.** No se lo digáis. – **d.** No puedo comprarlo. – **e.** No te decidas. – **f.** No está preparándose. – **g.** No se la escribas. – **h.** No se lo compres.

38 Le pronom (8)

◄ énoncés p. 63

1 ▶ **a.** Es demasiado orgulloso. – **b.** Me hace falta más harina. – **c.** Ambos estaban de acuerdo. – **d.** Ha venido alguien. – **e.** Haz algo.

2 ▶ **a.** tanto – **b.** Cada – **c.** nada – **d.** otro – **e.** varios

3 ▶ **a.** aún no – **b.** mucho – **c.** ningún – **d.** pocos – **e.** cualquier

4 ▶ **a.** 5 – **b.** 3 – **c.** 4 – **d.** 1 – **e.** 2

5 ▶ **a.** Il écrit tous les deux mois. – **b.** Il y a une certaine odeur qui me plaît. – **c.** Je n'ai pas autant de chance que toi. – **d.** Il rit moins qu'avant. – **e.** Je vous le dis à tous et à chacun d'entre vous.

39 Le pronom (9)

◄ énoncés p. 64-65

1 ▶ **a.** ninguno – **b.** nada – **c.** nadie – **d.** ningunas – **e.** ningún

2 ▶ **a.** Nada puede decirnos. – **b.** Nadie ha venido. – **c.** Ninguno tengo. – **d.** Nadie le teme. – **e.** Nada he comprado. –

3 ▶ **a.** uno/un – **b.** Cualquiera/cualquier – **c.** algún/Alguno – **d.** ningún/ninguno – **e.** Uno/veintiún

4 ▶ **a.** On entend quelque chose. – **b.** Je n'ai fait aucun cadeau. – **c.** Ne le dis à personne. – **d.** Je n'ai rien (il ne m'arrive rien). – **e.** Il n'y a aucune fête.

5 ▶ **a.** Vendrá otro día. – **b.** Tengo hijos. – **c.** Tienen algunos sellos. – **d.** Hazme otra foto. – **e.** Debe de haber unos mil kilómetros.

40 Le pronom (10)

◄ énoncés p. 66

1 ▶ **a.** quien – **b.** que – **c.** el cual – **d.** el que – **e.** cuya.

2 ▶ **a.** que – **b.** cuya – **c.** quien – **d.** las que – **e.** donde

3 ▶ **a.** 4 – **b.** 3 – **c.** 1 – **d.** 2 – **e.** 5

4 ▶ **a.** Es la escuela cuyos alumnos tienen un nivel muy bueno. – **b.** El árbol cuyas ramas están rotas. – **c.** Se trata de algo que no me interesa. – **d.** ¿Habéis sido vosotros los que habéis llamado a la puerta? – **e.** Isabel es la que tiene el pelo largo.

5 ▶ **a.** Hemos visto una pulsera **que** era muy cara. – **b.** Cambió la cama **cuyas** sábanas estaban sucias. – **c.** Llamó el vecino **cuyo** balcón está encima del nuestro. – **d.** Es el padre de Alejandro **el que** trabaja en un banco. – **e.** Ha sido Elvira **la que** lo ha contado todo.

41 Le pronom (11)

◀ énoncés p. 67-68

1 ▶ **a.** ¿De qué color será el vestido? – **b.** ¿Adónde iremos de vacaciones este año? – **c.** ¿Dónde vive? – **d.** ¿Cuándo empiezan las clases? – **e.** ¿Para qué ha venido?

2 ▶ **a.** Quién – **b.** Qué – **c.** Cuál – **d.** Cómo – **e.** Cuánto

3 ▶ **a.** Cuántos – **b.** Cuánto – **c.** Cuántas – **d.** Cuánta – **e.** cuánto

4 ▶ **a.** cuál – **b.** cuál – **c.** cuáles – **d.** cuál – **e.** cuál

5 ▶ **a.** ¿Cómo has llegado? – **b.** ¿Cuándo tienes cita? – **c.** ¿Por qué le has hablado? – **d.** ¿Adónde van? – **e.** ¿Quién te ha dicho eso?

42 Les exclamatifs et la phrase exclamative

◀ énoncés p. 69

1 ▶ **a.** ¡Qué mujer **tan/más** guapa! – **b.** ¡Qué niños **tan/más** revoltosos! – **c.** ¡Qué alumno **tan/más** aplicado! – **d.** ¡Qué tema **tan/más** interesante! – **e.** ¡Qué música **tan/más** relajante!

2 ▶ **a.** Cómo – **b.** Qué – **c.** Cuánto – **d.** Quién – **e.** Qué

3 ▶ **a.** Qué – **b.** tan / más – **c.** tan / más – **d.** qué – **e.** tan / más

4 ▶ **a.** 1 – **b.** 4 – **c.** 5 – **d.** 3 – **e.** 2

5 ▶ **a.** ¡Qué día más caluroso! – **c.** ¡Qué regalo tan inesperado! – **d.** ¡Qué techos tan altos!

43 L'adverbe (1)

◀ énoncés p. 70

1 ▶ **a.** Ha dormido mal. – **b.** Hemos hablado mucho. – **c.** Han entendido muy bien. – **d.** He llegado bien. – **e.** Anda lentamente.

2 ▶ **a.** tristemente – **b.** rápidamente – **c.** discretamente – **d.** suavemente – **e.** dulcemente

3 ▶ **a.** discreta y tímidamente – **b.** raramente – **c.** difícilmente – **d.** Ciertamente – **e.** exacta y detalladamente

4 ▶ **a.** 2 – **b.** 5 – **c.** 4 – **d.** 1 – **e.** 3

5 ▶ **a.** Pourquoi l'as-tu fait ainsi? – **b.** Il l'a fait exprès. – **c.** Il s'adapte facilement. – **d.** Il vit joyeusement et négligemment. – **e.** Je le connais bien.

44 L'adverbe (2)

◀ énoncés p. 71-72

1 ▶ **a.** mucho – **b.** menos – **c.** algo – **d.** bastante/demasiado – **e.** tan poco

2 ▶ **a.** Es muy tarde. – **b.** Y además estamos muy cansados. – **c.** Tenemos mucha sed. – **d.** Duermen mucho. – **e.** Les duele mucho el cuello.

3 ▶ **a.** Il est déjà presque sept heures. – **b.** Il est venu tout seul depuis Madrid. – **c.** Ils étaient seulement trois. – **d.** Ils mangent seulement des légumes. – **e.** Je n'ai pas besoin d'autant.

4 ▶ **a.** Piensan sólo/solamente en divertirse. – **b.** Se preocupa sólo/solamente por su hijo. – **c.** Sale sólo/solamente para ir al trabajo. – **d.** Conoce sólo/solamente a sus vecinos. – **e.** Vienen sólo/solamente una vez al año.

5 ▶ **a.** tan – **b.** tan – **c.** tanto – **d.** tanto – **e.** tan

45 L'adverbe (3)

◀ énoncés p. 72-73

1 ▶ **a.** abajo – **b.** detrás – **c.** dentro – **d.** lejos – **e.** atrás

2 ▶ **a.** Los árboles están alrededor de la casa. – **b.** Veo una colina allí. – **c.** No te pongas debajo del andamio. – **d.** Tu ropa está aquí dentro. – **e.** Ven aquí, cerca de mí.

3 ▶ **a.** Les chambres sont en haut. – **b.** Nous habitons assez loin du centre. – **c.** La Poste est en face de la pharmacie. – **d.** As-tu regardé sous le lit ? – **e.** Le cahier est sur le bureau.

4 ▶ **a.** encima – **b.** alrededor – **c.** abajo – **d.** detrás – **e.** adelante

5 ▶ **a.** ahí – **b.** aquí – **c.** allí – **d.** ahí – **e.** aquí

46 L'adverbe (4)

◀ énoncés p. 74

1 ▶ **a.** 3 – **b.** 5 – **c.** 1 – **d.** 2 – **e.** 4

2 ▶ **a.** Maintenant nous allons faire un tour. – **b.** Je viens de raccrocher à l'instant. – **c.** Un instant, je t'aide tout de suite. – **d.** Nous nous retrouvons à trois heures, à tout à l'heure ! – **e.** Je regrette, je ne peux pas m'occuper de vous maintenant.

3 ▶ **a.** Nunca escriben. – **b.** No te creeré nunca más. – **c.** Nunca jamás haría eso ella. – **d.** Nunca escucha música. – **e.** Nunca se lo diré.

4 ▶ **a.** Anoche – **b.** todavía – **c.** anteayer - hoy – **d.** pronto – **e.** mientras

5 ▶ **a.** Ya no viene a vernos. – **b.** ¿Has terminado ya? – **c.** No queda más pan/Ya no queda pan. – **d.** Ya no sé lo que quería decir. – **e.** ¡(Ya) no nos queda gasolina!

47 L'adverbe (5)

◀ énoncés p. 75

1 ▶ **a.** también – **b.** también – **c.** tampoco – **d.** también – **e.** tampoco

2 ▶ **a.** más bien – **b.** claro – **c.** A lo mejor – **d.** Puede ser que/Quizá – **e.** Que no

3 ▶ **a.** Tal vez compren una casa. – **b.** Claro que vendremos. – **c.** A lo mejor nos mudamos este verano. – **d.** Puede ser. – **e.** Seguro que se le ha escapado el tren.

4 ▶ **a.** tampoco – **b.** abren – **c.** Puede que – **d.** también – **e.** Tal vez

5 ▶ **a.** jamás – **b.** temprano – **c.** aún – **d.** encima – **e.** ya

48 Les prépositions

◀ énoncés p. 77

1 ▶ **a.** He llamado a Andrés. – **b.** Hemos visto a Ramón en el zoo. – **c.** Anoche fui al cine a ver una película. – **d.** Casi todos los jueves veo a tus padres en el mercado. – **e.** ¿Han aprobado a tu hermano?

2 ▶ **a.** de – **b.** de – **c.** de – **d.** de – **e.** a - a

3 ▶ **a.** en – **b.** en – **c.** en – **d.** en – **e.** de

4 ▶ **a.** por – **b.** por – **c.** para – **d.** por – **e.** para

5 ▶ **a.** Las zapatillas están **debajo de** la cama. – **b.** Hay un libro **encima de** la silla. – **c.** No te pongas **delante de** la tele. – **d.** Hay árboles **alrededor de** la plaza. – **e.** El cuchillo se ha caído **detrás del** frigo.

49 Traduction de *on*

◀ énoncés p. 78-79

1 ▶ **a.** Se habla francés. – **b.** Abrimos a las nueve. – **c.** Escuchamos sus mensajes. – **d.** Rebajamos el último armario. – **e.** Se venden muebles antiguos.

2 ▶ **a.** On frappe à la porte. – **b.** On part en Égypte vendredi. – **c.** On doit être raisonnable. – **d.** Plus on dort, plus on en a envie. – **e.** Dans ce restaurant, on fait du très bon *gazpacho*.

3 ▶ **a.** Se venden casas. – **b.** Vamos a comer – **c.** Hablan de la subida de la gasolina. – **d.** Vuelves temprano y encima se enfadan. – **e.** Se hacen fotocopias.

4 ▶ **a.** Se – **b.** Se – **c.** se - uno – **d.** Uno – **e.** Se

5 ▶ **a.** 4 – **b.** 1 – **c.** 5 – **d.** 2 – **e.** 3

50 Les différents aspects de l'action

◀ énoncés p. 79-80

1 ▶ **a.** Está lloviendo. – **b.** Estáis haciendo los deberes. – **c.** Están escribiendo una carta. – **d.** Está llegando el tren. – **e.** Estamos saliendo del colegio.

2 ▶ **a.** Pablo, en cuanto llega, **se pone a** comer. – **b.** A Antonio ya le **va gustando** hacer deporte. – **c.** Mis padres **acaban de** salir de casa. – **d.** ¿**Suele** Vd. comer en este restaurante? – **e.** Nosotros **volvemos** a invitar a los Martínez esta noche.

3 ▶ **a.** Siguen viéndose. – **b.** He dejado de trabajar por ellos. – **c.** Está escuchando música. – **d.** Acabamos de hablarle. – **e.** Se va acostumbrando a vivir en esta ciudad.

4 ▶ **a.** está – **b.** empieza – **c.** está – **d.** dejáis – **e.** suelen

5 ▶ **a.** Il a l'habitude de venir souvent par ici. – **b.** Pedro commence à s'inquiéter. – **c.** Il n'a jamais cessé de m'écrire. – **d.** Maintenant il s'est mis à peindre. – **e.** Tu t'es de nouveau fâché avec elle?

51 L'expression de l'obligation

◀ énoncés p. 81

1 ▶ **a.** No es preciso que me ayudes. – **b.** Tengo que ir a casa de mi tía. – **c.** No has de portarte tan mal. – **d.** Hace falta que venga un fontanero. – **e.** Debes comprender su situación.

2 ▶ **a.** No hace falta que tú **me ayudes**. – **b.** Es preciso **hacer** una nueva carretera. – **c.** Esta noche tengo que **quedarme** en casa. – **d.** Es necesario que ellos **vengan** con nosotros. – **e.** Debo **hacer** los deberes al salir de clase.

3 ▶ **a.** Je dois te parler. – **b.** Tu ne dois pas le faire. – **c.** Il faut que tu l'écoutes. – **d.** Ils doivent être fâchés. – **e.** Carmen doit partir.

4 ▶ **a.** Es preciso **que hagas** un esfuerzo. – **b.** Tienes **que** reservar antes de ir. – **c.** Hemos de trabajar hasta muy tarde. – **d.** Es necesario echarle gasolina al coche. – **e.** Hace falta **que** vayas de compras.

5 ▶ **a.** deben de – **b.** debe – **c.** debes – **d.** debe de – **e.** debéis

52 Emploi de *ser*

◀ énoncés p. 82-83

1 ▶ **a.** son – **b.** es – **c.** son – **d.** es – **e.** Son

2 ▶ **a.** Juan es mi hermano mayor. – **b.** El desfile es una vez al año. – **c.** Quiere ser arquitecto. – **d.** Esta/Esa película es muy mala. – **e.** No es verdad.

3 ▶ **a.** 3 – **b.** 5 – **c.** 1 – **d.** 4 – **e.** 2

4 ▶ **a.** son – **b.** es – **c.** son – **d.** es – **e.** Soy

5 ▶ **a.** azul – **d.** su tío – **e.** de día

53 Emploi de *estar*

◀ énoncés p. 83-84

1 ▶ **a.** Estamos en España. – **b.** Estamos a veinticinco de septiembre. – **c.** Estamos en otoño. – **d.** Somos dieciséis. – **e.** Estamos de acuerdo.

2 ▶ **a.** Está – **b.** está – **c.** Está – **d.** Está – **e.** está

3 ▶ **a.** 2/a. 5 – **b.** 1 – **c.** 3/c. 4 – **d.** 2/d. 4/d. 5 – **e.** 4

4 ▶ **a.** Están – **b.** Son – **c.** Están – **d.** Están – **e.** Están

5 ▶ **a.** es – **b.** fue – **c.** está – **d.** Somos – **e.** Estamos

54 Emploi de *ser* et *estar*

◀ énoncés p. 85

1 ▶ verbes à barrer : **a.** Eres – **b.** ésta/esta – **c.** está – **d.** soy – **e.** es

2 ▶ **a.** distraído – **b.** joven – **c.** nervioso – **d.** difícil – **e.** mudo

3 ▶ **a.** Il est clair qu'elle est amoureuse de lui. – **b.** J'ai une nouvelle voiture. – **c.** La table est très sale. – **d.** Qu'est-ce que ton frère est beau! – **e.** Ces tomates sont très vertes.

4 ▶ **a.** Es una casa muy luminosa. – **b.** Es difícil encontrar un hotel ahora. – **c.** Mi abuelo es muy viejo. – **d.** El hielo/El helado es frío. – **e.** Estoy cojo desde el lunes.

5 ▶ **a.** está - es – **b.** Es - está – **c.** están – **d.** está – **e.** está

55 *Ser* et *estar* : changement de sens

◀ énoncés p. 86

1 ▶ **a.** 5 – **b.** 3 – **c.** 2 – **d.** 4 – **e.** 1

2 ▶ **a.** Esta carne está muy buena con esta salsa. – **b.** Víctor, ¡no seas malo! – **c.** ¿Has visto?, los cangrejos están vivos. – **d.** En general, los españoles son morenos. – **e.** Mamá, ¿estás lista?

3 ▶ **a.** Silvia est souffrante. – **b.** En été, les gens sont bronzés. – **c.** Antoine est le plus intelligent de la classe. – **d.** Dans cette poissonnerie, le poisson est très bon. – **e.** Je ne suis pas allé à l'école parce que j'étais malade.

4 ▶ verbes à barrer : **a.** está – **b.** está – **c.** Está – **d.** es – **e.** están

5 ▶ a. son – **b.** está – **c.** es – **d.** es – **e.** está

56 Les trois groupes de verbes

◀ énoncés p. 89-90

1 ▶ a. hablar – **b.** salir – **c.** vivir – **d.** deber – **e.** limpiar – **f.** bailar – **g.** temer – **h.** escribir – **i.** necesitar – **j.** saber

2 ▶ a. ¿Comes aquí? – **b.** ¿Hablan bien (el) francés? – **c.** ¿Escribís/Escriben muchas cartas? – **d.** ¿Corre Miguel? – **e.** ¿Leen muchos cuentos los niños?

3 ▶ a. 4 – **b.** 1 – **c.** 5 – **d.** 2 – **e.** 3

4 ▶ a. apagan – **b.** teme – **c.** cenáis – **d.** dudo – **e.** vives

5 ▶ a. Calculamos – **b.** Llaman – **c.** Coméis – **d.** Imprimís – **e.** Andan

57 Le présent de l'indicatif (1)

◀ énoncés p. 91

1 ▶ a. Sí, quiero más pan. – **b.** No, no sé quién es. – **c.** No, no traen el dinero. – **d.** Sí, oigo ese ruido. – **e.** Sí, soy Miguel Jiménez.

2 ▶ a. están – **b.** viene – **c.** puedo – **d.** pongo – **e.** salimos

3 ▶ a. salgo – **b.** voy – **c.** hago – **d.** estoy – **e.** digo

4 ▶ a. Quieren – **b.** caigo – **c.** Pongo – **d.** está – **e.** Quepo

5 ▶ a. traer – **b.** oír – **c.** decir – **d.** valer – **e.** ir

58 Le présent de l'indicatif (2)

◀ énoncés p. 92

1 ▶ hacer

2 ▶ a. huyo – **b.** incluyo – **c.** introduzco – **d.** seduzco – **e.** distribuyo

3 ▶ a. concluyes – **b.** conduzco – **c.** huyen – **d.** obedecen – **e.** parezco

4 ▶ a. parece – **b.** intuyo – **c.** crece – **d.** conozco – **e.** luce

5 ▶ a. Sí, te la agradezco. – **b.** Sí, Pedro influye mucho en Javier. – **c.** Sí, lo reconstruyen. – **d.** Sí, te favorece. – **e.** Sí, producimos mucho.

59 Le présent de l'indicatif (3)

◀ énoncés p. 93

1 ▶ o → ue : colgar ; recordar ; sonar ; aprobar ; encontrar
e → ie : nevar ; atravesar ; despertar ; encerrar ; quebrar

2 ▶ e → ie : calentar ; defender
o → ue : volar ; resolver ; soltar
pas de diphtongaison : depender ; colocar ; robar ; pretender ; doblar

3 ▶ a. piensan – **b.** aprieta – **c.** cuesta – **d.** recordamos – **e.** empieza

4 ▶ a. aprueban – **b.** cuelga – **c.** despertamos – **d.** Nieva – **e.** encuentro

5 ▶ a. Regamos – **b.** Soñamos – **c.** Comprobamos – **d.** Confesamos – **e.** Fregamos

60 Le présent de l'indicatif (4)

◀ énoncés p. 94

1 ▶ a. juega – **b.** divierten – **c.** repite – **d.** pido – **e.** ríe

2 ▶ a. Se ríen mucho. – **b.** Pedimos dinero. – **c.** Vds. juegan a las cartas. – **d.** Con el calor, la mantequilla se derrite. – **e.** Mide un metro.

3 ▶ e → ie : sentir ; mentir ; referir ; desmentir – e → i : sonreír ; perseguir ; pedir ; derretir ; vestir ; servir

4 ▶ a. elijo – **b.** sonríes – **c.** sigue – **d.** advierte – **e.** repiten – **f.** me divierto – **g.** mentimos – **h.** seguís – **i.** vistes – **j.** prefiero

5 ▶ pedir

61 Le présent du subjonctif (1)

◀ énoncés p. 95

1 ▶ a. 2 – **b.** 4 – **c.** 3 – **d.** 1 – **e.** 5

2 ▶ a. pinte – **b.** tema – **c.** andemos – **d.** decore – **e.** partan

3 ▶ a. escuche – **b.** callen – **c.** grabemos – **d.** escribas – **e.** rompa

4 ▶ a. suba – **b.** repartas – **c.** salte – **d.** laven – **e.** coma

5 ▶ a. hablen – **b.** me prohíbas – **c.** viajéis – **d.** beban – **e.** les regalemos

62 Le présent du subjonctif (2)

◄ énoncés p. 96-97

1 ▶ a. haya – b. dé – c. vayan – d. estéis – e. seas

2 ▶ a. vean – b. sepa – c. estés – d. vayas – e. dé

3 ▶ a. venga – b. pongamos – c. salgáis – d. traiga – e. caiga

4 ▶ a. caber – b. valer – c. oír – d. decir – e. salir

5 ▶ a. tenga - tengas – b. haga - hagas – c. esté - estés – d. oiga - oigas – e. dé - des

63 Le présent du subjonctif (3)

◄ énoncés p. 97-98

1 ▶ a. aborrecer – b. desconocer – c. conducir – d. renacer – e. embellecer

2 ▶ a. envejezca – b. produzca – c. crezca – d. apetezca – e. reduzca

3 ▶ a. conozcas – b. obedezcáis – c. conduzca – d. florezca – e. enriquezca

4 ▶ a. se destituya – b. concluya – c. sustituya – d. incluyan – e. destruyáis

5 ▶ a. enorgullezcas – b. excluya – c. traduzca – d. parezcas – e. restablezcan

64 Le présent du subjonctif (4)

◄ énoncés p. 99

1 ▶ a. diphtongaison o → ue: poder; contar; volver
b. diphtongaison e → ie: cerrar; pensar; calentar
c. diphtongaison i → ie: adquirir
d. diphtongaison u → ue: jugar
e. i → y: instituir; concluir

2 ▶ a. piense – b. muerdan – c. entiendas – d. juguemos – e. se acueste

3 ▶ a. perder – b. contárselo – c. sentarse – d. negar - rugar – e. rogar - moverse

4 ▶ a. huelas – b. rías – c. quiera – d. cuenten – e. esfuerce

5 ▶ a. estar – b. mirar – c. venir – d. desvanecer – e. temer

65 Le présent du subjonctif (5)

◄ énoncés p. 100-101

1 ▶ a. 4 (e → i) – b. 1 (e → ie / e → i) – c. 5 (o → ue / o → u) – d. 3 (o → ue) – e. 2 (e → ie)

2 ▶ a. mienta, mientas, mienta, mintamos, mintáis, mientan – b. riña, riñas, riña, riñamos, riñáis, riñan – c. muera, mueras, muera, muramos, muráis, mueran – d. ría, rías, ría, riamos, riáis, rían – e. hierva, hiervas, hierva, hirvamos, hirváis, hiervan.

3 ▶ a. descuelgue – b. durmáis – c. le pidas – d. sientas – e. mintáis

4 ▶ a. hiramos – b. riñáis – c. fría – d. durmamos – e. digieras

5 ▶ a. Es necesario que duermas. – b. No me pidas que lo haga. – c. Espero que sintáis/sientan lo que ha pasado. – d. No queremos que vengan. – e. Es importante que nos lo digas.

66 L'impératif (1)

◄ énoncés p. 102

1 ▶ a. baja – b. trae – c. elige – d. riega – e. sube

2 ▶ a. callad – b. bromead – c. comed – d. perded – e. abrid

3 ▶ a. corramos – b. escribid – c. huele – d. piensen – e. compre

4 ▶ a. salgamos – b. esperen – c. venga – d. miren – e. trabajemos

5 ▶ a. haz – b. pon – c. ten – d. sal – e. ven

67 L'impératif (2)

◄ énoncés p. 103

1 ▶ a. no lea – b. no sean – c. no esté – d. no sintamos – e. no vaya

2 ▶ a. no corras – b. no vayáis – c. no digas – d. no pongáis – e. no vayas

3 ▶ a. Haced eso – b. Sé malo – c. Venid mañana – d. Decid mentiras – e. Ve por ahí

4 ▶ a. no vuelvas, no vuelva, no volvamos, no volváis, no vuelvan – b. no pidas, no pida, no pidamos, no pidáis, no pidan – c. no tengas, no tenga, no tengamos, no tengáis, no tengan – **d.** no informes, no informe, no informemos, no informéis, no informen **e.** no coloques, no coloque, no coloquemos, no coloquéis, no coloquen

5 ▶ a. no caigas – **b.** resistan – **c.** digamos – **d.** no tengáis – **e.** no salgáis

68 L'imparfait de l'indicatif

◀ *énoncés p. 104*

1 ▶ a. Tomás **venía** los domingos. – **b.** Siempre **estaban** peleándose. – **c. Se enfadaba** cuando le **despertaban.** – **d. Teníamos** mucho trabajo. – **e. Se sabía** muy bien la lección.

2 ▶ a. traíamos – **b.** queríais – **c.** Pensabas – **d.** Salía – **e.** Empezabais

3 ▶ a. encontrabas – **b.** había – **c.** podíamos – **d.** llevabais – **e.** nos quedaba

4 ▶ a. Era – **b.** Iba – **c.** Era – **d.** veía – **e.** iba

5 ▶ a. Mis tías iban al mercado todos los sábados. – **b.** Éramos muy buenos amigos. – **c.** Veía irse a los vecinos muy temprano por la mañana. – **d.** Ibas demasiado rápido. – **e.** Por la noche veíamos la tele.

69 Le passé simple (1)

◀ *énoncés p. 105*

1 ▶ a. molestó – **b.** temió – **c.** tapó – **d.** resumió – **e.** movió

2 ▶ a. Eso me **extrañó** mucho. – **b.** Nos **levantamos** muy temprano. – **c. Salieron** a las doce. – **d. Bebisteis** demasiado. – **e. Trabajaste** en unos grandes almacenes.

3 ▶ a. nos divertimos – **b.** firmé – **c.** nos vencieron – **d.** viste – **e.** volvisteis

4 ▶ a. regaló – **b.** Rompieron – **c.** Decidí – **d.** dejaste – **e.** Mereciste

5 ▶ a. 3 – **b.** 1 – **c.** 5 – **d.** 4 – **e.** 2

70 Le passé simple (2)

◀ *énoncés p. 106-107*

1 ▶ a. querer – **b.** ir / ser – **c.** andar – **d.** caber – **e.** estar.

2 ▶ a. pude – **b.** tuve – **c.** dije – **d.** supe – **e.** puse

3 ▶ a. 3 – **b.** 1 – **c.** 5 – **d.** 2 – **e.** 4

4 ▶ a. hiciste – **b.** pudo – **c.** supimos – **d.** fueron – **e.** Estuve

5 ▶ a. se puso – **b.** Traje – **c.** dijeron – **d.** cupo – **e.** quisieron

71 Le passé simple (3)

◀ *énoncés p. 108*

1 ▶ a. sintió – **b.** durmió – **c.** pidió – **d.** riñó – **e.** rió.

2 ▶ a. cayeron – **b.** durmieron – **c.** despidieron – **d.** tradujeron – **e.** redujeron

3 ▶ a. oír – **b.** creer – **c.** caer – **d.** leer – **e.** concluir

4 ▶ a. leyó – **b.** Concluyeron – **c.** oyó – **d.** Creí – **e.** cayó

5 ▶ a. Cayeron en la trampa. – **b.** No leyeron el periódico de ayer. – **c.** ¿Creyeron lo que dijo? – **d.** Oyeron ruido. – **e.** La semana pasada, Pedro se durmió en clase.

72 L'imparfait du subjonctif

◀ *énoncés p. 109*

1 ▶ a. apostara, apostaras, apostara, apostáramos, apostarais, apostaran – **b.** permaneciera, permanecieras, permaneciera, permaneciéramos, permanecierais, permanecieran – **c.** viviera, vivieras, viviera, viviéramos, vivierais, vivieran – **d.** arreglara, arreglaras, arreglara, arregláramos, arreglarais, arreglaran – **e.** cosiera, cosieras, cosiera, cosiéramos, cosierais, cosieran

2 ▶ a. pidierais / pidieseis – **b.** oyera / oyese – **c.** concluyera / concluyese – **d.** durmiéramos / durmiésemos – **e.** sintiera / sintiese

3 ▶ a. distrajeron / distrajeran – **b.** supieron / supieran – **c.** hicieron / hicieran – **d.** quisieron / quisieran – **e.** estuvieron / estuvieran

4 ▶ a. dijera – **b.** saliéramos – **c.** me conociera – **d.** tuvieran – **e.** hiciera

5 ▶ a. viviesen – **b.** anduviesen – **c.** dijeses – **d.** pudiésemos – **e.** trajeseis

73 Le futur et le conditionnel

◀ *énoncés p. 110-111*

1 ▶ a. pintarás – **b.** creceréis – **c.** sufrirán – **d.** giraré – **e.** volverá

2 ▶ a. contarías – **b.** perderían – **c.** serviríamos – **d.** nacería – **e.** saldría

3 ▶ a. habré / habría – **b.** pondré / pondría – **c.** podré / podría – **d.** querré / querría – **e.** tendré / tendría

4 ▶ a. se irá – **b.** se dormirán – **c.** Jugarás – **d.** conduciréis – **e.** pediré

5 ▶ a. No vendrá hoy, llegará mañana. – **b.** Haremos la reserva e iremos este verano. – **c.** Se lo diré y se lo contará a todos. – **d.** Se vestirá y saldrá. – **e.** Me mirará y se pondrá colorado.

74 Le gérondif

◀ énoncés p. 112

1 ▶ a. lavando – **b.** meciendo – **c.** cerrando – **d.** escribiendo – **e.** rompiendo

2 ▶ a. vistiendo – **b.** subiendo – **c.** temiendo – **d.** gritando – **e.** pidiendo

3 ▶ a. diciendo – **b.** durmiendo – **c.** riendo – **d.** muriendo – **e.** viniendo

4 ▶ a. poder – **b.** leer – **c.** traer – **d.** sentir – **e.** caer

5 ▶ a. oyendo – **b.** yendo – **c.** concluyendo – **d.** creyendo – **e.** andando

75 Le participe passé

◀ énoncés p. 113

1 ▶ a. escondido – **b.** elegido – **c.** hablado – **d.** ejercido – **e.** esforzado

2 ▶ a. cabido – **b.** vuelto – **c.** movido – **d.** dicho – **e.** decidido

3 ▶ a. hecho – **b.** roto – **c.** visto – **d.** escrito – **e.** abierto

4 ▶ a. poner – **b.** cubrir – **c.** morir – **d.** decir – **e.** creer

5 ▶ a. 5 – **b.** 3 – **c.** 4 – **d.** 2 – **e.** 1

76 Les temps composés

◀ énoncés p. 114

1 ▶ a. He llegado bien. – **b.** Ha contestado muy bien. – **c.** Has roto la lámpara. – **d.** Hemos subido hasta el último piso. – **e.** Mis amigas han venido a verme.

2 ▶ a. salido – **b.** dicho aún – **c.** estado – **d.** parecido bien – **e.** aburrida

3 ▶ a. les ha gustado – **b.** han visto / ha pasado – **c.** me ha escrito – **d.** nos han regado – **e.** ha sido.

4 ▶ a. He dormido mal esta noche. – **b.** Han trabajado mucho. – **c.** Se ha restablecido muy pronto. – **d.** Hemos cenado muy bien. – **e.** Tus sobrinos han visto demasiado la tele.

5 ▶ a. Vous avez vite compris le problème. – **b.** Ils n'ont pas voulu venir. – **c.** Ta sœur est restée trop longtemps avec eux. – **d.** Ils ont encore gagné. – **e.** Vous avez très bien joué.

77 Les modifications orthographiques (1)

◀ énoncés p. 115

1 ▶ a. pagáis – **b.** lanzo – **c.** rezo – **d.** delegan – **e.** aparcas

2 ▶ a. apagues – **b.** toquen – **c.** cacen – **d.** te cargues – **e.** calquéis

3 ▶ a. relegar – **b.** atizar – **c.** legar – **d.** convocar – **e.** retozar

4 ▶ a. repiquen – **b.** toque – **c.** Ensalzar – **d.** trague – **e.** unifiquen

5 ▶ a. regué – **b.** dialoguen – **c.** les embauqué – **d.** Bostece – **e.** se ha descalzado

78 Les modifications orthographiques (2)

◀ énoncés p. 116-117

1 ▶ a. esparzo – **b.** cocemos – **c.** restringe – **d.** cogen – **e.** distingues

2 ▶ a. le convenzan – **b.** dirija – **c.** resarzamos – **d.** le urja – **e.** cojáis

3 ▶ a. coge – **b.** distingan – **c.** dirijamos – **d.** esparce – **e.** restrinja

4 ▶ a. dirige – **b.** distingo – **c.** venzamos – **d.** Erigieron – **e.** recoged

5 ▶ a. sobrecogió – **b.** ruge – **c.** convenza – **d.** consiga – **e.** Escoja

79 Les modifications orthographiques (3)

◀ énoncés p. 118

1 ▶ a. 4 – **b.** 1 – **c.** 5 – **d.** 2 – **e.** 3

2 ▶ a. tañó – **b.** mulló – **c.** tiñó – **d.** bruñó – **e.** riñó.

3 ▶ a. cayera/cayese – **b.** ciñera/ciñese – **c.** arguyera/arguyese – **d.** leyera/leyese – **e.** destituyera/destituyese

4 ▶ a. restituyendo – **b.** pidiendo – **c.** creyendo – **d.** temiendo – **e.** tiñendo

5 ▶ a. creyéndose – **b.** tañeran – **c.** cayó – **d.** tiñó – **e.** huyeran

80 Les modifications orthographiques (4)
◀ énoncés p. 119-120

1 ▶ a. actúa – **b.** prohíbe – **c.** desvía – **d.** aísla – **e.** europeíza

2 ▶ a. 5 – **b.** 4 – **c.** 2 – **d.** 1 – **e.** 3

3 ▶ a. actúe – **b.** maúlle – **c.** rocíe – **d.** aísle – **e.** evacúe

4 ▶ a. maúlla – **b.** actúa – **c.** se prohíbe – **d.** se desvían – **e.** se aíslan

5 ▶ a. prohibamos – **b.** aulláis – **c.** actúen – **d.** se resfrían – **e.** desvío

81 Les constructions verbales (1)
◀ énoncés p. 122

1 ▶ a. 4 – **b.** 5 – **c.** 1 – **d.** 3 – **e.** 2

2 ▶ a. ¿Les gusta la cocina india? – **b.** No os gusta el campo. – **c.** A Inés le gusta mucho dibujar. – **d.** Me gusta levantarme temprano. – **e.** ¿Te gusta montar a caballo?

3 ▶ a. Me cae bien – **b.** Me aburre – **c.** Me sorprende/Me extraña/Me asombra – **d.** Me sienta bien – **e.** Me pesa.

4 ▶ a. C'est à moi de jouer/C'est mon tour. – **b.** Nous aimons aller au cinéma. – **c.** Cela me déplaît d'être obligé de sortir. – **d.** Je le/la trouve très sympathique. – **e.** Ce sujet me donne bien du tracas.

5 ▶ a. me atañe – **b.** me impresiona – **c.** me intriga – **d.** me sobra – **e.** me anima

82 Les constructions verbales (2)
◀ énoncés p. 123

1 ▶ a. arreglárselas – **b.** se les ocurre – **c.** ocurrido – **d.** arreglárselas – **e.** se les ocurriría.

2 ▶ a. se le ha ocurrido – **b.** se me ha ocurrido – **c.** se las arregla – **d.** Se las arregla – **e.** le ha ocurrido

3 ▶ a. se te ocurre – **b.** se me ocurre – **c.** se las arregla – **d.** os las arregléis – **e.** se les ocurre

4 ▶ a. Débrouille-toi comme tu pourras. – **b.** Mon fils se débrouille bien chez lui. – **c.** Vous débrouillez-vous bien tous seuls ? – **d.** Oui, nous nous débrouillons très bien. – **e.** Je me débrouille comme je peux.

5 ▶ a. ¿Se te ocurre algo para la cena de esta noche? – **b.** Se me acaba de ocurrir algo. – **c.** Nos las arreglaremos con lo que tenemos. – **d.** ¿A quién se le ocurre llamar por teléfono/telefonear a estas horas? – **e.** No saben a quién se le ocurrió/ha ocurrido invitar a Rosa.

83 Les constructions verbales (3)
◀ énoncés p. 124

1 ▶ a. Cállate. – **b.** Salíos. – **c.** Vuélvanse. – **d.** Vayámonos. – **e.** Peléate.

2 ▶ a. No se lo digas. – **b.** No te las pongas. – **c.** No se lo arregles. – **d.** No nos lo expliques. – **e.** No te la bebas.

3 ▶ a. Dámela. – **b.** Cógelo./Tómalo. – **c.** Dímelo. – **d.** Esperádnos. – **e.** Explícaselo.

4 ▶ a. Ne pars pas. – **b.** Habillez-vous. – **c.** Laissez-les là. – **d.** Faites-le lui. – **e.** Ne nous les rends pas.

5 ▶ a. Enséñaselo pero no se lo des. – **b.** Deberías explicarme lo que te pasa. – **c.** No te lo cuento si no me prometes no decírselo. – **d.** No quiero que me lo hagan. – **e.** Créetelo porque te lo digo yo.

84 Les propositions à l'indicatif (1)
◀ énoncés p. 126-127

1 ▶ a. 3 – **b.** 1 – **c.** 5 – **d.** 2 – **e.** 4

2 ▶ a. cause – **b.** conséquence – **c.** cause – **d.** cause – **e.** conséquence.

3 ▶ a. Me mintió, así que ya no confío en él. – **b.** En vista de que no llega el autobús, vayamos andando. – **c.** Estudia tanto que nunca sale con los amigos. – **d.** No tengo nada en el frigorífico, de manera que me voy a cenar al restaurante. – **e.** No me han felicitado porque no saben que es mi cumpleaños.

4 ▶ a. porque – **b.** Como – **c.** En vista de que – **d.** tanto – **e.** Ya que

5 ▶ **a.** Como – **b.** así que – **c.** de manera que – **d.** En vista de que – **e.** porque

85 Les propositions à l'indicatif (2)

◀ énoncés p. 127-128

1 ▶ **a.** de lo que – **b.** más/que – **c.** menos/del que – **d.** menos/de los que – **e.** menos de lo que

2 ▶ **a.** Son tan caros como los otros. – **b.** Hay más harina de la que necesitamos. – **c.** Mercedes no tiene tanto éxito como esperaba. – **d.** Ha perdido tanto como lo que había ganado. – **e.** Ahora salgo tanto como antes.

3 ▶ **a.** cómo – **b.** qué – **c.** quién – **d.** si – **e.** si

4 ▶ **a.** Nous vous dirons après lequel des deux documents vous devez signer. – **b.** J'ignore pourquoi il se conduit ainsi. – **c.** Alberto veut savoir qui a décidé de vendre ce tableau. – **d.** Nos cousins ne nous ont pas dit quand est-ce qu'ils pensent venir. – **e.** Je ne sais pas comment ta mère a pu l'apprendre.

5 ▶ **a.** 4 – **b.** 1 – **c.** 5 – **d.** 3 – **e.** 2

86 Les propositions au subjonctif (1)

◀ énoncés p. 129

1 ▶ **a.** Pónganse al otro lado. – **b.** No pienses más en ello. – **c.** No te vayas todavía. – **d.** Escuchemos esta música. – **e.** No traduzca el texto.

2 ▶ **a.** Tal vez vaya al cine mañana. – **b.** Tal vez nos estén esperando. – **c.** Tal vez no oigan el teléfono. – **d.** Tal vez conduzca Encarna. – **e.** Tal vez quepan tres.

3 ▶ **a.** ¡Que aproveche! – **b.** ¡Que tengas buen viaje! – **c.** ¡Que descanses! – **d.** ¡Que tengas suerte! – **e.** ¡Que te mejores!.

4 ▶ **a.** Tal vez – **b.** A lo mejor – **c.** A lo mejor – **d.** Tal vez – **e.** Tal vez.

5 ▶ **a.** me toque – **b.** apruebe – **c.** me vaya – **d.** salga – **e.** pueda

87 Les propositions au subjonctif (2)

◀ énoncés p. 130-131

1 ▶ **a.** para que – **b.** de manera que – **c.** por miedo a que – **d.** como si – **e.** con el fin de que

2 ▶ **a.** nos viera – **b.** nos invitaran – **c.** estuvierais – **d.** existiera – **e.** te dijera

3 ▶ **a.** Podéis jugar todo lo que queráis, con tal de que recojáis después. – **b.** No quiero que salgas sin que yo lo sepa. – **c.** Nos iremos el próximo fin de semana, a no ser que no queden billetes. – **d.** Podrás ir a la discoteca a condición de que apruebes el examen. – **e.** En caso de que vengan, les dejaremos nuestra habitación.

4 ▶ **a.** a no ser que – **b.** como si – **c.** a condición de que – **d.** de manera que – **e.** en caso de que

5 ▶ **a.** Es como si evitara encontrarse conmigo. – **b.** Te lo digo a condición de que no se lo digas. – **c.** Te dejo las llaves aquí, por si volvieras antes que yo. – **d.** No hemos venido para que nos invites a comer. – **e.** No se irán sin que su coche haya sido revisado.

88 Les propositions à l'indicatif ou au subjonctif (1)

◀ énoncés p. 131-132

1 ▶ **a.** No pienso que esté equivocado. – **b.** No me parece que esté enfadado. – **c.** No me han dicho que se vayan. – **d.** No créeis que esté bien hecho. – **e.** No digo que no quiera verle más.

2 ▶ **a.** lo sepamos – **b.** quieran – **c.** venga – **d.** es – **e.** sea

3 ▶ **a.** Te aconsejo que se lo digas. – **b.** Quiero que me traigas el periódico. – **c.** Le prohíbo que salga con ese chico. – **d.** Le ruego que me perdone. – **e.** Me mandan que ordene mi habitación.

4 ▶ **a.** Es aconsejable que la dejen tranquila. – **b.** Es lógico que pida dinero a su edad. – **c.** Más vale que os calléis. – **d.** Hace falta que traigamos más leña. – **e.** Es mejor que deposites el equipaje en la consigna.

5 ▶ **a.** dado que – **b.** siempre que – **c.** con tal de que – **d.** a pesar de que – **e.** poner

89 Les propositions à l'indicatif ou au subjonctif (2)

◀ énoncés p. 133

1 ▶ **a.** vayas – **b.** mudamos – **c.** digas – **d.** entere – **e.** vienen

2 ▶ **a.** sea – **b.** digas – **c.** funciona – **d.** les guste – **e.** quieren

3 ▶ **a.** No es seguro que lleguen esta noche. – **b.** No es evidente que se les haya olvidado. – **c.** No es natural que prefieran vivir cerca de sus hijos. – **d.** No está demostrado que no sirvan para ese puesto. – **e.** No es posible que nos firmen un autógrafo.

4 ▶ **a.** Es mejor que esperemos a que pare de llover. – **b.** Más vale que estés seguro antes de firmar. – **c.** Es posible que alquile un coche. – **d.** Es lógico que desconfíen de ese hombre. – **e.** Parece mentira que saquéis tan malas notas.

5 ▶ **a.** Il suffit que tu l'appelles pour qu'il vienne. – **b.** Il n'est pas possible qu'il sorte aussi tard. – **c.** Il est évident qu'il ment. – **d.** Il vaut mieux que tu cherches au sous-sol. – **e.** C'est incroyable que les gens achètent ces horreurs.

90 Les propositions à l'indicatif ou au subjonctif (3)

◀ énoncés p. 134-135

1 ▶ **a.** se da cuenta – **b.** venga – **c.** hable – **d.** me lo encuentro – **e.** se vayan

2 ▶ **a.** se acuesta – **b.** comen – **c.** se vuelve – **d.** haya – **e.** suene

3 ▶ **a.** 4 – **b.** 1 – **c.** 5 – **d.** 2 – **e.** 3

4 ▶ **a.** siempre que – **b.** conforme – **c.** a pesar de que – **d.** en cuanto – **e.** mientras

5 ▶ **a.** Il a beau dormir, il est toujours fatigué. – **b.** Il n'arrête pas de demander jusqu'à ce qu'il obtienne ce qu'il veut. – **c.** Au fur et à mesure qu'ils arrivent, ils s'assoient. – **d.** Il continue à réparer des voitures bien qu'il ne soit pas mécanicien. – **e.** À chaque fois que tu le verras sortir, tu me le dis.

91 Les propositions à l'indicatif ou au subjonctif (4)

◀ énoncés p. 136

1 ▶ **a.** madrugaba ; estaba – **b.** le daban ; se enfadaba – **c.** iba ; invitaba – **d.** le pedían ; ponía – **e.** llegaba ; descolgaba

2 ▶ **a.** 1 (se preocupaba) – **b.** 3 (no se habría roto) – **c.** 2 (comería) – **d.** 4 (no te lo agradecerá) – **e.** 2 (no te hubieran suspendido)

3 ▶ **a.** a menos que – **b.** Si – **c.** En caso de que – **d.** siempre que – **e.** con tal de que.

4 ▶ **a.** Si no te hubiera gustado, no te lo hubieras comido. – **b.** Si no hubiera entendido, hubiera preguntado. – **c.** Si hubiera tenido problemas, hubiera pedido ayuda. – **d.** Si hubiera ido Vicente, hubiera ido yo también. – **e.** Si no hubiéramos reservado, no hubiéramos podido ir.

5 ▶ **a.** Si tu dépenses autant, tu ne pourras jamais faire des économies. – **b.** Si je savais quoi lui dire, je lui parlerais. – **c.** Si quelqu'un annulait, on vous réserverait la place. – **d.** Si Juan avait changé d'avis, tu le saurais. – **e.** S'ils l'avaient vu, ils ne te l'auraient pas dit.

92 Autres manières d'exprimer la condition

◀ énoncés p. 137-138

1 ▶ **a.** Explicándoselo – **b.** Corriendo – **c.** Viendo – **d.** Trabajando – **e.** Mimándolos

2 ▶ **a.** De no gustarte, lo puedes devolver. – **b.** De no arreglarme el coche para mañana, tendré que irme en autobús. – **c.** De tener que salir, los niños se quedarán solos. – **d.** De poder comprarlo, no tarden mucho. – **e.** De no haber llegado tan tarde, le habríais visto.

3 ▶ **a.** 3 – **b.** 4 – **c.** 2 – **d.** 5 – **e.** 1

4 ▶ **a.** Como apruebes, te compro el coche. – **b.** Como no tengan el móvil que buscamos, iremos a otra tienda. – **c.** Como te dé por toser, te sales. – **d.** Como vengan tus primos, no cabemos. – **e.** Como nos lo hagan a medida, nos costará caro.

5 ▶ **a.** Te lo digo en caso de que no lo sepas. – **b.** Coged un paraguas en caso de que llueva. – **c.** Repásate bien las lecciones en caso de que os hagan un examen. – **d.** Aquí dejo mi número de móvil en caso de que pregunten por mí. – **e.** En caso de que se haya perdido la carta, le mandaré un e-mail.

93 La concordance des temps

◀ énoncés p. 138-139

1 ▶ **a.** 1 ; 3 ; 5 – **b.** 3 ; 4 ; 5 – **c.** 1 ; 2 ; 3 ; 4 – **d.** 1 ; 3 ; 5 – **e.** 1 ; 2

2 ▶ **a.** 3 – **b.** 1 – **c.** 4 – **d.** 5 – **e.** 2

3 ▶ **a.** viniera – **b.** te hubiera mentido/mintiera – **c.** necesitéis – **d.** fuera – **e.** ganara

4 ▶ **a.** hayas dicho – **b.** hubieran invitado – **c.** hayan delatado – **d.** hubiera podido – **e.** hubiera habido

5 ▶ **a.** Creo que vendrá. – **b.** Suponen que aceptaremos su propuesta. – **c.** Te prohíbo que te sientes a su lado. – **d.** Me hubiera gustado/habría gustado que el viaje se hiciera/se hubiera hecho más bien en verano. – **e.** Quería que los niños se quedaran en casa.

94 Le style indirect (1)

◀ énoncés p. 140

1 ▶ **a.** Propone que vayamos de excursión. – **b.** Ordena que te calles de una vez. – **c.** Nos aconseja que no le hagamos caso. – **d.** Afirma que no le cae bien Enrique. – **e.** Te pide que le ayudes a poner la mesa.

2 ▶ **a.** Dice que le duele la cabeza. – **b.** Dice que no piensa hacerlo. – **c.** Dicen que irán a Ibiza en Semana Santa. – **d.** Dice que ha aprobado el examen de francés. – **e.** Dicen que serían las cuatro cuando salieron de la discoteca.

3 ▶ **a.** Nos informa de que llegó tarde a la cita porque se le escapó el autobús. – **b.** Pregunta que qué quieren tomar los señores. – **c.** Nos comunica que le gustaría salir con ese chico. – **d.** Nos recuerdan que tenemos que ponernos el cinturón. – **e.** Opina que eso no es asunto tuyo/suyo.

4 ▶ **a.** Dice que te comas lo que tienes en el plato. – **b.** Dice que le hagas caso. – **c.** Dice que te des prisa. – **d.** Dice que apagues la tele. – **e.** Dice que escuches lo que te dice.

5 ▶ **a.** "No me importa lo que digan los demás." – **b.** "De momento no habrá más subidas de sueldo." – **c.** "Mi padre no lo sabe." – **d.** "Échame una mano, por favor." – **e.** "No creo en el horóscopo."

95 Le style indirect (2)

◀ énoncés p. 141-142

1 ▶ **a.** Dijo que Ana estaba muy contenta con su nuevo trabajo. – **b.** Dijeron que Enrique nunca había estado tan enamorado. – **c.** Nos dijo que si nos gustaría ir a la playa. **d.** Dijo que pasaban todas las tardes a la misma hora. – **e.** Les dijo que más valdría que leyeran algún libro.

2 ▶ **a.** El médico le preguntó al enfermo que si tenía fiebre. – **b.** El enfermo no supo decirle exactamente cuánta fiebre tenía. – **c.** El médico creyó que se trataba de una infección. – **d.** El enfermo tuvo que hacerse análisis y comprarse los medicamentos que le recetó el médico. – **e.** Para que pudiera restablecerse pronto, le recomendó que estuviera una semana sin ir al trabajo.

3 ▶ **a.** Dijo que se quedaría una semana con nosotros. – **b.** Dijo que se sentaran. – **c.** Dijo que no comieron en el mismo restaurante que los demás. – **d.** Dijo que estaba harto. – **e.** Dijo que habíais tardado mucho.

4 ▶ **a.** Dijo que hacía falta que arreglaran ese grifo. – **b.** Afirmó que te prohibía que dijeras palabrotas. – **c.** Declaró que le extrañaba que Jorge no hubiera llegado todavía. – **d.** Decía que no estaba de acuerdo con que fueras a ese viaje. – **e.** Ha dicho que es imprescindible que presenten hoy los documentos.

5 ▶ **a.** "Nos pondremos/Se pondrán de acuerdo en una fecha." – **b.** "Volved pronto. – **c.** "No se puede reservar por teléfono." – **d.** "Se me han roto las gafas." – **e.** "No queremos que el profesor lo sepa."

96 Les temps du passé

◀ énoncés p. 143

1 ▶ **a.** Nos conocimos el año pasado. – **b.** No te vi anoche en el cine. – **c.** No ha tenido tiempo de hacerlo esta mañana. – **d.** No lo hemos vuelto a ver desde aquel día. – **e.** Se fueron anteayer.

2 ▶ **a.** se produjo – **b.** se compró – **c.** te has puesto – **d.** pudimos – **e.** han salido

3 ▶ **a.** vi – **b.** te he dicho – **c.** fueron – **d.** se me ha olvidado – **e.** he tenido

4 ▶ **a.** Estuvo ; fuimos – **b.** te he traído ; me encargaste ; lo tienen ; he preguntado – **c.** pusieron ; tuvimos ; podíamos – **d.** entraba ; le tiraron ; le han puesto – **e.** le gustan ; le prepararé

5 ▸ **a.** La dernière fois que je l'ai vu il avait une moustache. – **b.** Je leur ai demandé de venir, mais ils n'ont pas pu. – **c.** Le téléphone sonna lorsque nous montions dans la voiture. – **d.** Il y a un mois qu'il a été opéré et il n'est pas encore rétabli. – **e.** Carmen est allée chez le coiffeur pour devenir blonde, mais le coiffeur s'est trompé et maintenant elle est devenue rousse.

Index

Index

Achevé d'imprimer par STIGE - Italie
Dépôt légal: 13610 - 08/01
Collection N° 58 - Edition 01
168350 7